はじめに

折り紙を趣味としている性別、年齢層を調べてみると、圧倒的にご婦人層が多いのが分かります。折り紙は子どもの遊びと思われがちですが、折り紙を趣味としている子どもは意外にも少ないのです。子どもの遊びであることも確かですが、折り紙は大人の感覚に耐えられる素敵な文化だと思います。

私の思い込みかもしれませんが、折り紙を趣味としている女性の多くは、一生のうちに折り紙と触れる機会は大きく分けて３回あると思っています。１回目は幼児期において親や幼稚園、学校などで与えられて触れる機会。２回目は自分の子どものために与えたり、教えたりする機会。３回目は子育ても終わり、子どもが成長して自分の手から離れ、何か趣味でもと思って触れる折り紙の世界。ここで折り紙に巡り会ったご婦人がかなり折り紙人口のウエイトを占めているのです。

今回、そんなご婦人方を意識した本を執筆する機会に恵まれ、わくわくしながら書くことができました。いったいどんなものがご婦人向きなのか、私なりに解釈して実用的な作品を中心に構成してみました。

今までに50冊を超える折り紙の本を書いてきましたが、なかでも印象に残る１冊となりました。楽しんでいただけるかどうか自信はありませんが、１つでも実際に使っていただける作品があったら幸せです。

山口　真

もくじ

テーブルセンスアップ　8～39

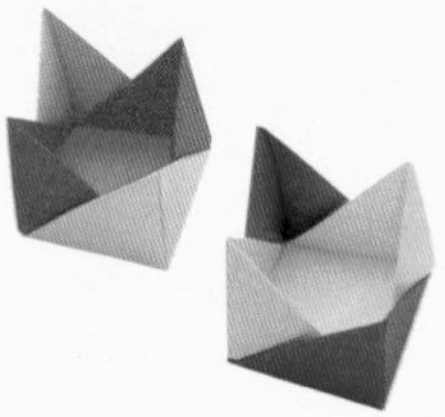

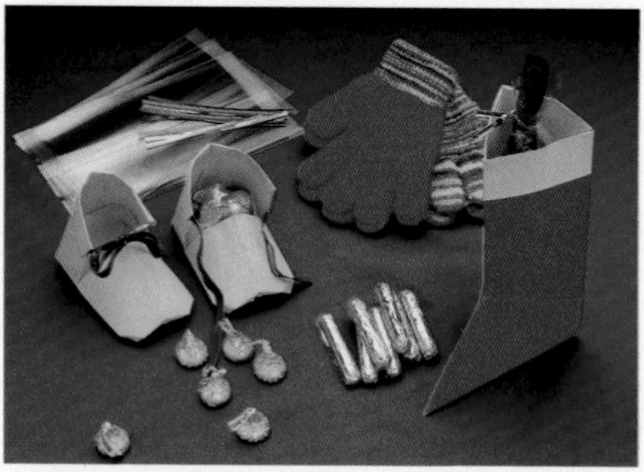

グリーディング&ギフト　40～71

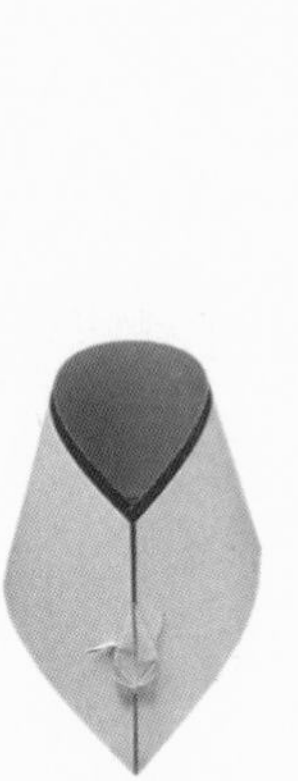

楽しいホームパーティ　112～127

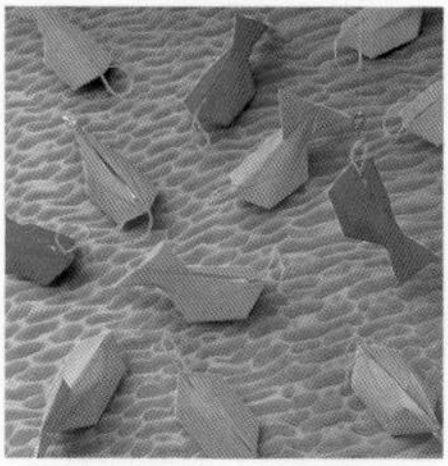

季節のイベント　128～152

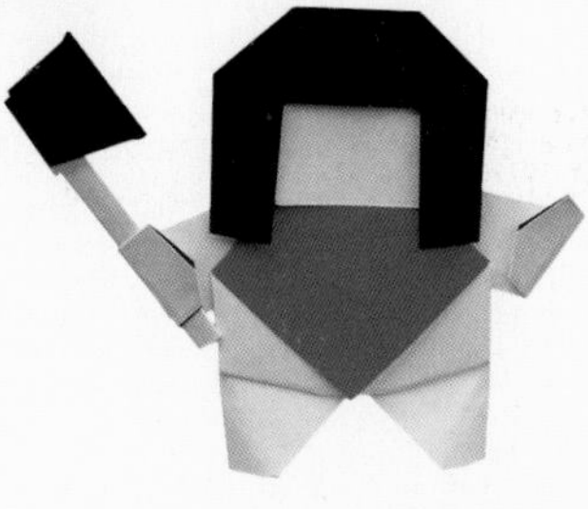

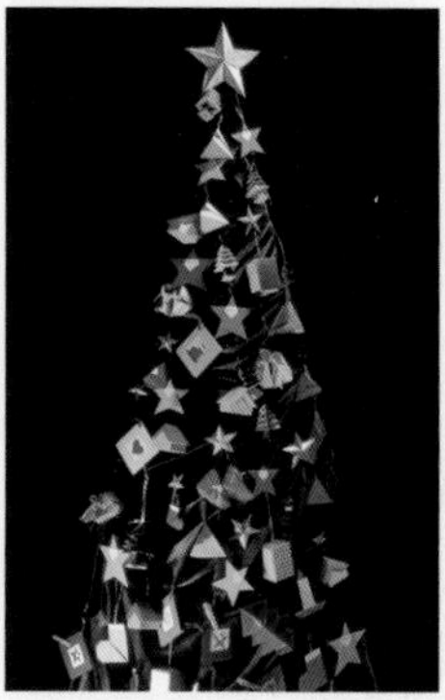

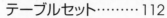

ナプキン折り

ちょっとした工夫で、食卓がパッと華やかに
ナプキンの模様を替えただけでも全然違ったイメージになります。

折り図

①はP11参照
②はP10参照

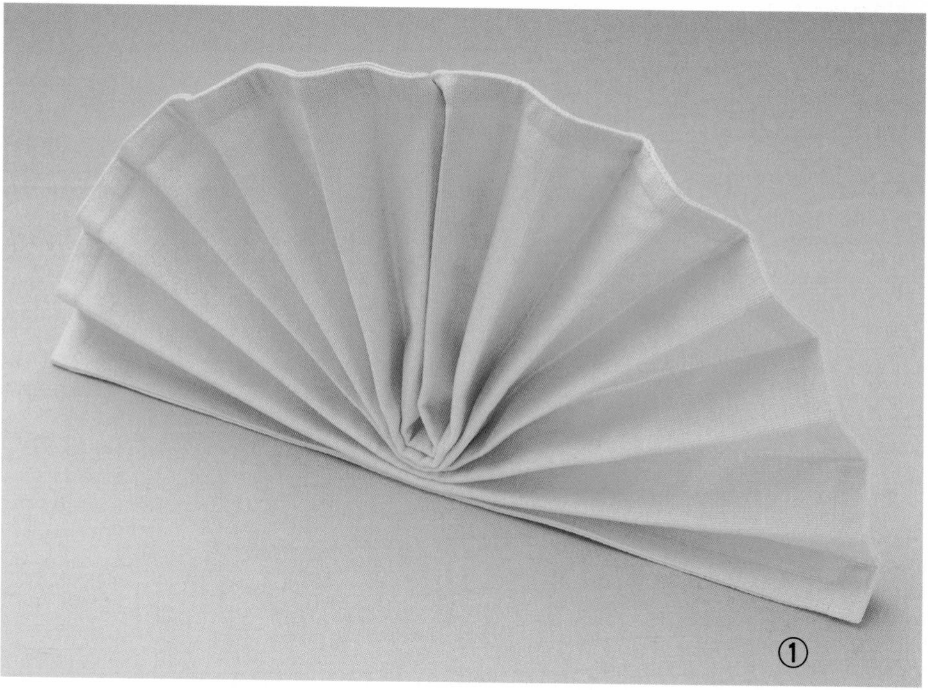

①

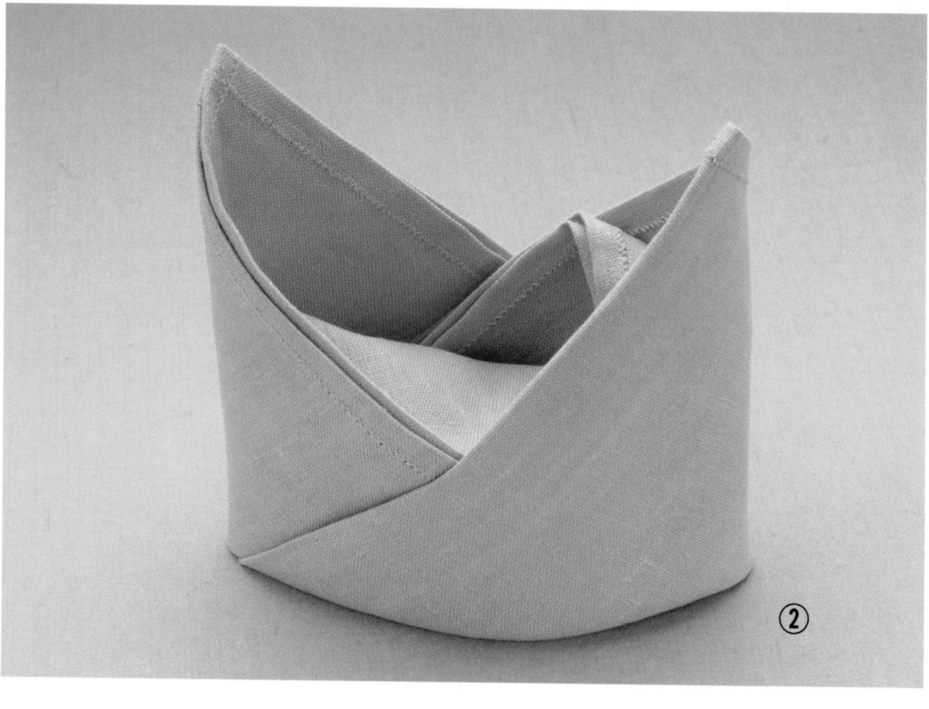

②

1
ナプキン折り
王冠

用紙
●寸法（写真）
紙
37.5×37.5cm
仕上がり
12×4.75×
13.25cm

●素材
糊のきいたナプキン用
の布

◆ワンポイント
布を折る際には、糊が
きいていないと綺麗に
折れません。カドや縁
のズレに注意しながら
折りましょう。

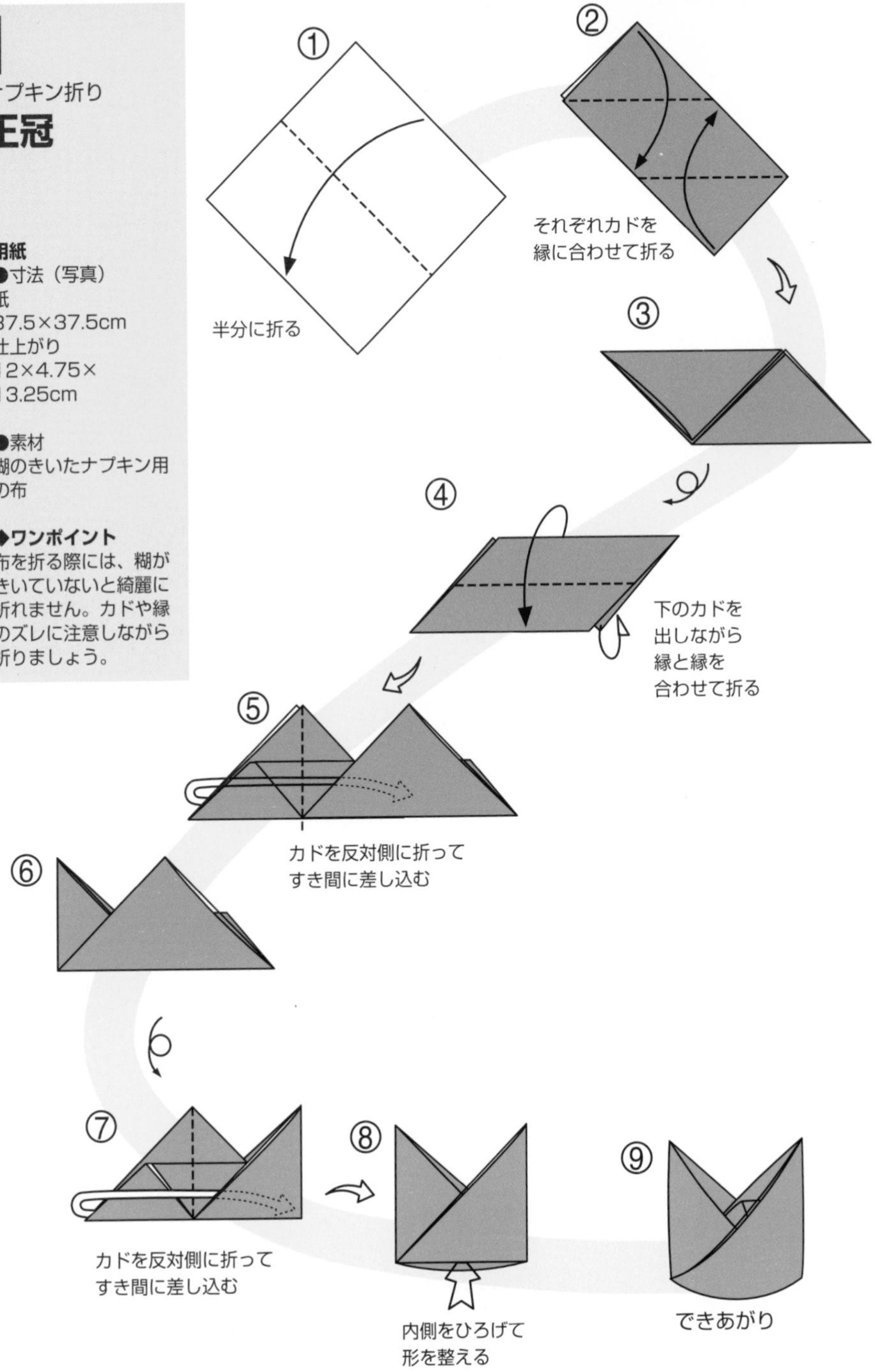

①
半分に折る
②
それぞれカドを
縁に合わせて折る
③
④
下のカドを
出しながら
縁と縁を
合わせて折る
⑤
カドを反対側に折って
すき間に差し込む
⑥
⑦
カドを反対側に折って
すき間に差し込む
⑧
内側をひろげて
形を整える
⑨
できあがり

2
ナプキン折り
扇

用紙
●寸法（写真）
紙
37.5×37.5cm
仕上がり
18.5×12.75
×9.25cm

●素材
糊のきいたナプキン用の布

◆ワンポイント
布を折る際には、糊がきいていないと綺麗に折れません。カドや縁のズレに注意しながら折りましょう。

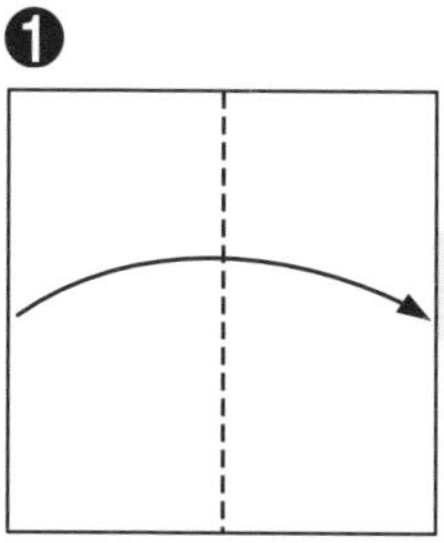
半分に折る

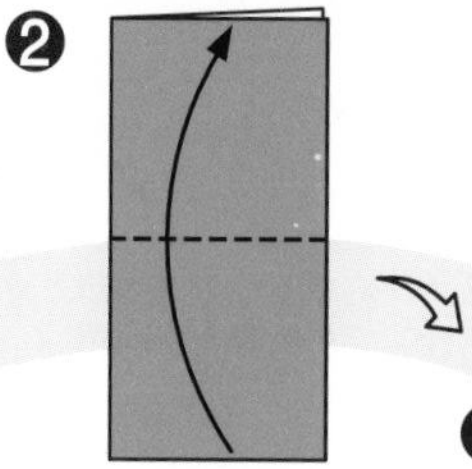
半分に折る

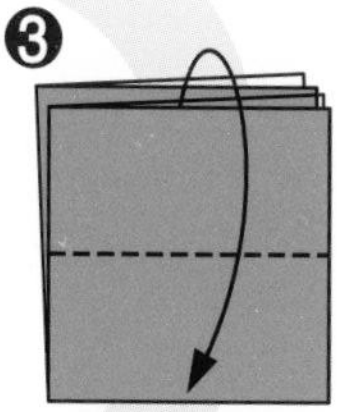
縁と縁を
合わせて折る

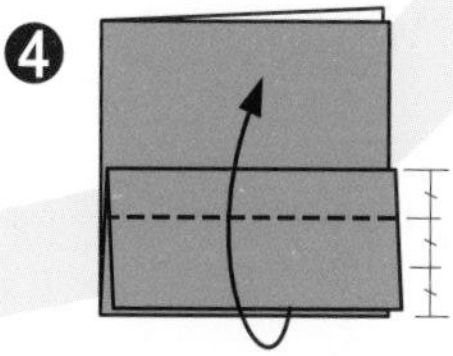
ここを何等分
するかによって
ヒダの数がきまる

1/3のところで
折る

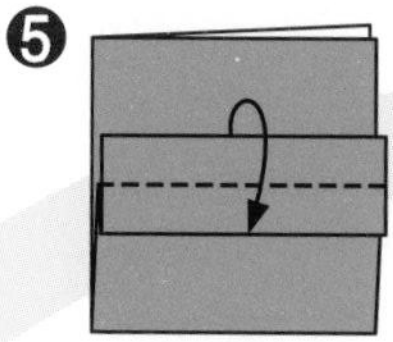
縁と縁を
合わせて折る

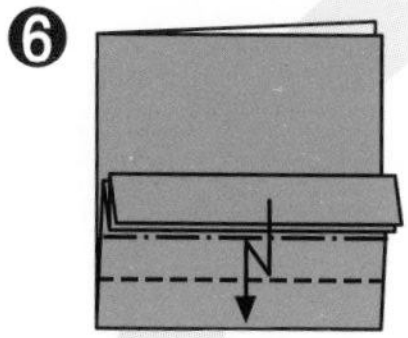
3等分で段折り

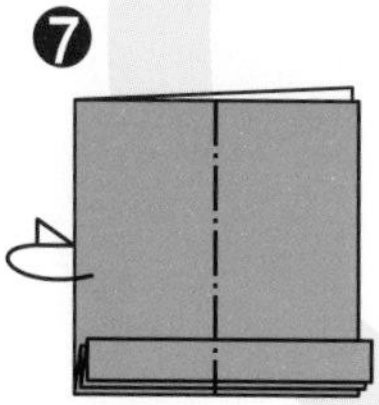
後ろへ
半分に折る

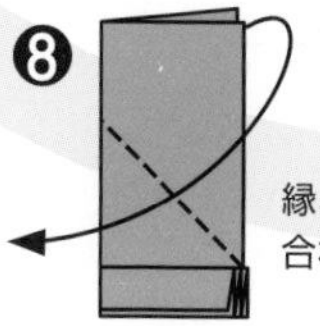
縁と縁を
合わせて折る

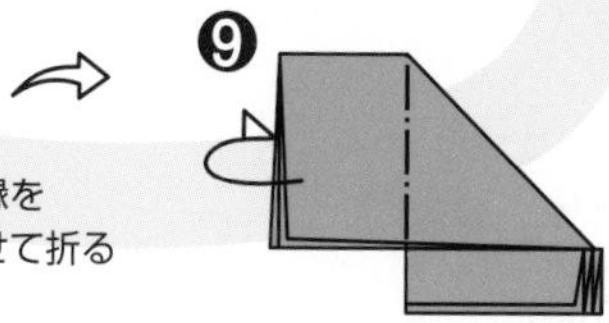
下の縁の
ところで
縁を後ろへ
折る

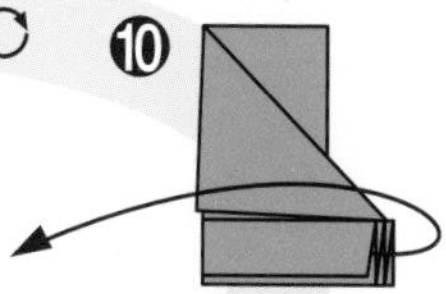
ひろげて形を
整える

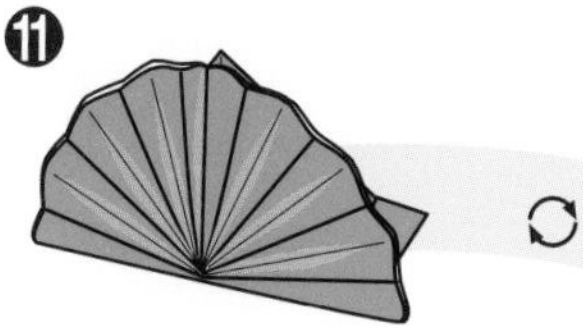
できあがり

ボトルキャップ

ただボトルを並べるよりも、キャップをつけた方がずっとおしゃれ。
置物の代わりに棚に飾っても見栄えがします。

折り図

①はP14～15参照
②はP157～P159参照

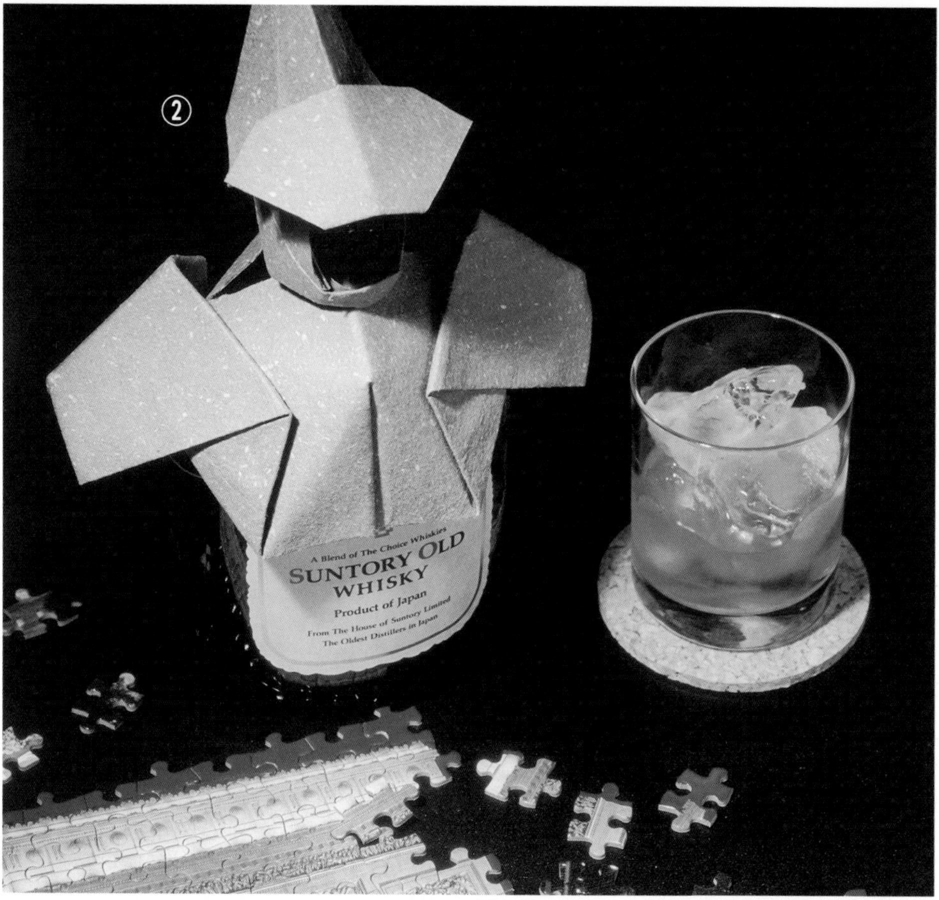
②
A Blend of The Choice Whiskies
SUNTORY OLD
WHISKY
Product of Japan
From The House of Suntory Limited
The Oldest Distillers in Japan

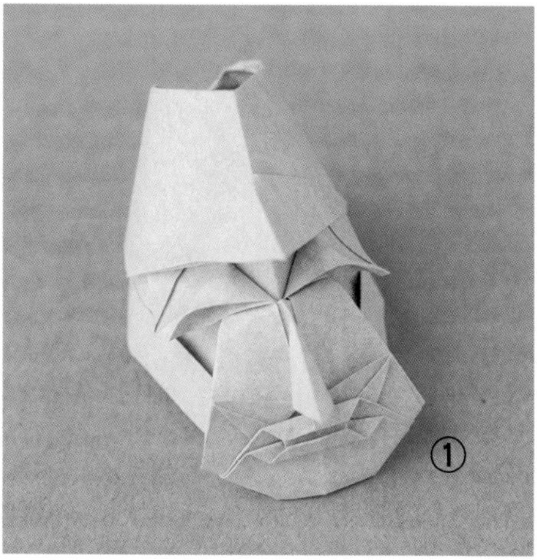
①

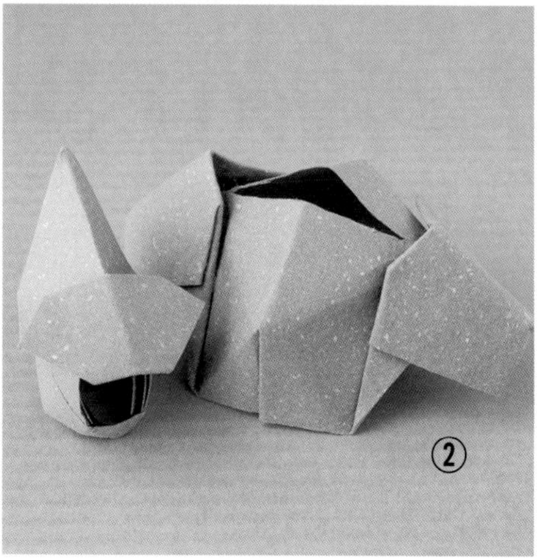
②

1

ボトルキャップ

パリのお巡りさん

用紙

●寸法（写真）
紙
18×18cm
仕上がり
7×5×4.9cm

●素材
厚手の洋紙で折ると丈夫に仕上がります。

◆ワンポイント
厚手の紙で折るときは湿らせた雑巾のようなもので紙を濡らしてから折ると折りやすく、乾いた後も形が保てます。

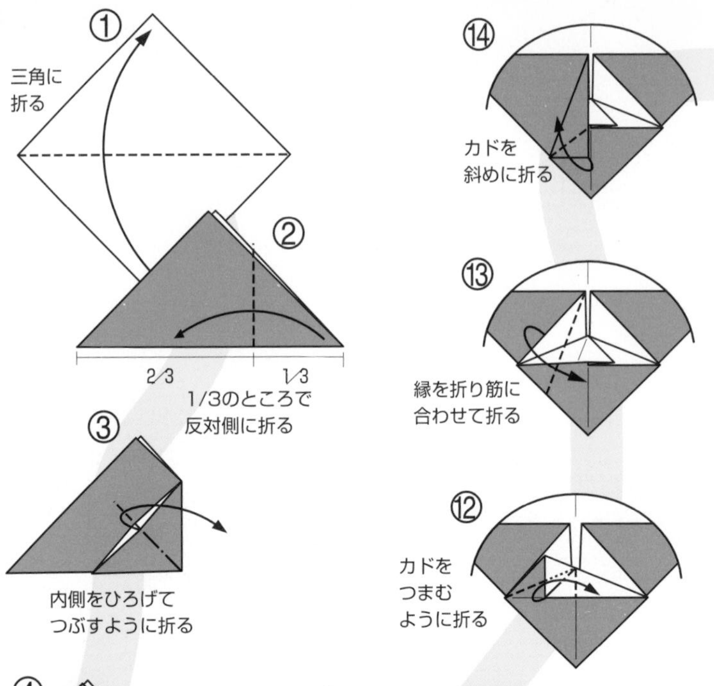
①
三角に
折る
②
2/3
1/3
1/3のところで
反対側に折る
③
内側をひろげて
つぶすように折る
⑭
カドを
斜めに折る
⑬
縁を折り筋に
合わせて折る
⑫
カドを
つまむ
ように折る

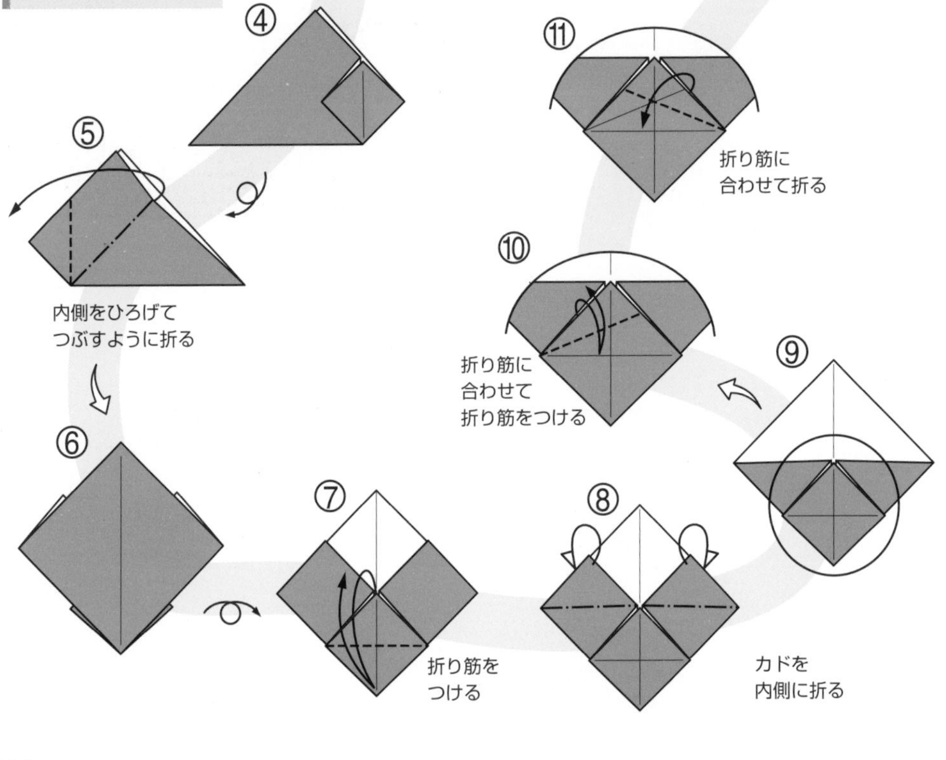
④
⑤
内側をひろげて
つぶすように折る
⑥
⑦
折り筋を
つける
⑧
カドを
内側に折る
⑨
⑩
折り筋に
合わせて
折り筋をつける
⑪
折り筋に
合わせて折る

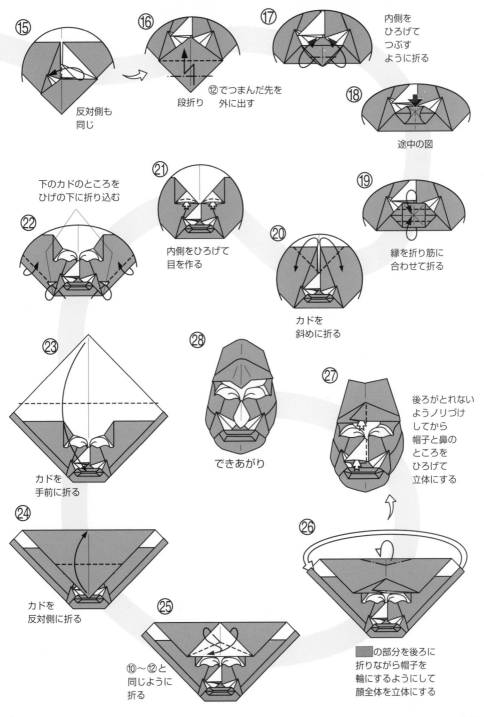

⑮

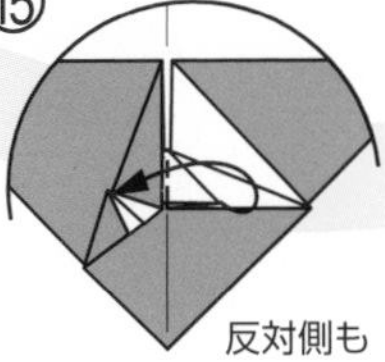

反対側も
同じ

⑯

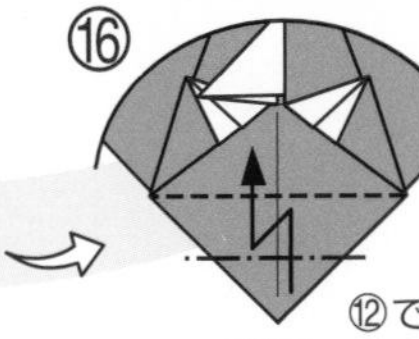

段折り

⑫でつまんだ先を
外に出す

⑰

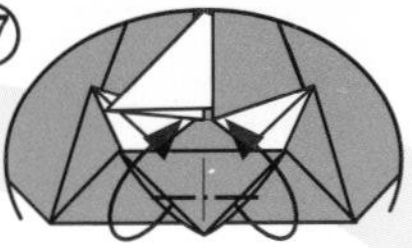

内側を
ひろげて
つぶす
ように折る

⑱

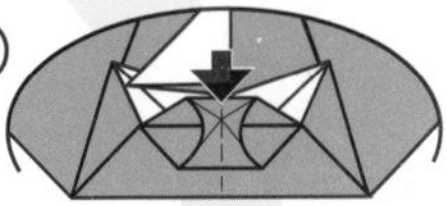

途中の図

⑲

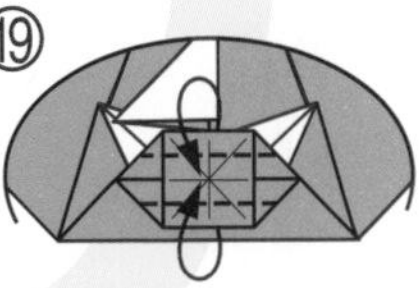

縁を折り筋に
合わせて折る

⑳

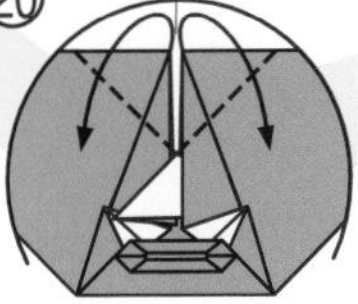

カドを
斜めに折る

㉑

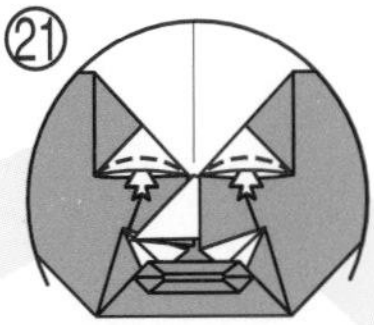

内側をひろげて
目を作る

㉒

下のカドのところを
ひげの下に折り込む

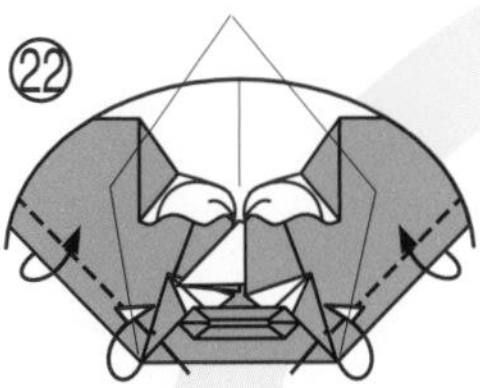

㉓

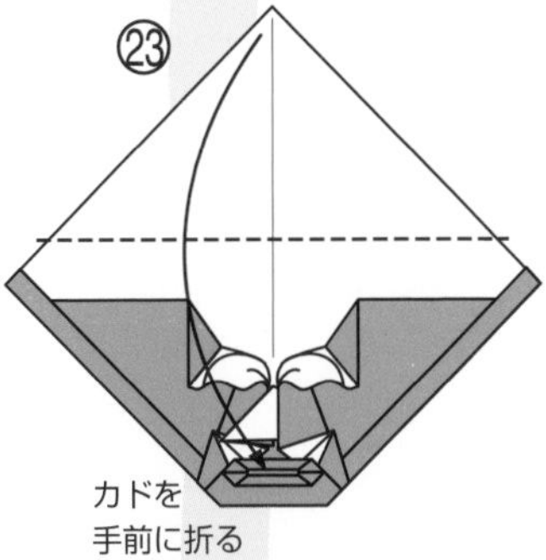

カドを
手前に折る

㉔

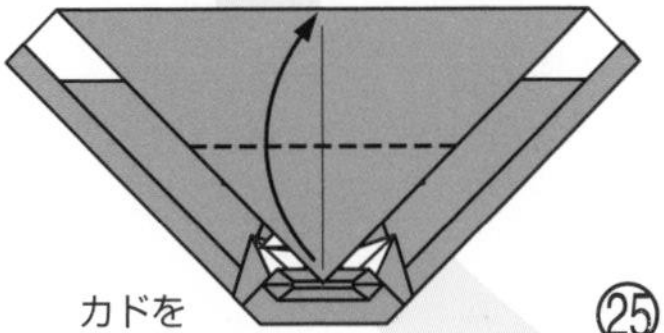

カドを
反対側に折る

㉕

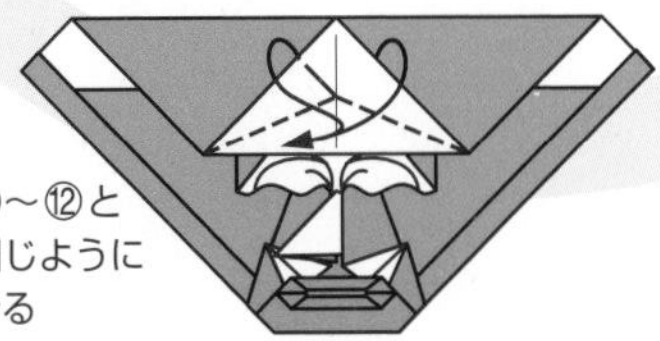

⑩～⑫と
同じように
折る

㉖

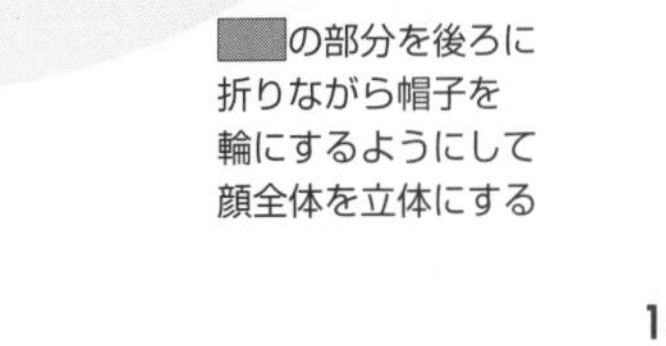

の部分を後ろに
折りながら帽子を
輪にするようにして
顔全体を立体にする

㉗

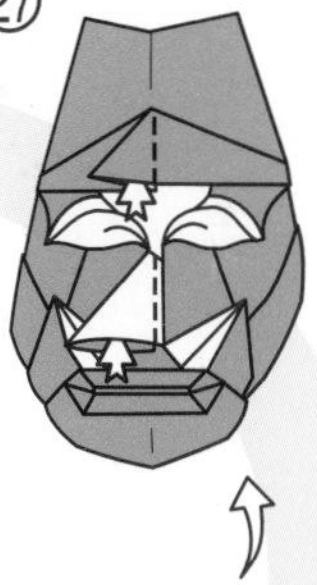

後ろがとれない
ようノリづけ
してから
帽子と鼻の
ところを
ひろげて
立体にする

㉘

できあがり

おしゃれな小鉢

丈夫な器なので普段使う小物入れに便利。
用紙を選べばとてもおしゃれなものになります。

折り図

①②③はP18〜19参照

②
③
HERB
TEAS
SUGAR 3g
SAZABY
Afternoon Tea

1~3

おしゃれな小鉢

変わった器

作・V'Ann Cornelius
（アメリカ）

用紙

●寸法（写真①）
紙
30.8×24.5cm
仕上がり
8×14.5×9.7cm

●素材
厚手の洋紙で折ると丈夫に仕上がります。

◆ワンポイント
折る比率によっていろいろな形ができあがります。

①

長方形の紙を使う

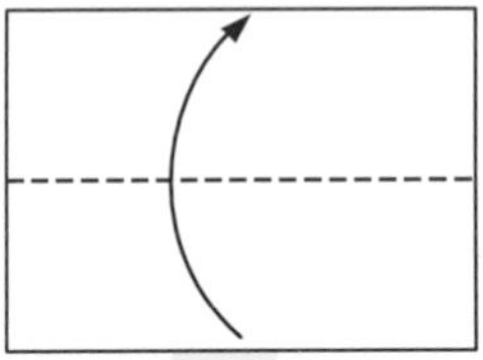

半分に折る

②

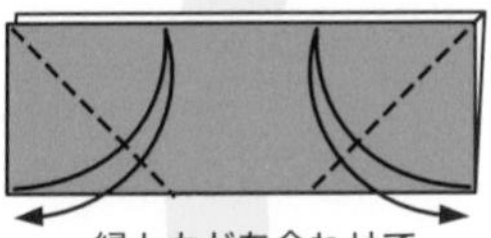

縁とカドを合わせて
折り筋をつける

③

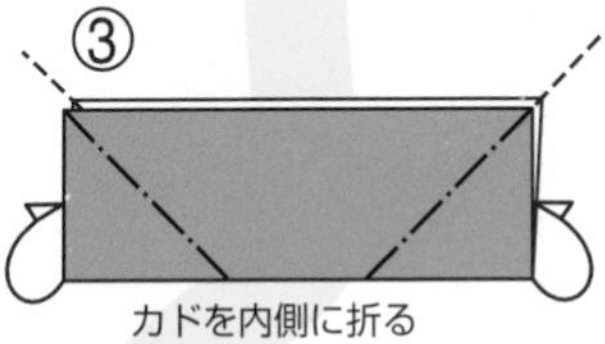

カドを内側に折る

④

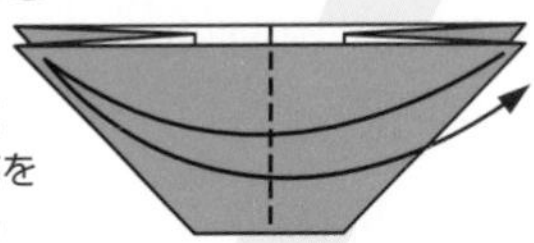

半分に
折り筋を
つける

⑤

この部分を少し
残して折る

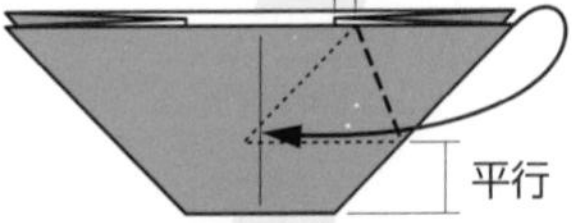

この折る量で
口の広さが変わる

⑥

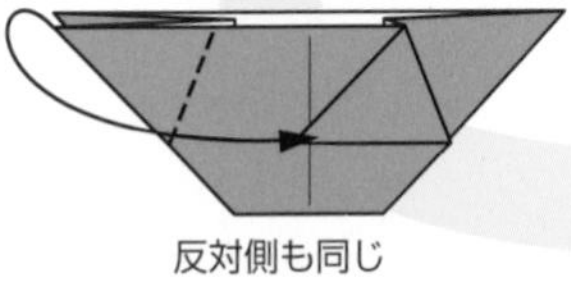

反対側も同じ

⑦

反対側も同じ

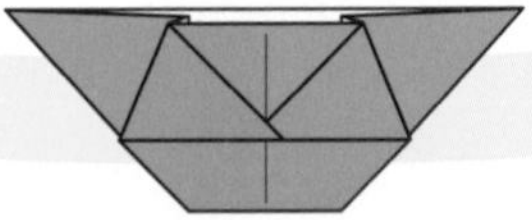

⑧

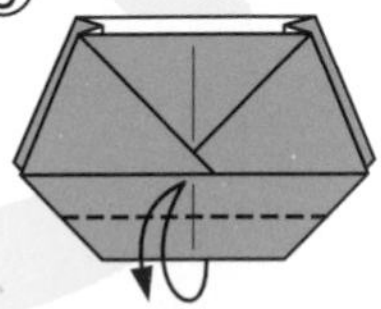

下の縁を折り曲げて
折り筋をつける

⑨

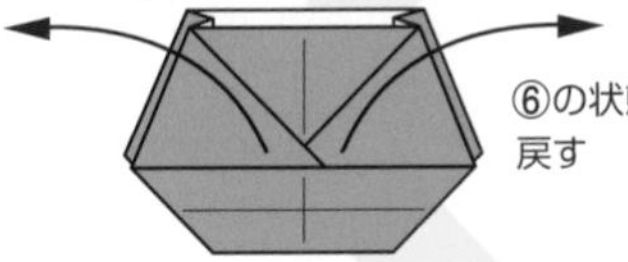

⑥の状態に
戻す

⑩

上の縁を折り筋と
縁の交点に
合わせて
折り筋をつける
反対側も同じ

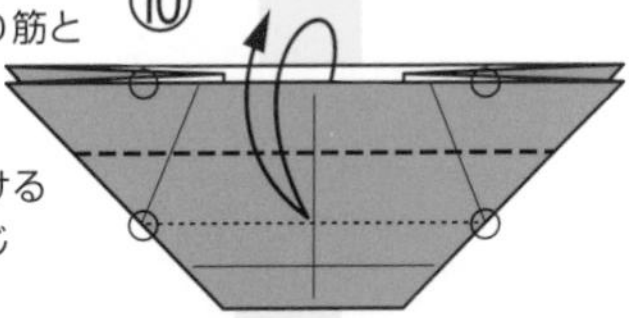

⑪

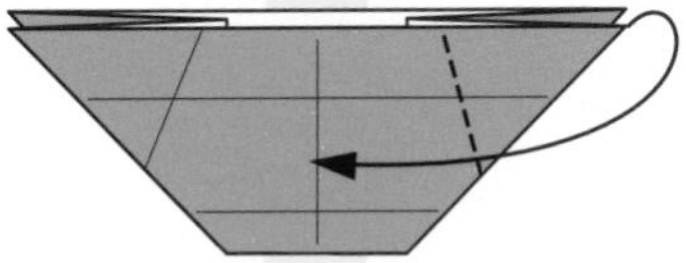

⑥の折り筋で
折る

⑫

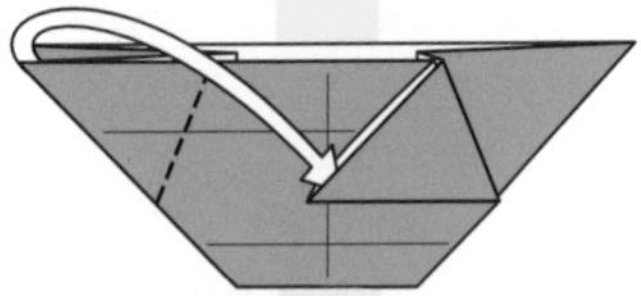

⑦の折り筋で折って
カドをすき間に差し込む
反対側も⑪～⑫と同じに折る

⑬

すき間に
差し込む
ように折る

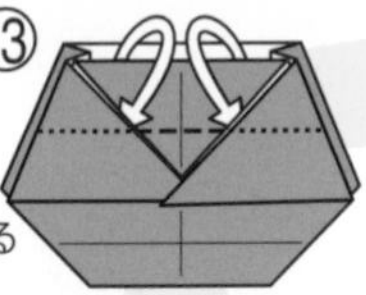

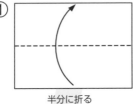

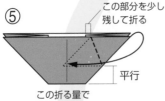

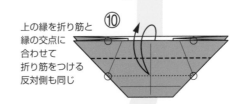

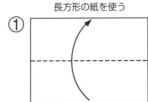

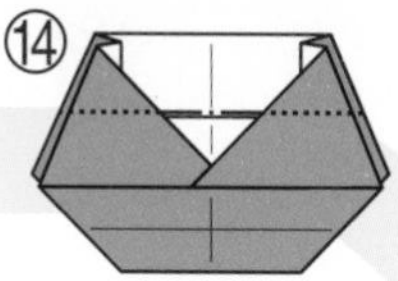
⑭
反対側も同じ

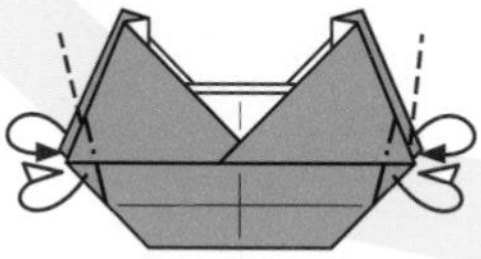
⑮
それぞれカドを
内側へ折る

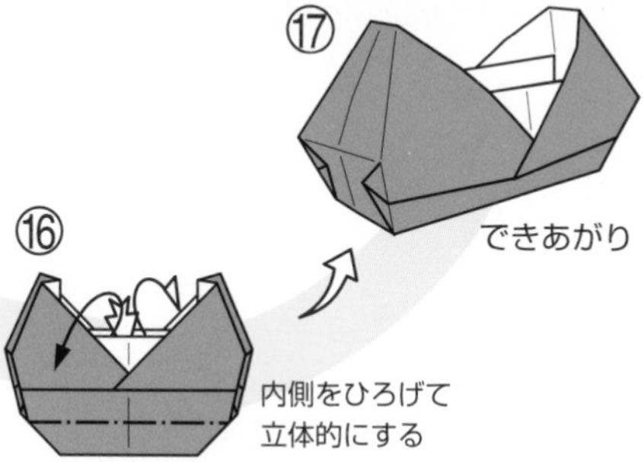
⑯
内側をひろげて
立体的にする
⑰
できあがり

[応用例1] (写真②)
紙/32.4×13.8cm
仕上がり／8×14.3
×9.8cm
縁を少し折って縁を強く
したもの。

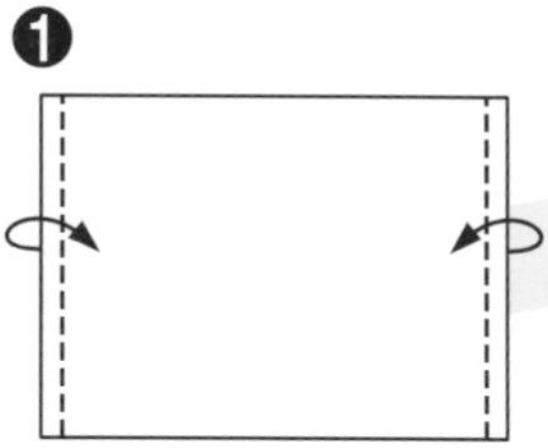
❶
縁を少し折る

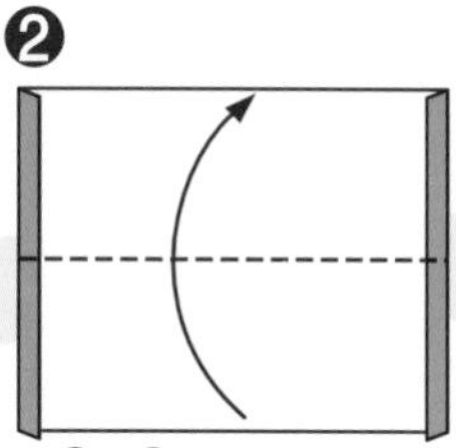
❷
①〜⑮と
同じにように折る

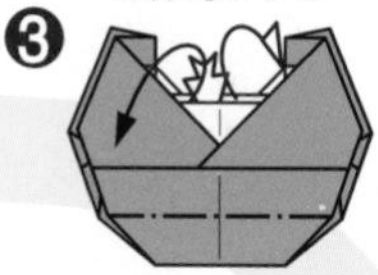
❸
内側をひろげて
立体的にする

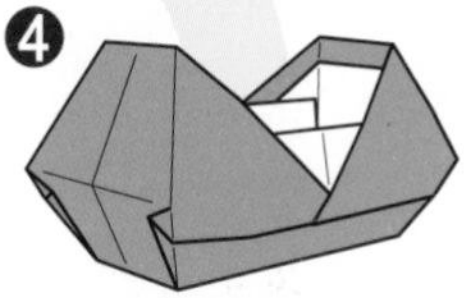
❹
できあがり

[応用例2] (写真③)
紙/2.63×26.3cm
仕上がり／11.5×11.2
×8.2cm
正方形からもおもしろい
形ができます。

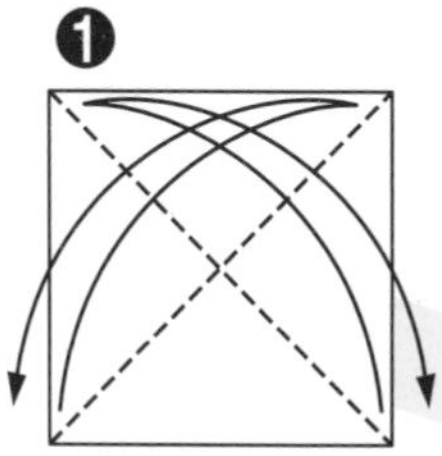
❶
折り筋をつける

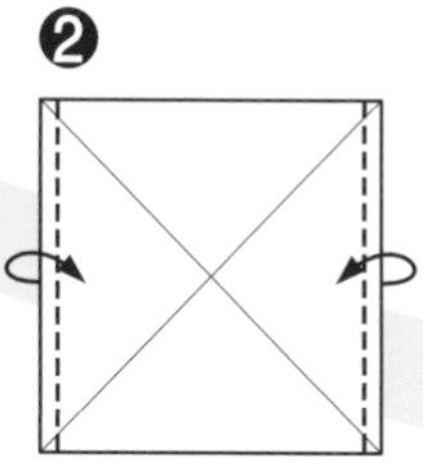
❷
縁を少し
折る

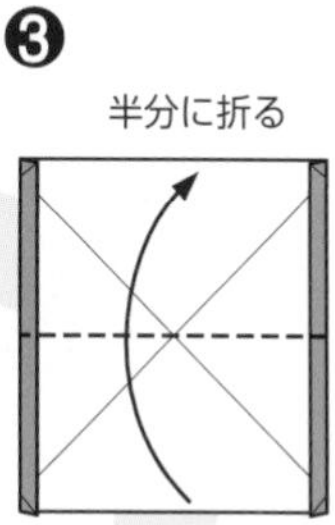
❸
半分に折る

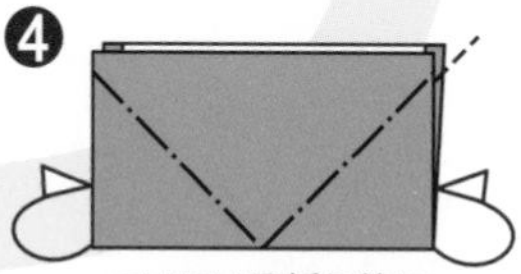
❹
ついている折り筋で
カドを内側に折る

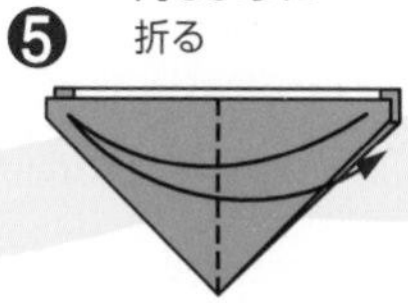
❺
④〜⑮と
同じように
折る

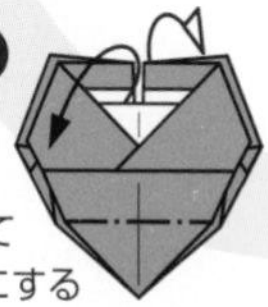
❻
内側を
ひろげて
立体的にする

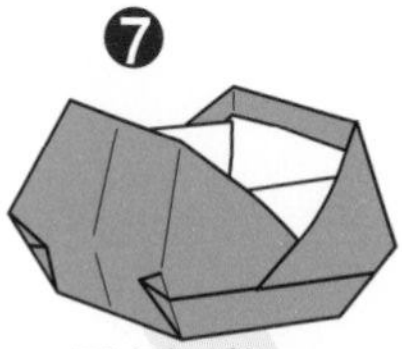
❼
できあがり

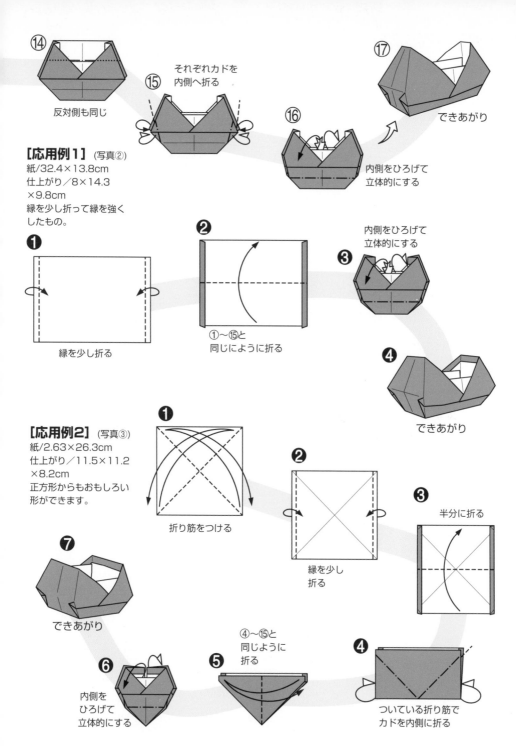

六角箱

基本的な折り方はすべて同じです。
包装紙などを使って折ると、また違った雰囲気が楽しめます。

折り図

①はP22～23参照
他、六角箱バリエーションはP160～161参照

①
手造り
あめ屋横丁

1

六角箱

標準・中身

用紙

●寸法(写真)
紙
(黄色)34×17cm
(文字柄)／31×31cm
(白)／36×16cm
(緑)／30×15cm
仕上がり
(黄色)／7.6×8.4×5.7cm
(文字柄)／6.8×7.7×10cm
(白)／8.6×10×6.7cm
(緑)／6.9×8×5cm

●素材
厚手の洋紙、和紙

◆ワンポイント
ねじるところが少し難しいですが、折り筋をしっかりとつけると折りやすくなります。

[標準]

①
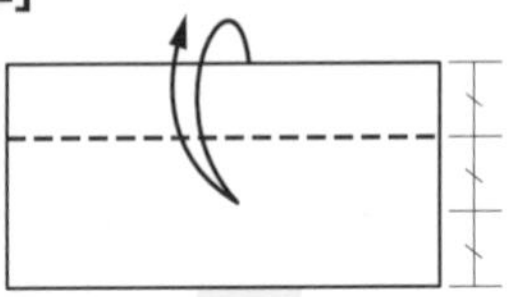
1/3のところで折る

②
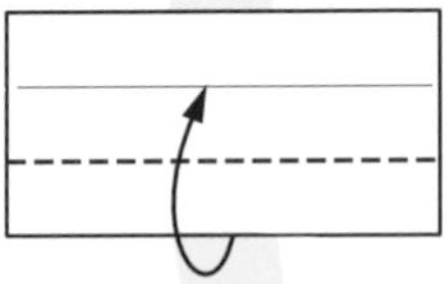
折り筋に合わせて折る

③
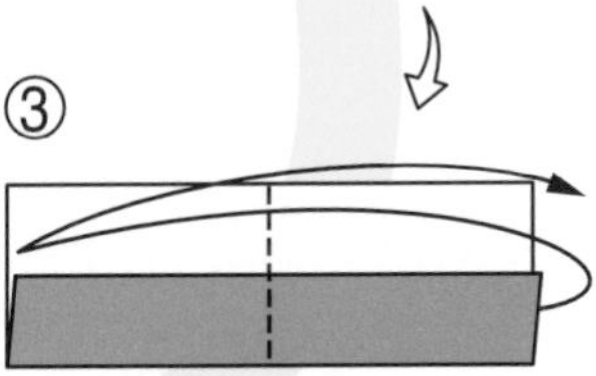
縁と縁を合わせて
折り筋をつける

④
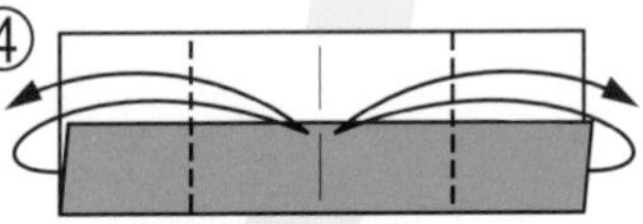
折り筋に合わせて
折り筋をつける

⑤
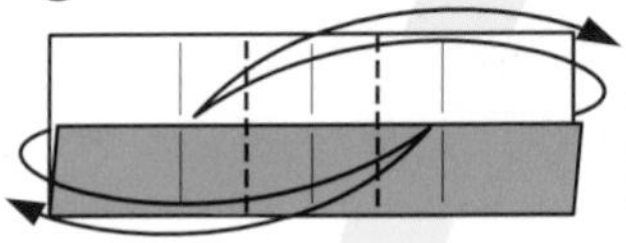
折り筋に
合わせて
折り筋を
つける

⑥
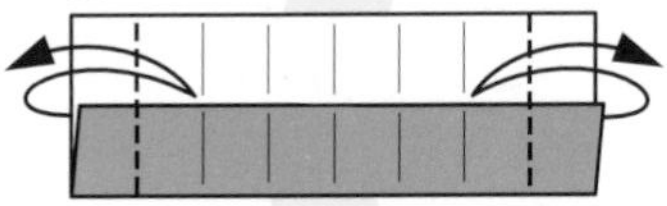
折り筋に
合わせて
折り筋を
つける

⑦
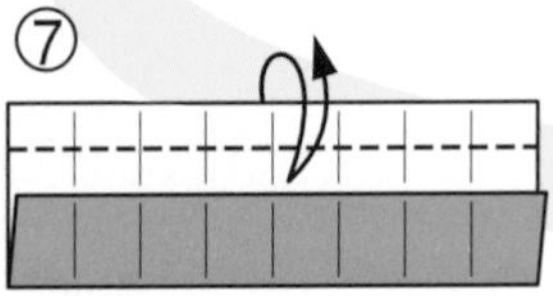
縁に合わせて
折り筋をつける

⑧
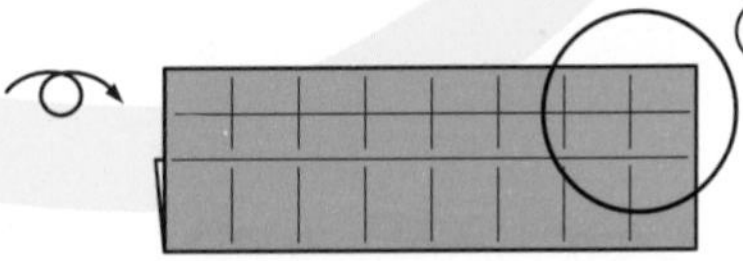

⑨
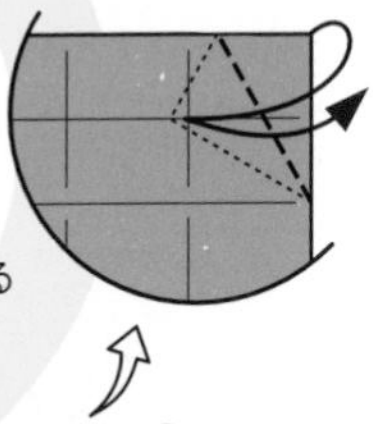
カドを折り筋に
合わせて折って
しっかりと
折り筋をつける
残りも同じに折る

⑩
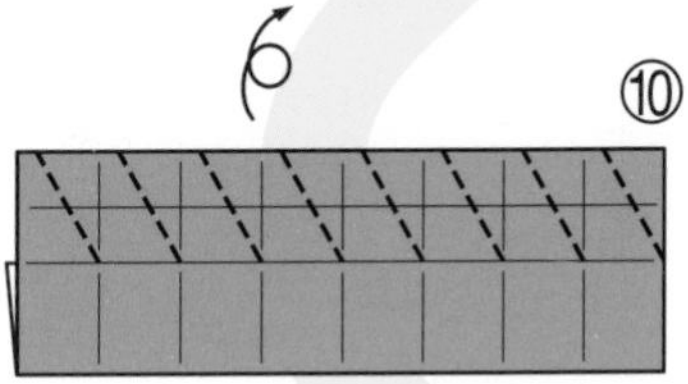

⑪
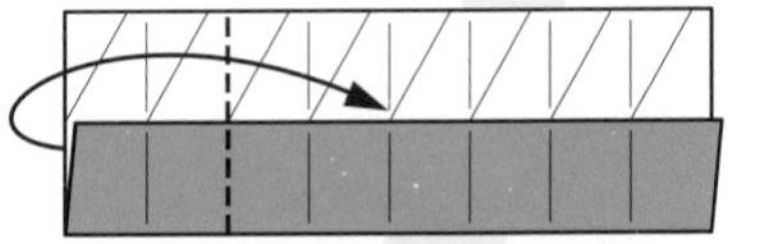
左から4番目の折り筋に
合わせて折る

⑫
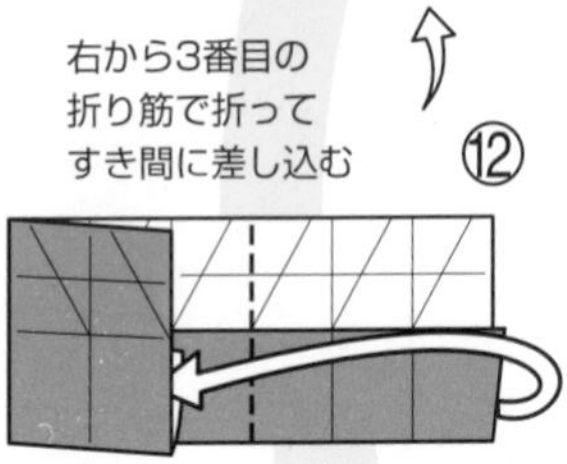
右から3番目の
折り筋で折って
すき間に差し込む

⑬
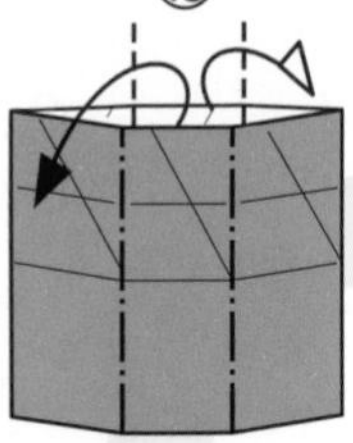
内側を
ひろげて
六角形の
立体にする

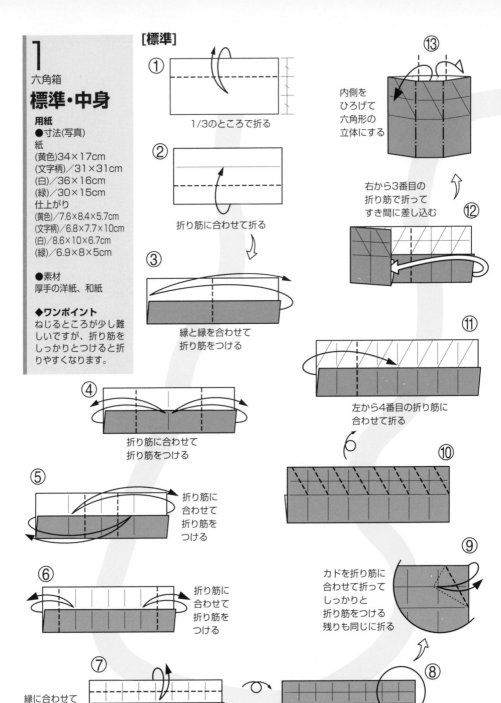

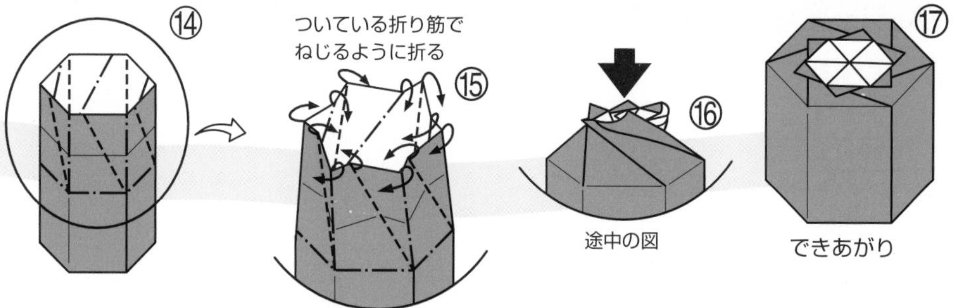
⑭
ついている折り筋で
ねじるように折る
⑮
⑯
途中の図
⑰
できあがり

[中身]

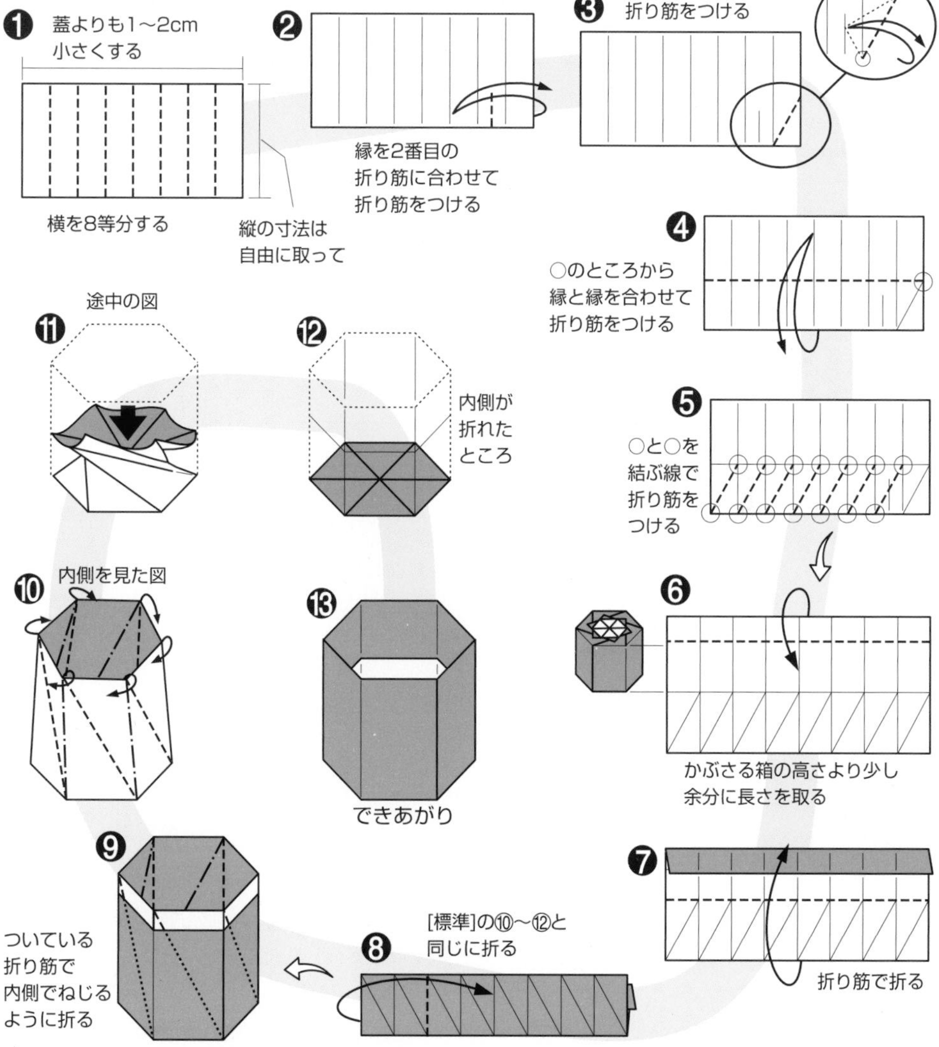
❶
蓋よりも1～2cm
小さくする
横を8等分する
縦の寸法は
自由に取って
❷
縁を2番目の
折り筋に合わせて
折り筋をつける
❸
○のところから
カドを印に合わせて
折り筋をつける
❹
○のところから
縁と縁を合わせて
折り筋をつける
❺
○と○を
結ぶ線で
折り筋を
つける
❻
かぶさる箱の高さより少し
余分に長さを取る
❼
折り筋で折る
❽
[標準]の⑩～⑫と
同じに折る
❾
ついている
折り筋で
内側でねじる
ように折る
❿
内側を見た図
⓫
途中の図
⓬
内側が
折れた
ところ
⓭
できあがり

鍋敷きとコースター

これなら汚れてもすぐ作り直せるので安心。
色柄の組み合わせでバリエーションを楽しんでください。

②

折り図

①はP26参照
②はP27参照

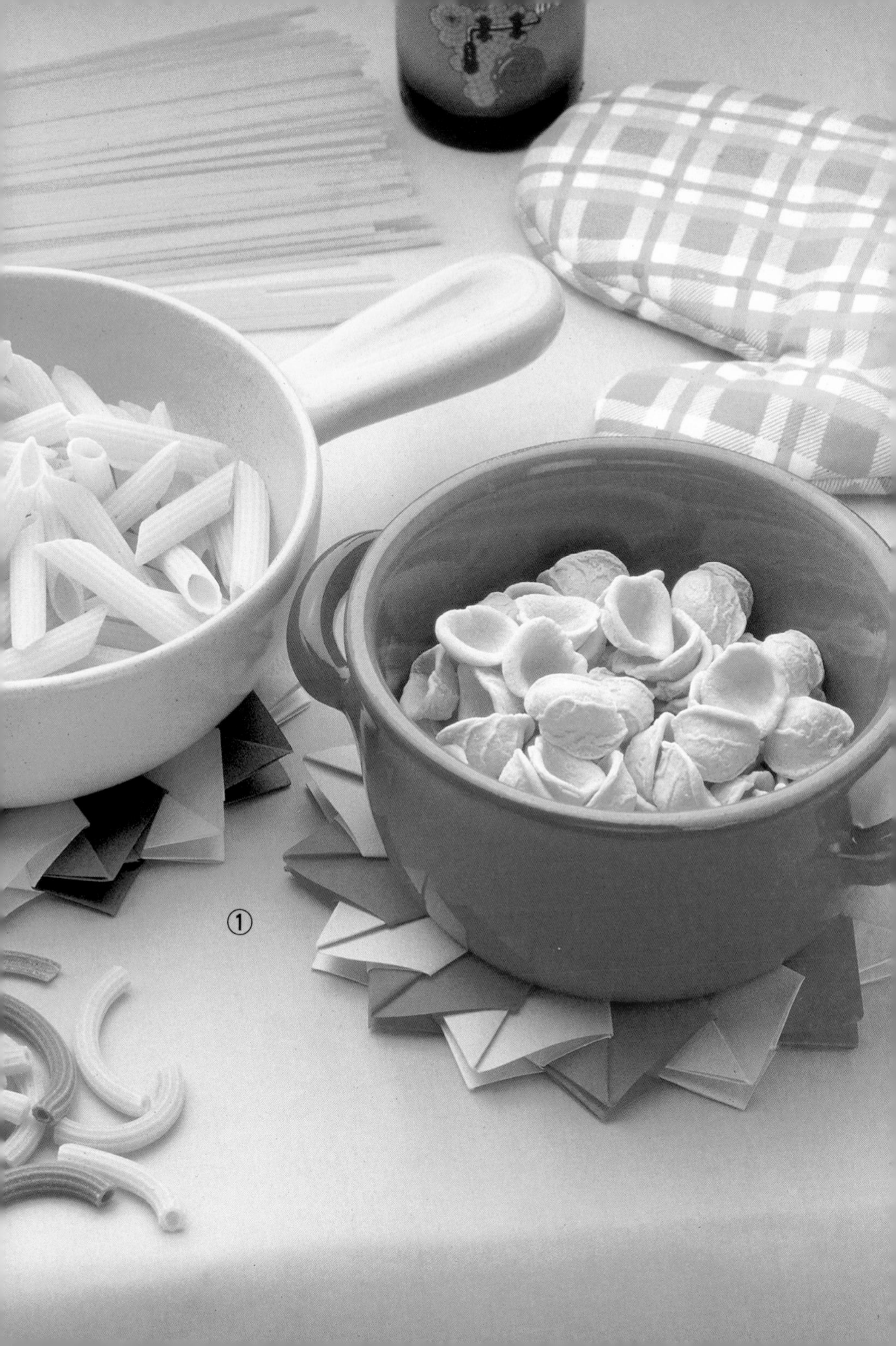
①

1

鍋敷とコースター

鍋敷

用紙
●寸法（写真）
紙
11×11cm×16枚
仕上がり
15.5×15.5cm

●素材
厚めの丈夫な洋紙
（写真）

◆ワンポイント
厚めの紙で折った場合には、すき間にノリを差し、重しをして押さえると良いでしょう。

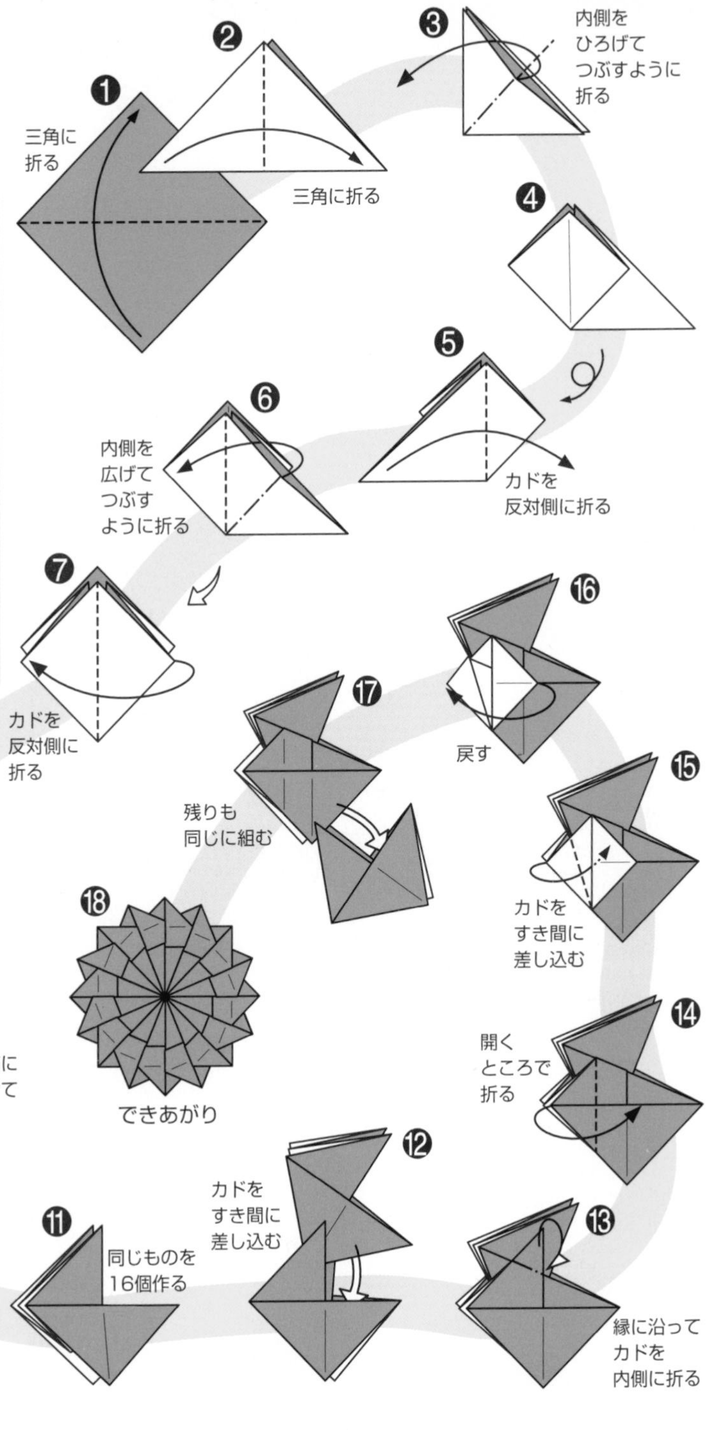

1
三角に折る
2
三角に折る
3
内側をひろげてつぶすように折る
4
5
カドを反対側に折る
6
内側を広げてつぶすように折る
7
カドを反対側に折る
11
同じものを16個作る
12
カドをすき間に差し込む
13
縁に沿ってカドを内側に折る
14
開くところで折る
15
カドをすき間に差し込む
16
戻す
17
残りも同じに組む
18
できあがり

8
折り筋をつける
9
折り筋に合わせて折る
10
カドを折り下げる

2

鍋敷とコースター

コースター

用紙

●寸法（写真）
紙
15×15cm
仕上がり
5.2×5.2cm

●素材
厚めの丈夫な洋紙
（写真）

◆ワンポイント
水に強い紙を選んで折ると、実用性がぐっと上がります。

①

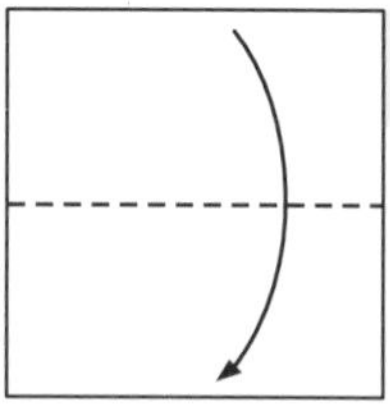

半分に折る

②

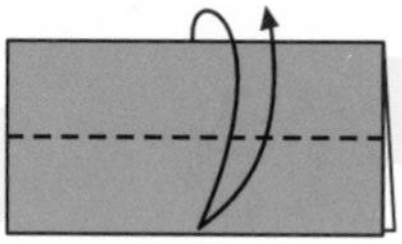

半分に
折り筋をつける

③

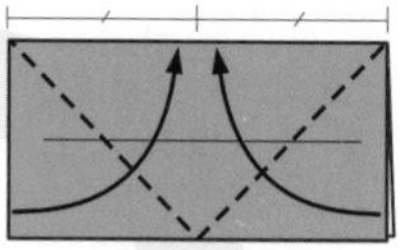

縁と縁を
合わせて折る

④

しっかりと折り筋を
つけてから戻す

⑤

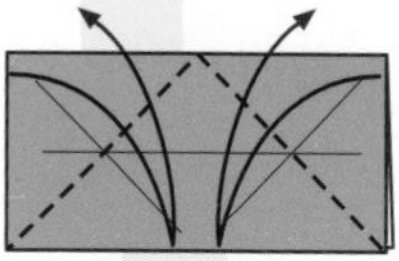

反対側も同じ

⑥

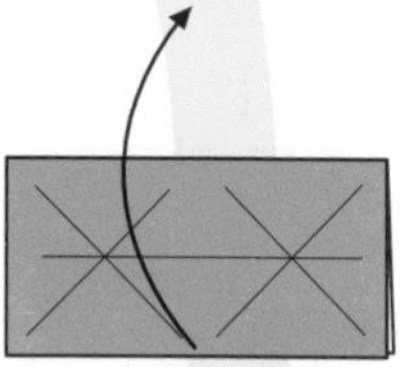

ひろげる

⑦

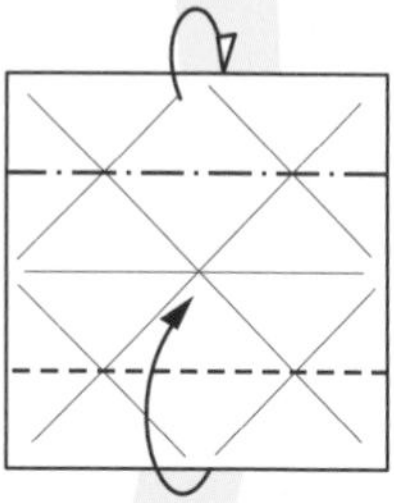

上の縁を後ろへ
下の縁を手前に
折り筋に合わせて
折る

⑧

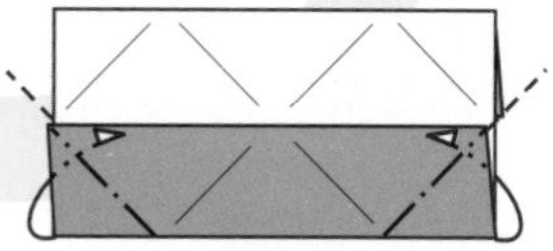

カドを内側に折る

⑨

縁に合わせて折る

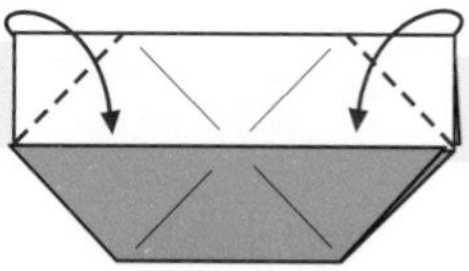

⑩

すき間に折り込む
ようにする

⑪

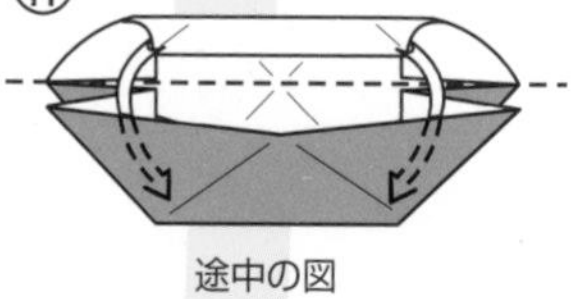

途中の図

⑫

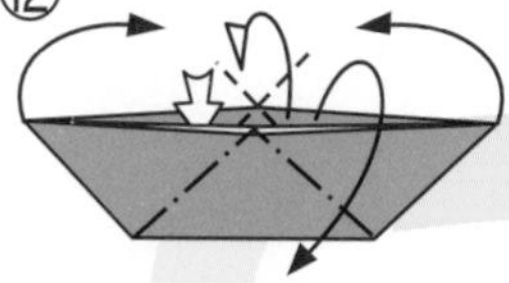

内側をひろげて
立体的に折る

⑬

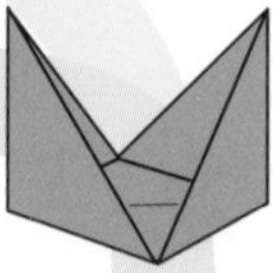

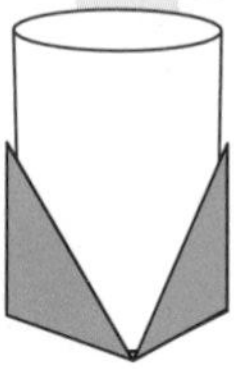

[シングル] の
できあがり

⑭

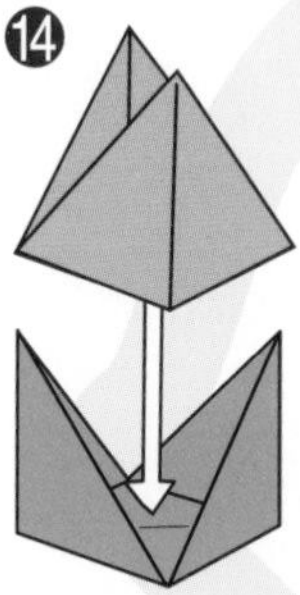

2個
作って
重ねる

⑮

[ダブル] の
できあがり

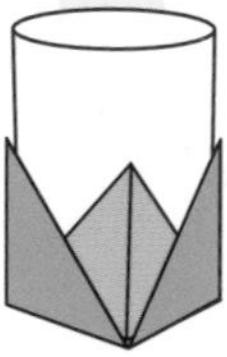

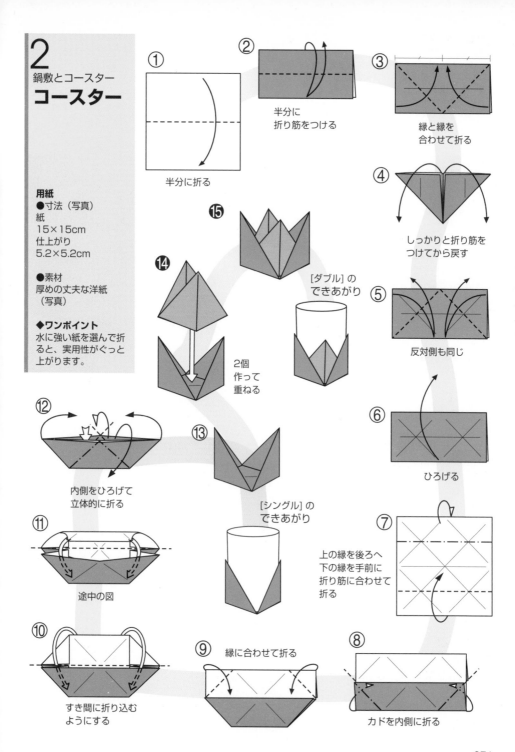

テーブルセットアップ

箸袋と箸置き

箸置きは食卓を彩るアクセントに。
箸袋はイベントごとに鶴や雛祭り、端午の節句など使い分けを。

折り図

①はP30参照
②③はP31参照
④はP162参照
⑤はP163参照

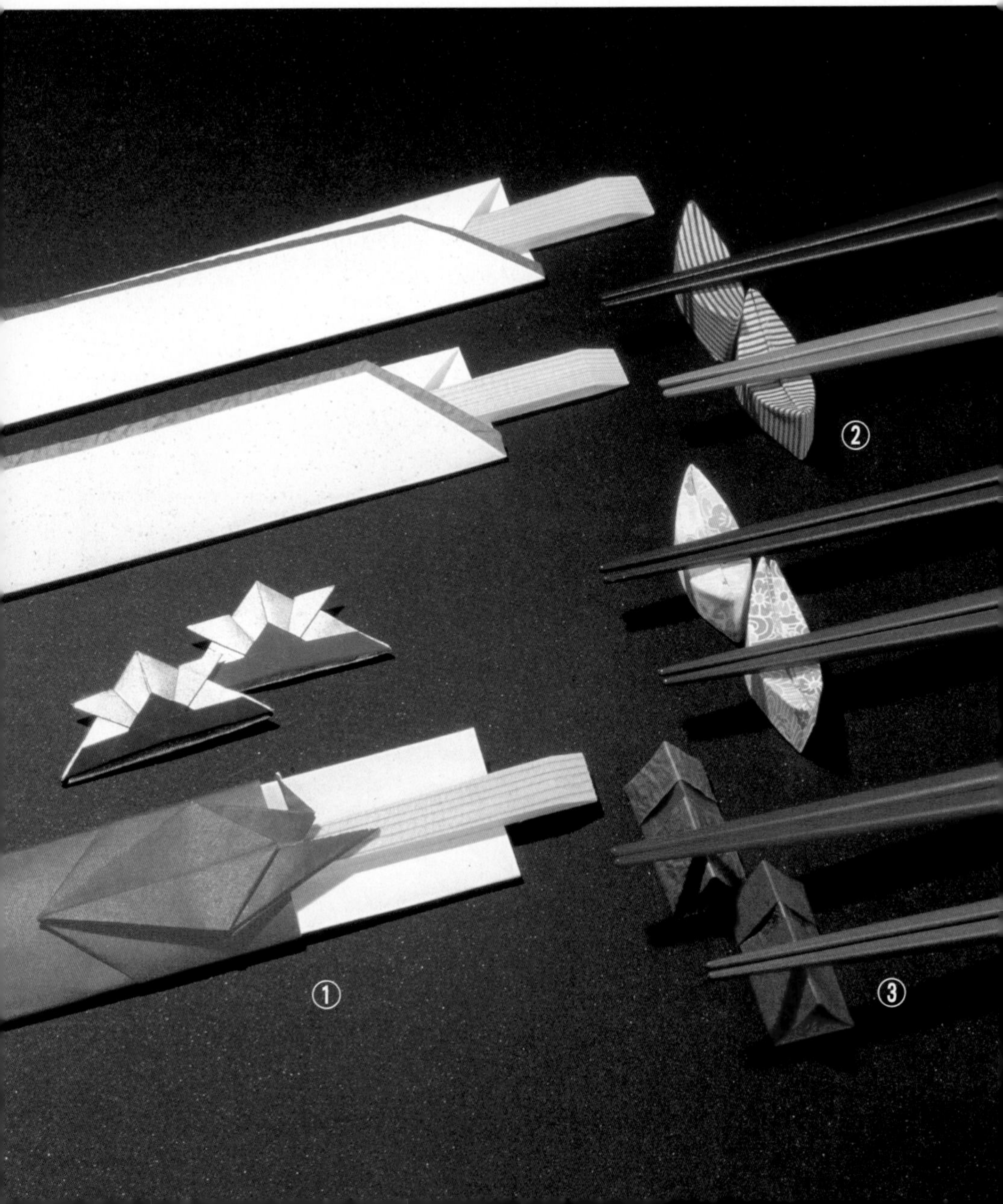

④
⑤

②

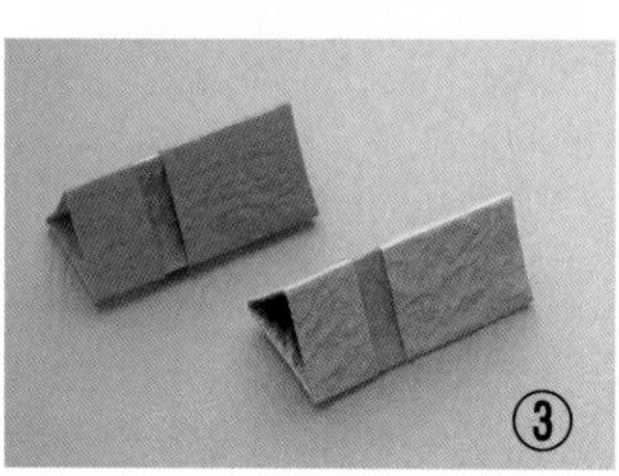
③

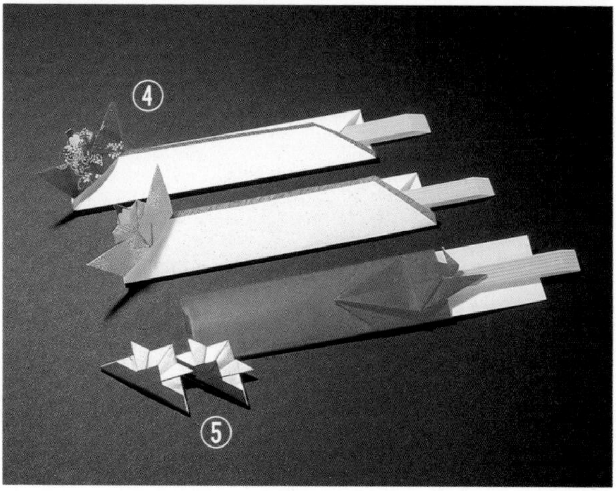
④
⑤

1

箸袋と箸置き

鶴の箸袋

用紙

●寸法（写真）
紙
52×13cm
仕上がり
21.6×4.3cm

●素材
紅白の両面和紙(写真)
ほか、和紙、洋紙など

◆ワンポイント
合わせる箸の長さによって、鶴の位置のバランスを変えてみましょう。

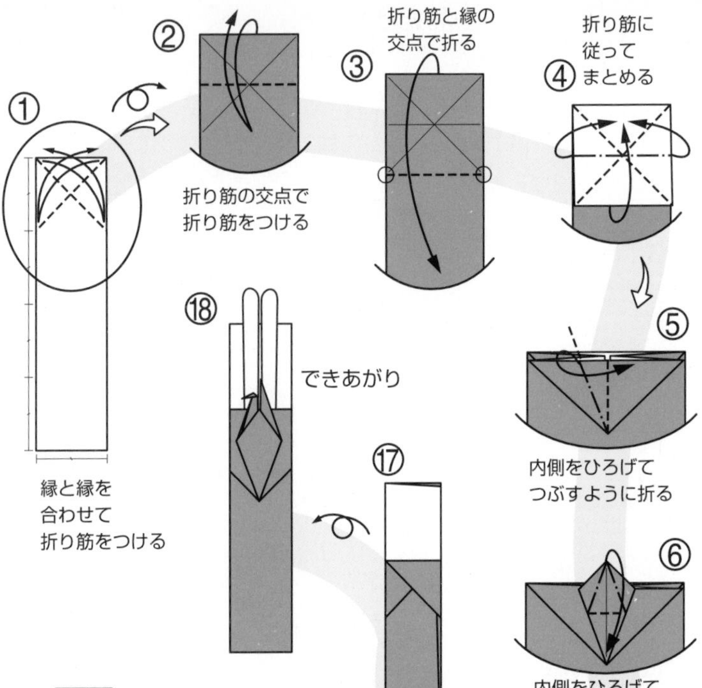

①
縁と縁を
合わせて
折り筋をつける
②
折り筋の交点で
折り筋をつける
③
折り筋と縁の
交点で折る
④
折り筋に
従って
まとめる
⑤
内側をひろげて
つぶすように折る
⑥
内側をひろげて
つぶすように折る
⑱
できあがり
⑰

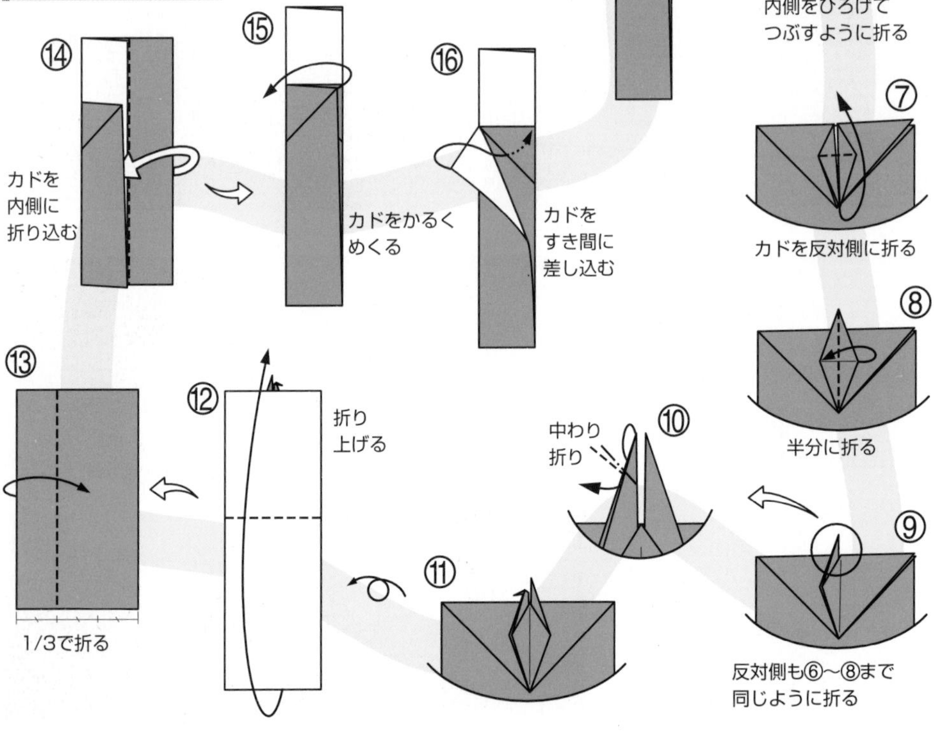

⑦
カドを反対側に折る
⑧
半分に折る
⑨
反対側も⑥～⑧まで
同じように折る
⑩
中わり
折り
⑪
⑫
折り
上げる
⑬
1/3で折る
⑭
カドを
内側に
折り込む
⑮
カドをかるく
めくる
⑯
カドを
すき間に
差し込む

2~3

箸袋と箸置き

箸置き

用紙

●寸法（写真）
紙
(A)15×7.5cm
(B)8×8cm
仕上がり
(A)1.8×5×2cm、
(B)2×4.3×1.7cm

●素材
江戸千代折り紙（写真）
ほか、和紙、洋紙、箸袋、紙幣など

◆ワンポイント
形を整える時に均等になるように注意しましょう。

[箸置きA]

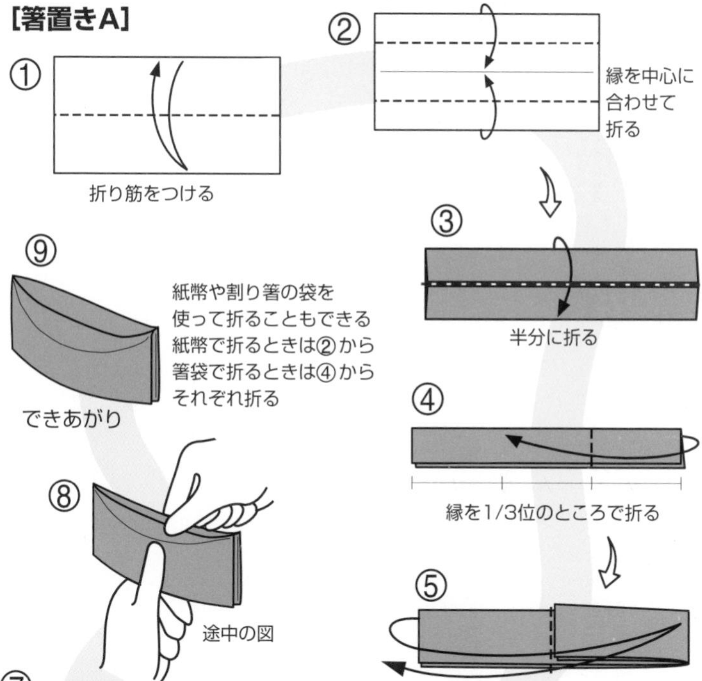

①
折り筋をつける
②
縁を中心に
合わせて
折る
③
半分に折る
④
縁を1/3位のところで折る
⑤
縁に沿って
折り筋をつける
⑧
途中の図
⑨
できあがり
紙幣や割り箸の袋を
使って折ることもできる
紙幣で折るときは②から
箸袋で折るときは④から
それぞれ折る

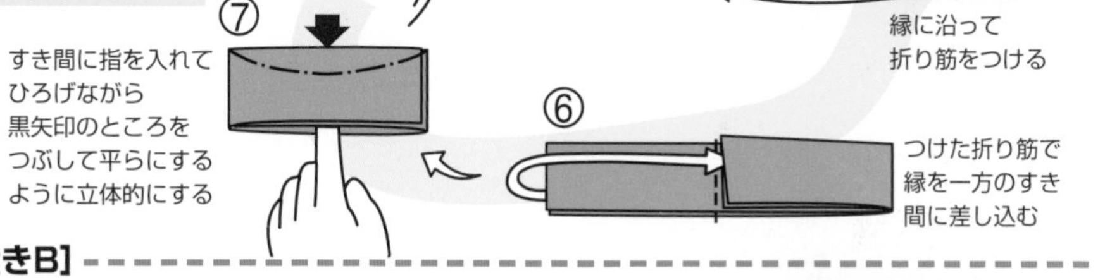

⑦
すき間に指を入れて
ひろげながら
黒矢印のところを
つぶして平らにする
ように立体的にする
⑥
つけた折り筋で
縁を一方のすき
間に差し込む

[箸置きB]

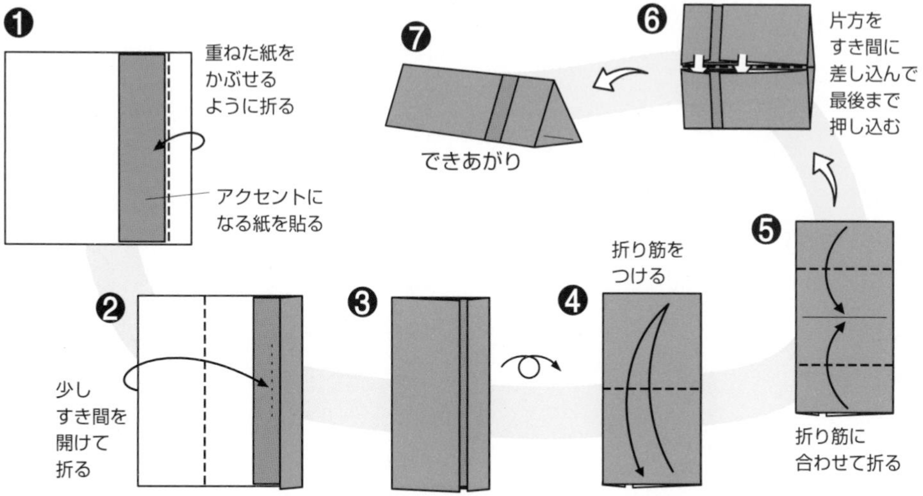

❶
重ねた紙を
かぶせる
ように折る
アクセントに
なる紙を貼る
❷
少し
すき間を
開けて
折る
❸
❹
折り筋を
つける
❺
折り筋に
合わせて折る
❻
片方を
すき間に
差し込んで
最後まで
押し込む
❼
できあがり

料理の敷物

千代折り紙の敷物には小さな干菓子を可愛らしく、
白和紙には料理などを盛りつけてみて下さい。

折り図

①②はP34～35参照
③はP182参照

②使用例

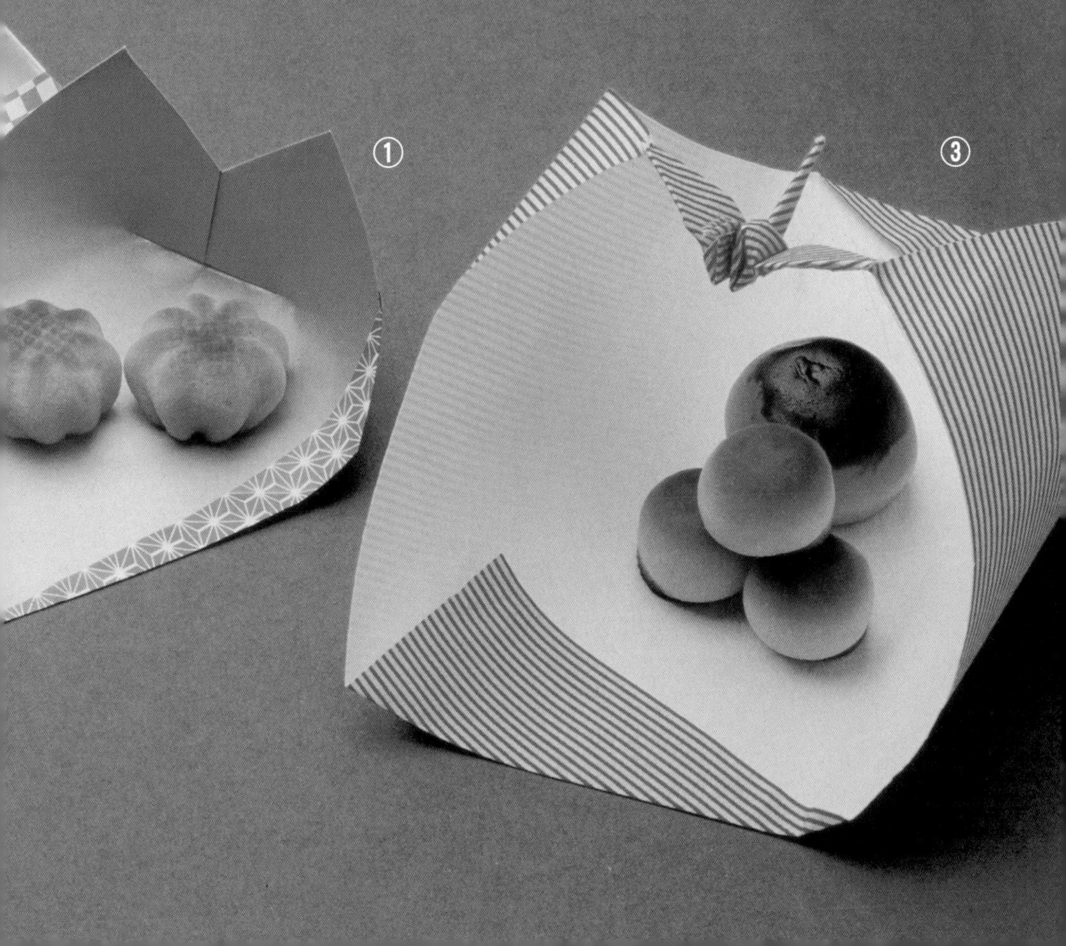
①
③

1~2
料理の敷物
皿

用紙
●寸法（写真）
紙
(皿1)15×15cm
(皿2)19.9×19.9cm
仕上がり
(皿1)13×11.5×4.7cm
(皿2)13×19.9×6.2cm

●素材
両面折り紙（写真）
ほか、和紙、洋紙など

◆ワンポイント
立体的な折りが少し難しいですが、図をよく見て、折り線に注意して折って下さい。

[皿1]

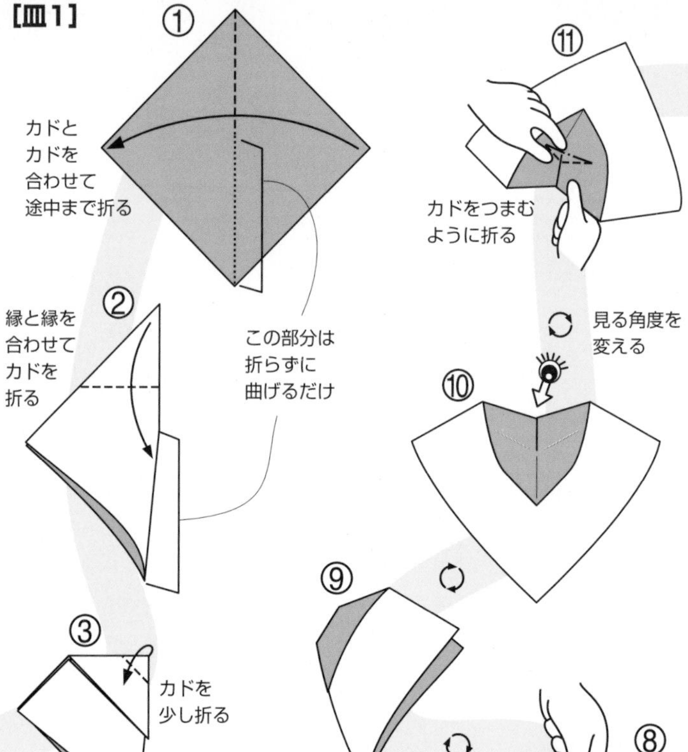
①
カドとカドを合わせて途中まで折る
この部分は折らずに曲げるだけ
②
縁と縁を合わせてカドを折る
③
カドを少し折る
⑪
カドをつまむように折る
見る角度を変える
⑩
⑨
横から見た図

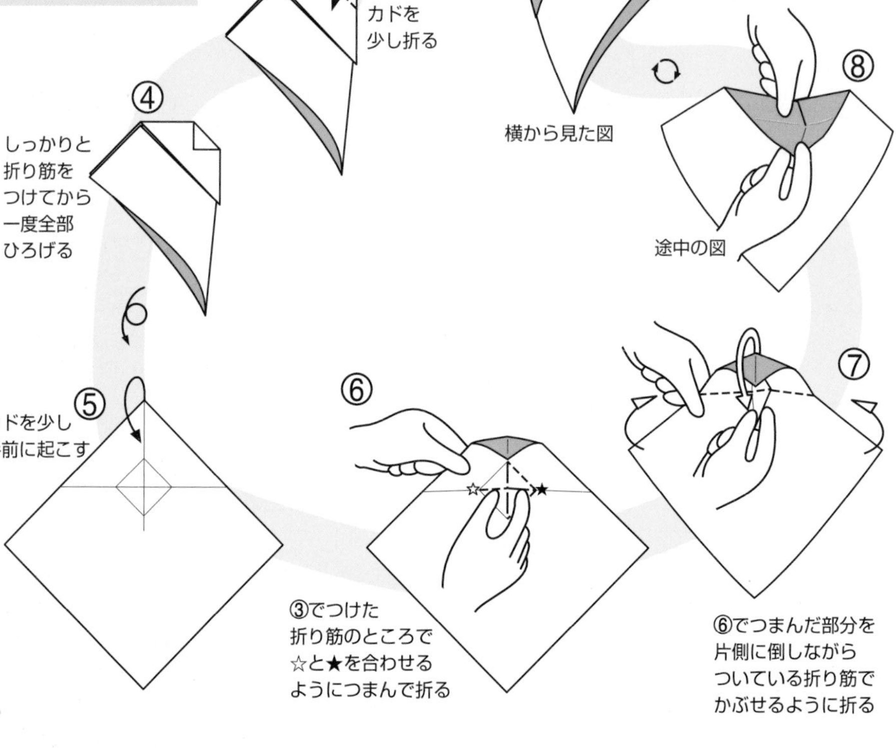
④
しっかりと折り筋をつけてから一度全部ひろげる
⑤
カドを少し手前に起こす
⑥
☆
★
③でつけた折り筋のところで☆と★を合わせるようにつまんで折る
⑦
⑥でつまんだ部分を片側に倒しながらついている折り筋でかぶせるように折る
⑧
途中の図

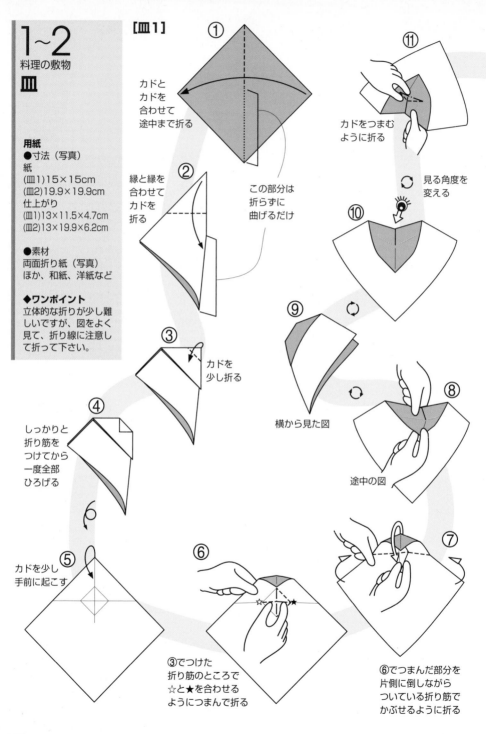

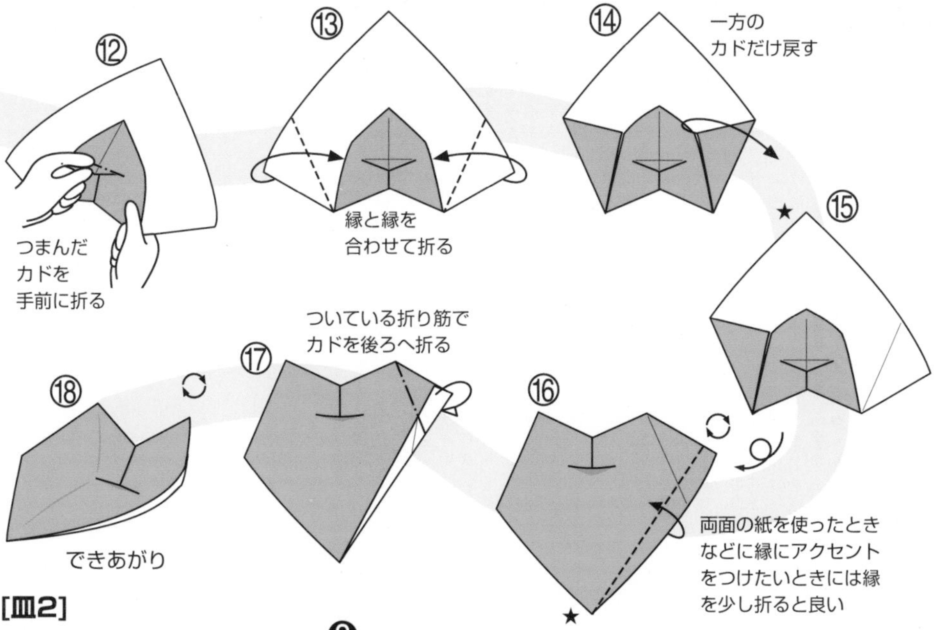
⑫
つまんだ
カドを
手前に折る
⑬
縁と縁を
合わせて折る
⑭
一方の
カドだけ戻す
⑮
⑯
両面の紙を使ったとき
などに縁にアクセント
をつけたいときには縁
を少し折ると良い
⑰
ついている折り筋で
カドを後ろへ折る
⑱
できあがり

[皿2]

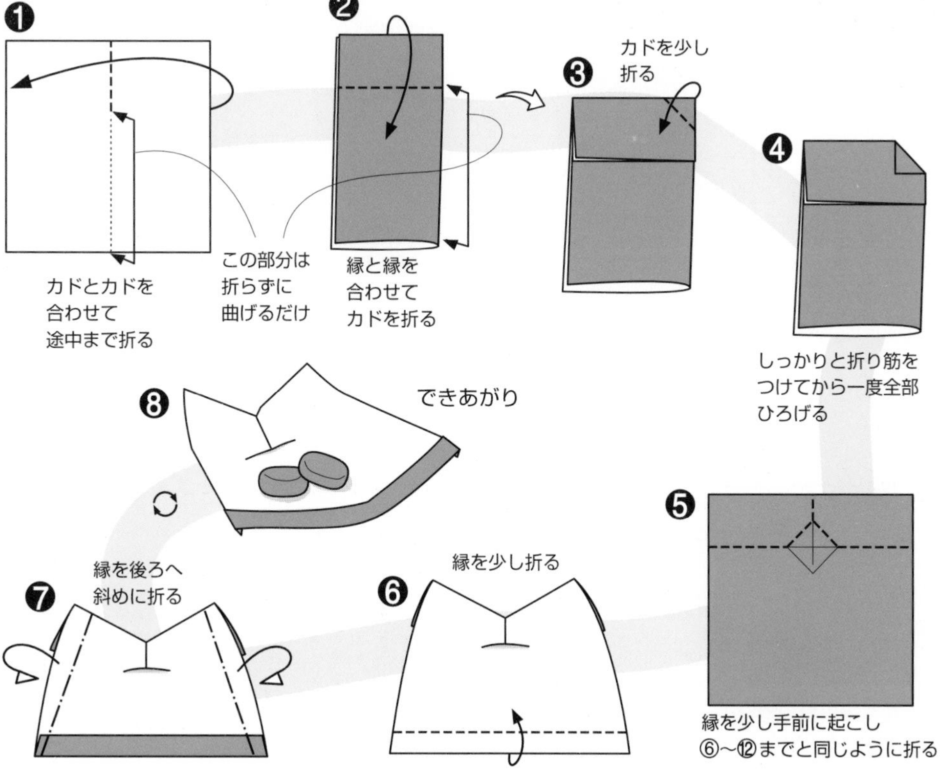
❶
カドとカドを
合わせて
途中まで折る
この部分は
折らずに
曲げるだけ
❷
縁と縁を
合わせて
カドを折る
❸
カドを少し
折る
❹
しっかりと折り筋を
つけてから一度全部
ひろげる
❺
縁を少し手前に起こし
⑥～⑫までと同じように折る
❻
縁を少し折る
❼
縁を後ろへ
斜めに折る
❽
できあがり

チラシで折る卓上ゴミ箱

いざという時に覚えておくと便利。
チラシなどで折って
そのまま捨てられるので衛生的です。

②

折り図

①はP38～39参照
②はP39参照

ズの人気ブランドファッシ
REAL ESTATE
LAND TRANSPORT
20%OFF
カービングスキー
5点セット
7,800円
6,000円
9,800円

①

1~2

チラシで折る
卓上ゴミ箱

ゴミ箱

用紙
●寸法（写真）
紙
(A)27.2×20.2cm
(B)38.2×54.3cm
仕上がり
(A)9.5×11.5×5.6cm
(B)9.5×9.5×9.3cm

●素材
新聞のチラシ、包装紙など

◆ワンポイント
身近にある紙で手軽に折れます。ちゃんとした紙で折れば立派な箱にもなります。

[ゴミ箱A]

①
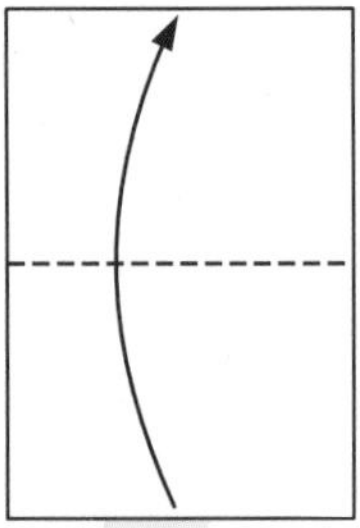
半分に折る

②
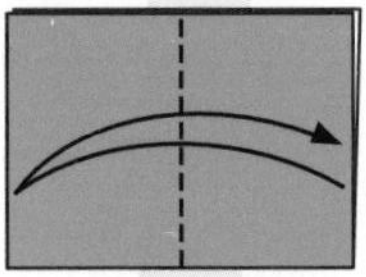
半分に折って
折り筋をつける

③
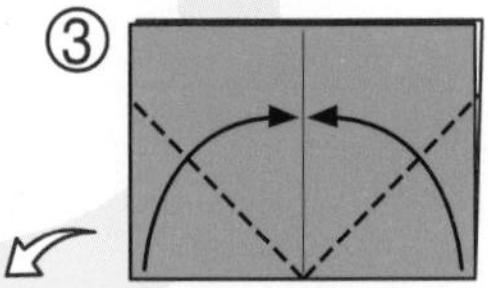
縁を折り筋に
合わせて折る

④
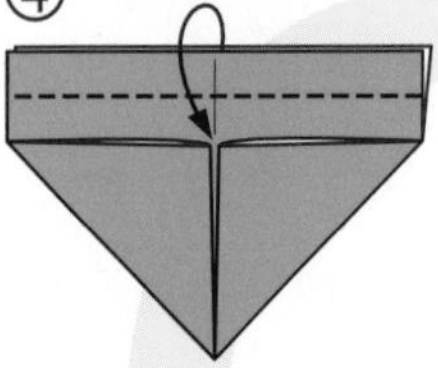
縁と縁を
合わせて折る

⑤
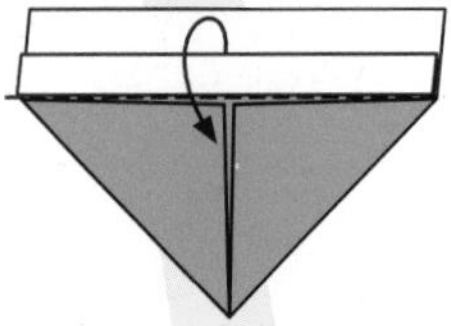
縁に沿って折る

⑥
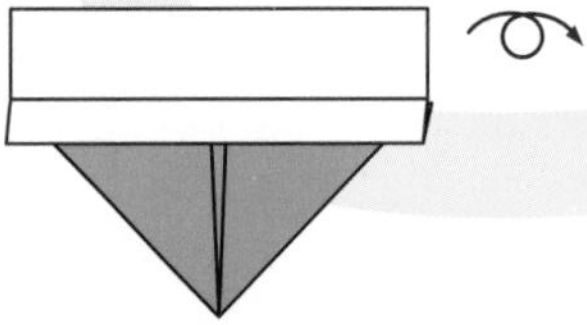

⑦
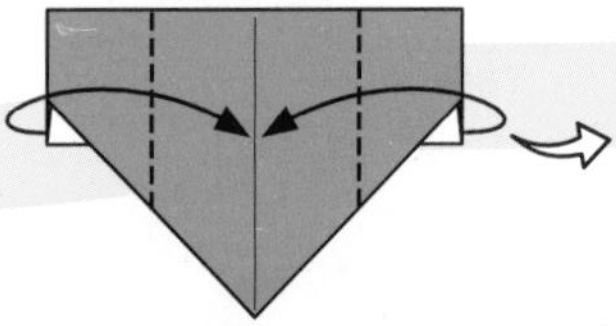
縁を折り筋に
合わせて折る

⑧
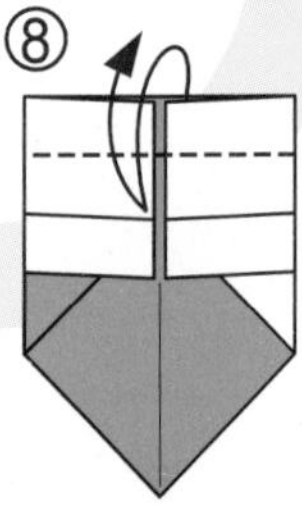
縁と縁を
合わせて
折り筋を
つける

⑨
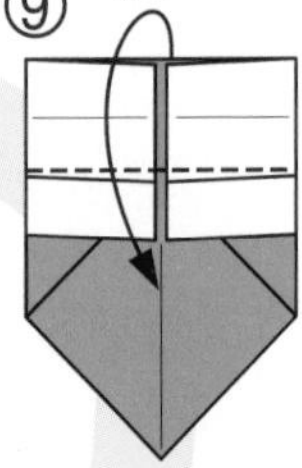
縁に沿って
折る

⑩
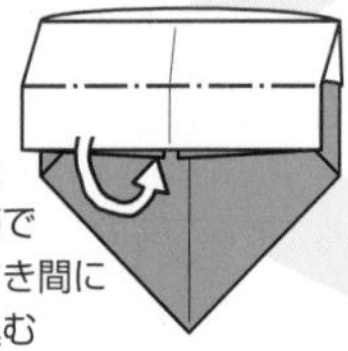
つけた
折り筋で
縁をすき間に
差し込む

⑪
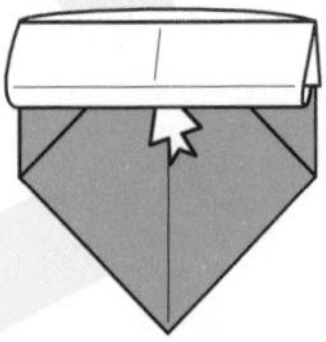
途中の図

⑫
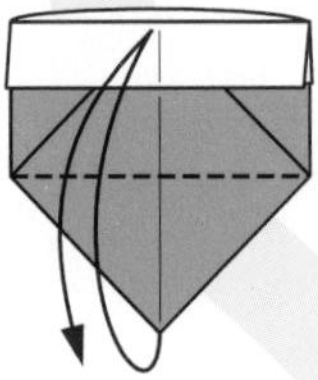
カドと縁を
結ぶ線で
折り筋をつける

⑬
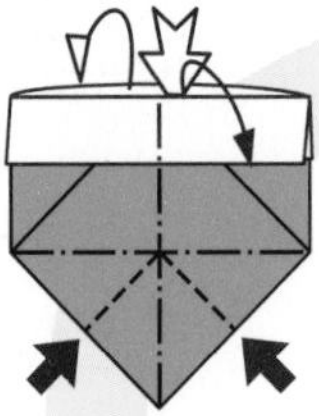
内側をひろげながら
黒矢印の部分を
つまむようにして
ついている折り筋で
立体にする

⑭
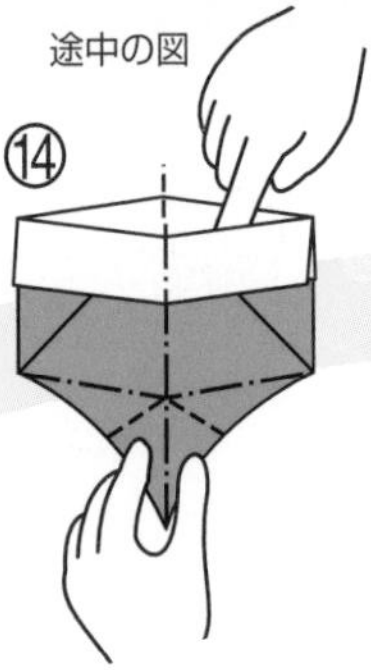
途中の図

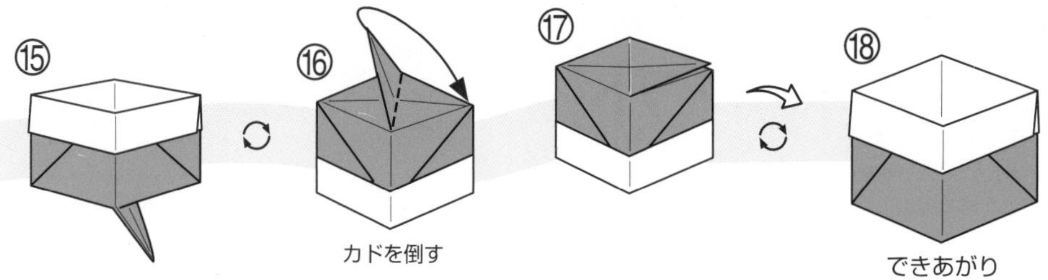
⑮
⑯
カドを倒す
⑰
⑱
できあがり

[ゴミ箱B]

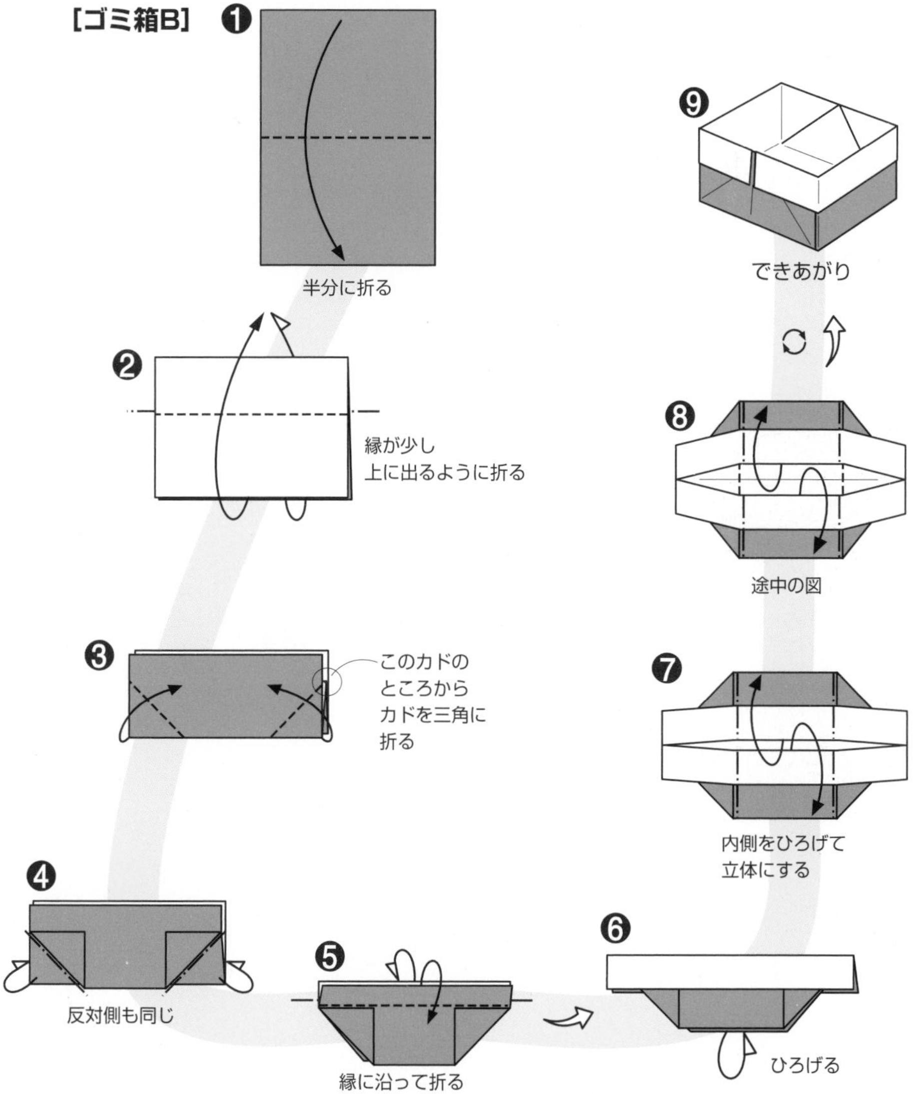
❶
半分に折る
❷
縁が少し
上に出るように折る
❸
このカドの
ところから
カドを三角に
折る
❹
反対側も同じ
❺
縁に沿って折る
❻
ひろげる
❼
内側をひろげて
立体にする
❽
途中の図
❾
できあがり

正四面体のギフトBOXとバリエーション

小さなプレゼントを贈るのに最適な大きさ。
真心を贈る演出に役立ててください。

折り図

①はP42～43参照
②はP164～165参照

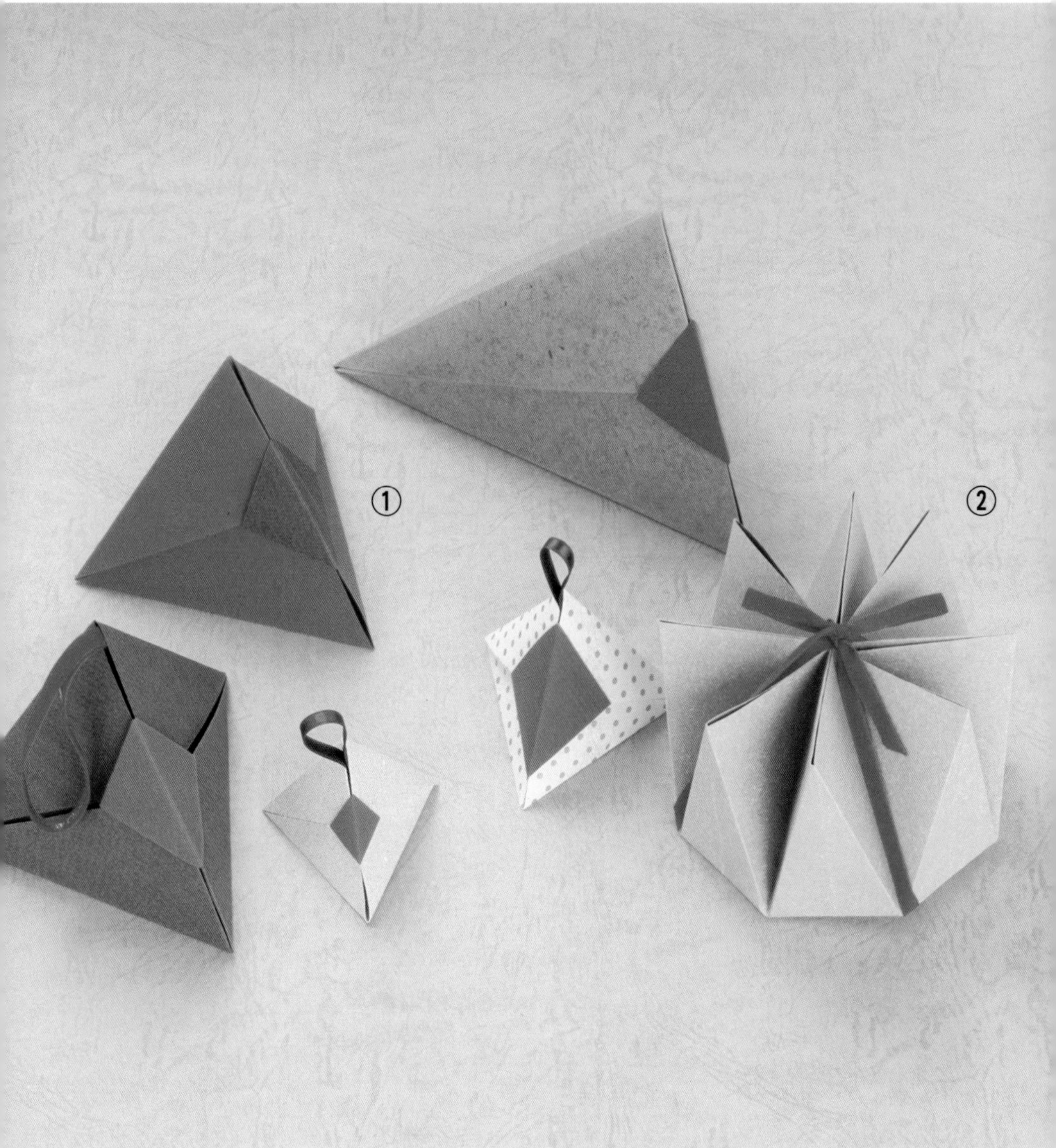

MILK
BITTER
DESSERT
COOKIE
Chocolate

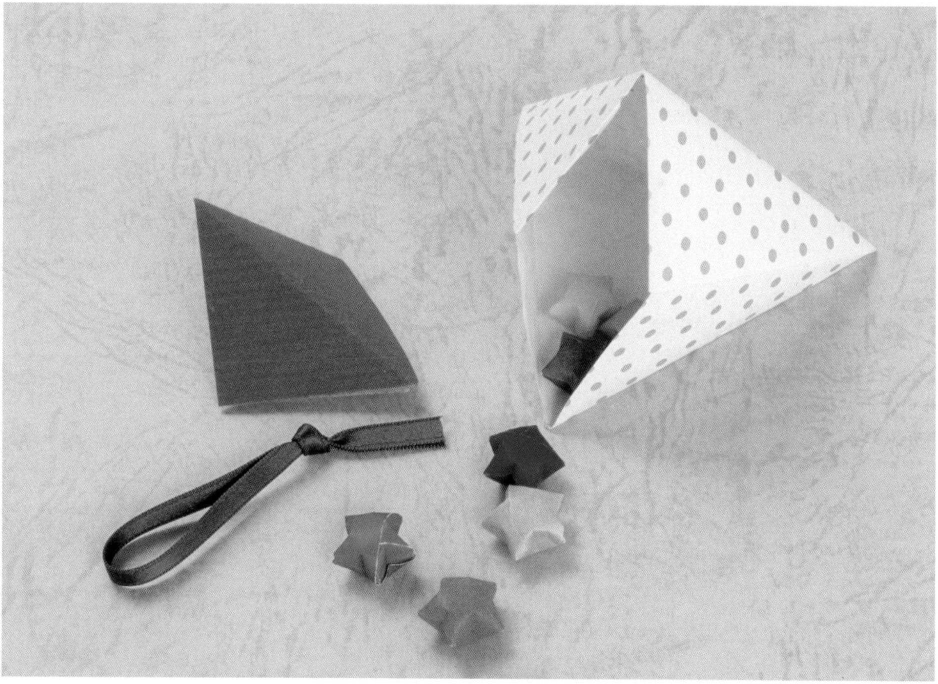

1
正四面体のギフトBOX

用紙
●寸法（写真）
紙
(本体)23×23cm
(ストッパー)7.5×7.5cm
仕上がり
10×11.5×8.5cm

●素材
厚手の洋紙で折ると丈夫に仕上がります。

◆ワンポイント
折り筋をしっかりとつける。ひろげたときに堅くて細いもので折り筋をなぞると良いでしょう。

[本体]

❶
半分に
折り筋を
つける

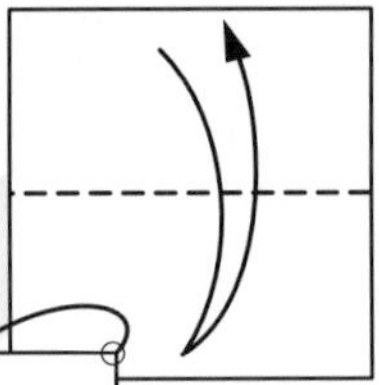

❷

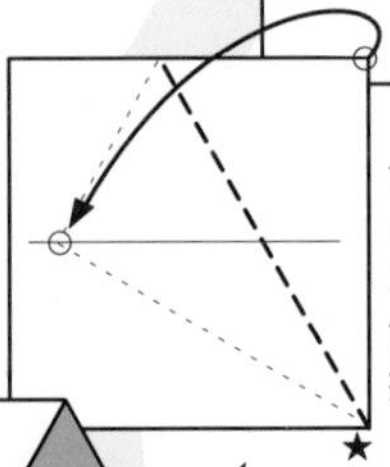

★のカドの
ところから○の
カドを折り筋の上に
合わせたところで
折る

❸

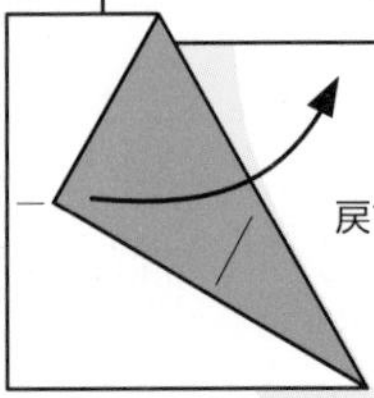

戻す

❹

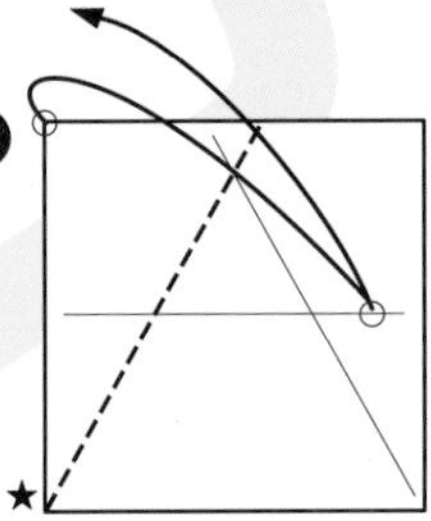

反対側も同じ
ようにして
折り筋をつける

❺

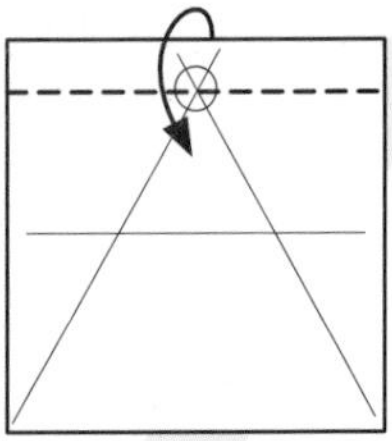

折り筋の交点で折る

❻

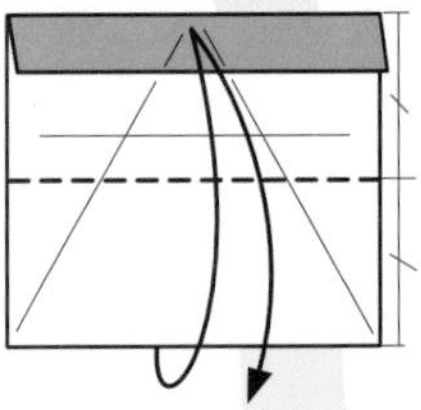

縁と縁を
合わせて
折り筋を
つける

❼

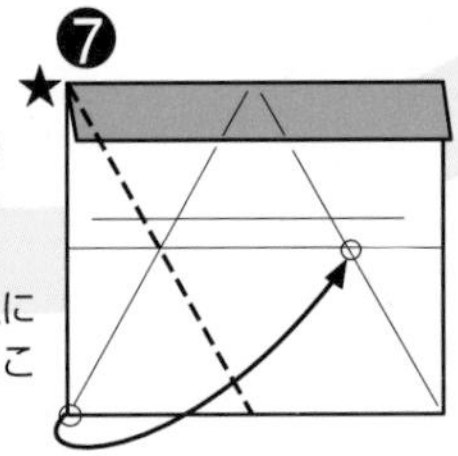

★のカドの
ところから
○のカドを
折り筋の上に
合わせたとこ
ろで折る

❽

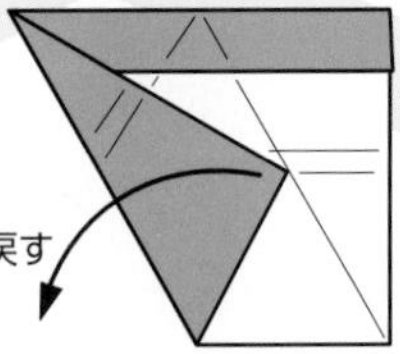

戻す

❾

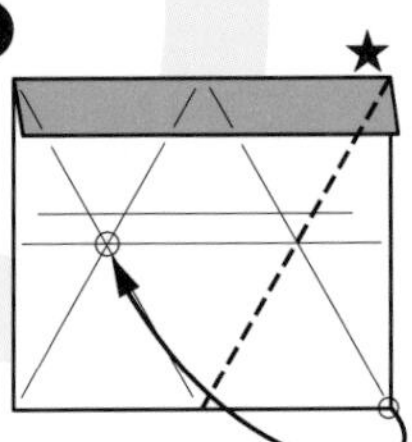

反対側も
同じ

❿

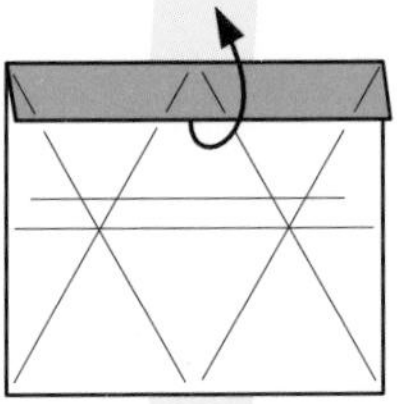

戻す

⓫

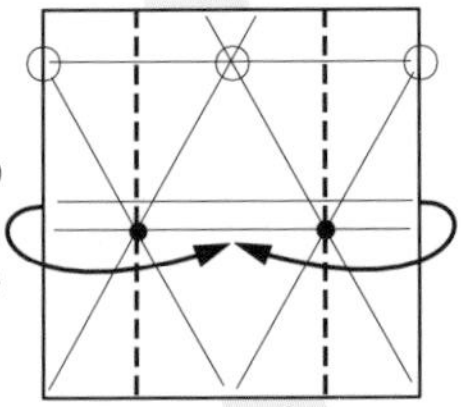

縁を折り筋の
交点に
合わせて折る

⓬

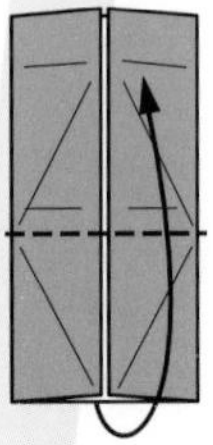

縁を折り筋に
合わせて折る

⓭

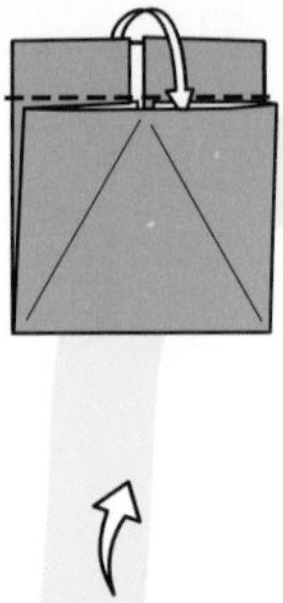

ついている
折り筋を使って
内側に折り込む

[紙の比率]

[ストッパー]

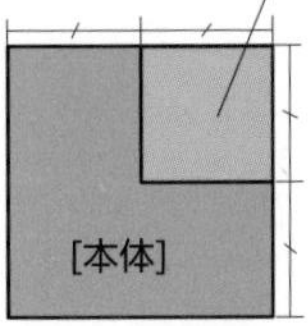

[ストッパー]は[本体]の1/4か
それよりやや小さめの紙で折る

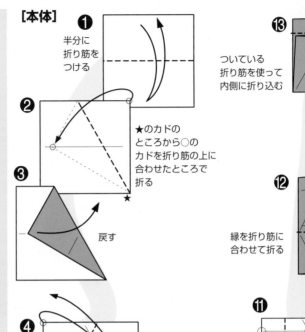

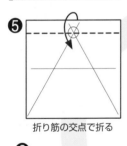

⓮

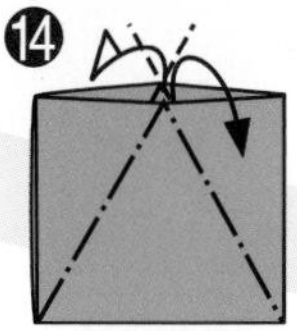

ついている
折り筋で
立体的にする

⓯

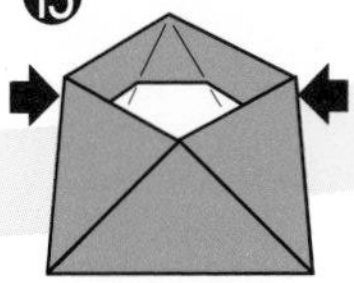

途中の図

⓰

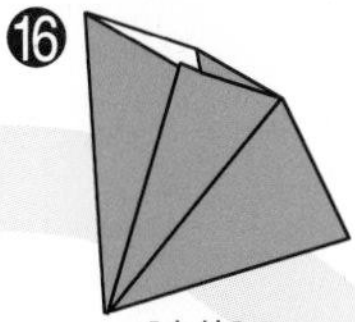

[本体]の
できあがり

[ストッパー]

①

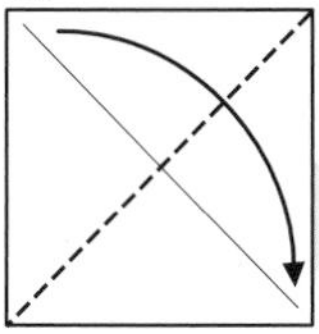

三角に折る

②

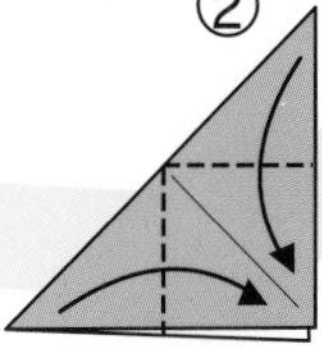

カドとカドを
合わせて折る

③

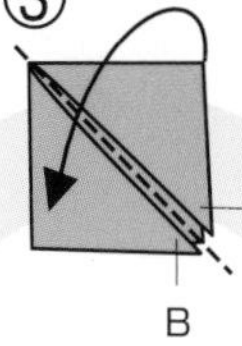

半分に折る

④

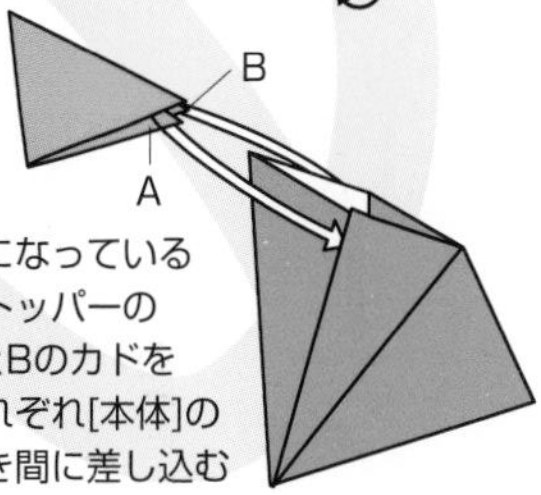

下になっている
ストッパーの
AとBのカドを
それぞれ[本体]の
すき間に差し込む

⑤

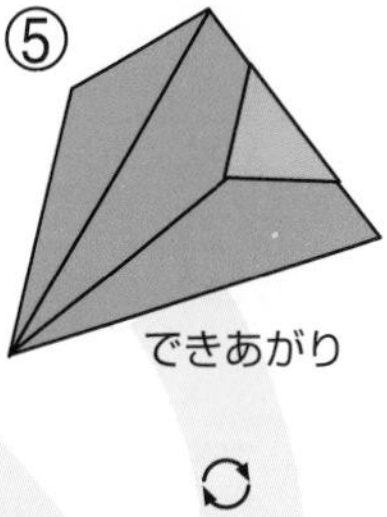

できあがり

[応用例]

紙
(本体)39.3×27cm
(ストッパー)8×8cm
仕上がり
17×13.7×13cm

❶

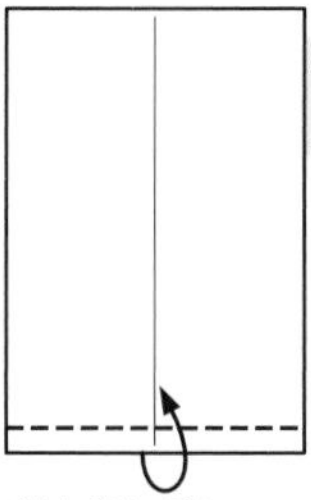

縁を少し折り
半分に折り筋をつける

❷

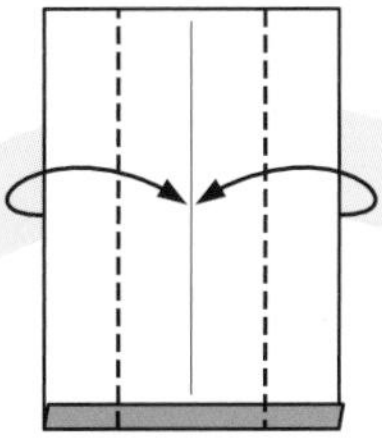

折り筋に
合わせて折る

縁から少し
離して折る

❸

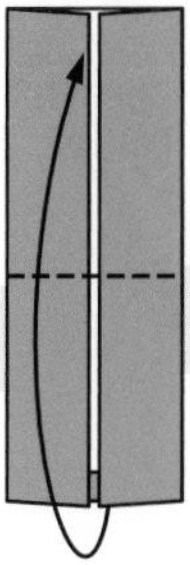

❹

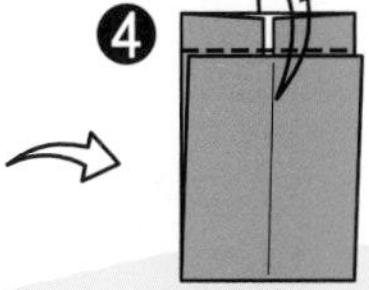

縁に沿って
折り筋をつける

❺

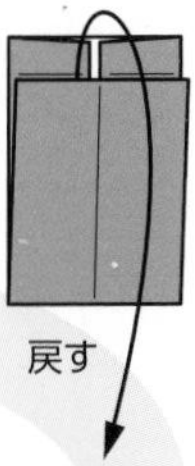

戻す

❻

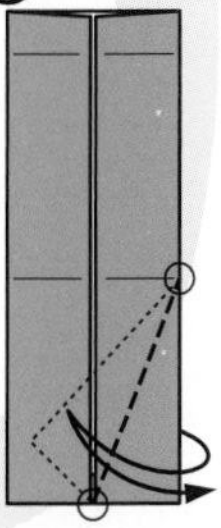

○と○を結ぶ線で
折り筋をつける

❼

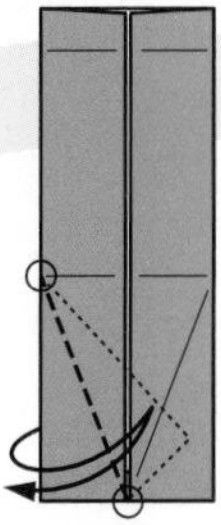

○と○を結ぶ線で
折り筋をつける

❽

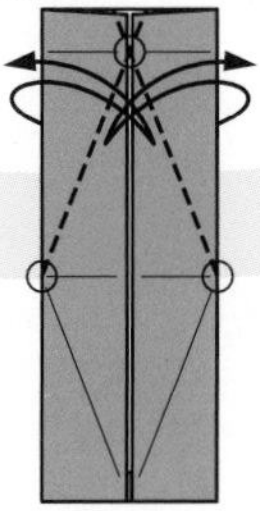

同じようにして
折り筋をつける

❾

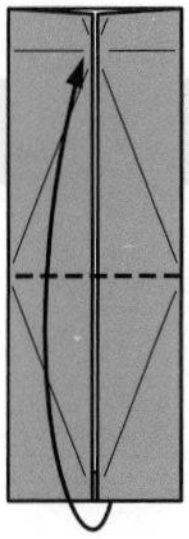

[本体]の
⓬～⓰と
同じに折る

ストッパーで
とめて

❿

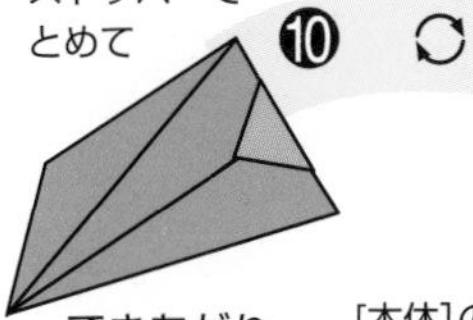

できあがり

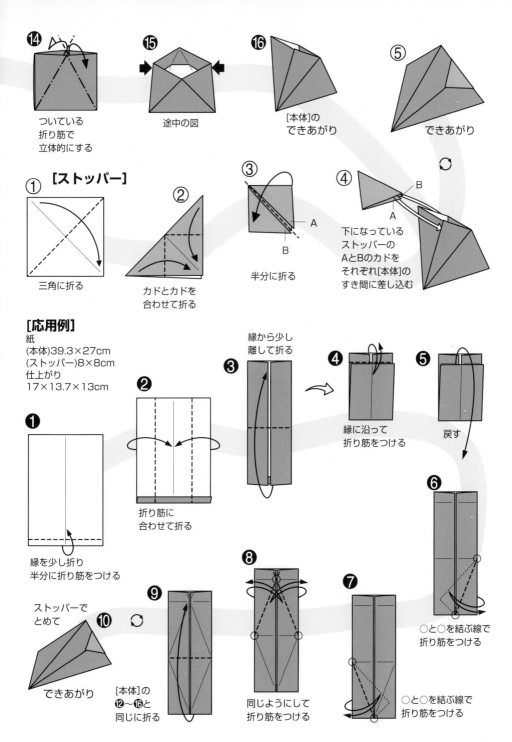

長靴とベビーシューズ

クリスマスには長靴のプレゼント入れ、
赤ちゃんのお祝いには
ベビーシューズで可愛らしく。

②

折り図

①はP46～47参照
②はP166参照

①

1
長靴のギフトBOX

用紙
●寸法（写真）
紙
36×30cm
仕上がり
10×11.5×8.5cm

●素材
厚手の洋紙で折ると丈夫に仕上がります。

◆ワンポイント
折り筋をしっかりとつけることが重要。ひろげたときに堅くて細いもので折り筋をなぞると良いでしょう。

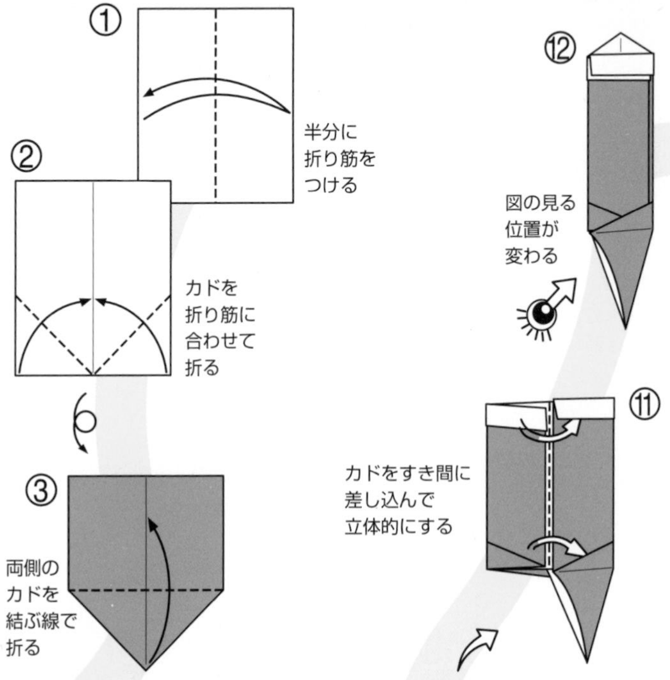
①
半分に折り筋をつける
②
カドを折り筋に合わせて折る
③
両側のカドを結ぶ線で折る
⑪
カドをすき間に差し込んで立体的にする
⑫
図の見る位置が変わる

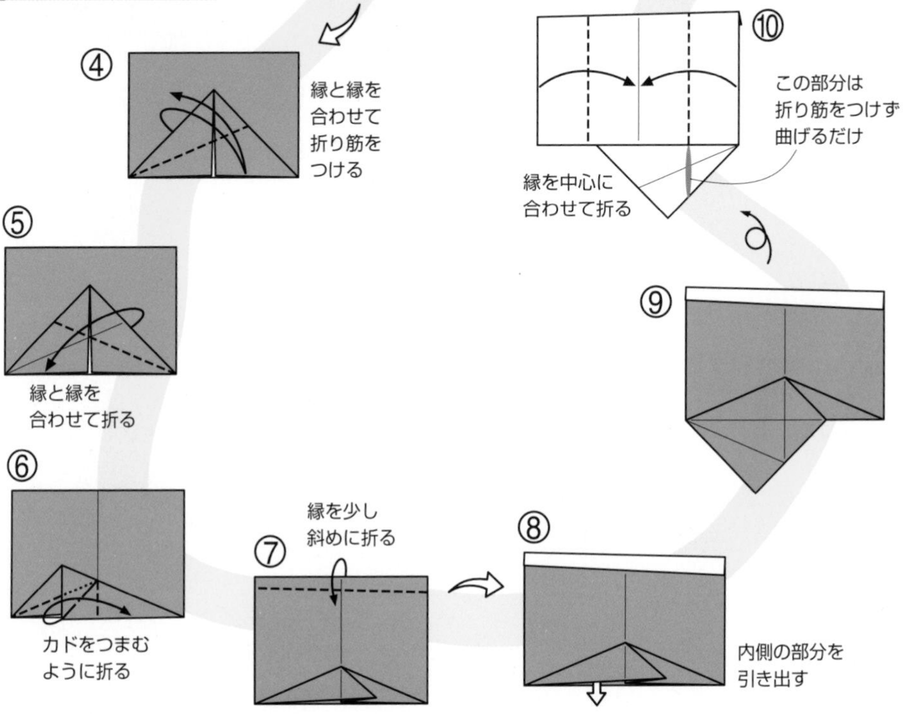
④
縁と縁を合わせて折り筋をつける
⑤
縁と縁を合わせて折る
⑥
カドをつまむように折る
⑦
縁を少し斜めに折る
⑧
内側の部分を引き出す
⑨
⑩
縁を中心に合わせて折る
この部分は折り筋をつけず曲げるだけ

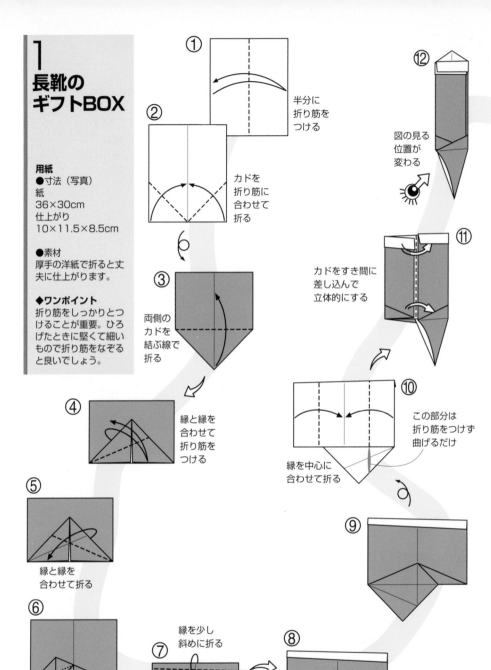

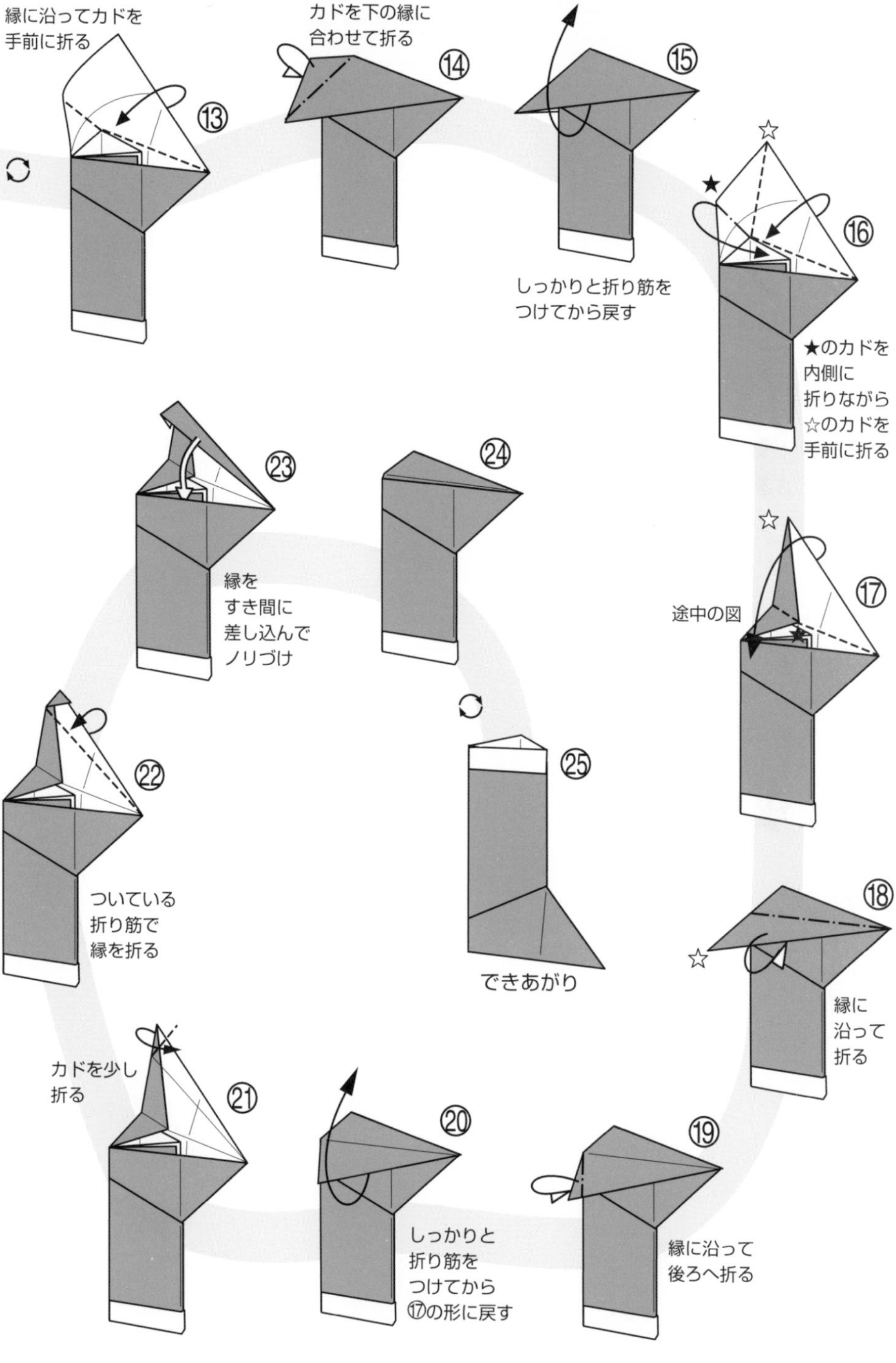
⑬
縁に沿ってカドを
手前に折る
⑭
カドを下の縁に
合わせて折る
⑮
しっかりと折り筋を
つけてから戻す
⑯
☆
★
★のカドを
内側に
折りながら
☆のカドを
手前に折る
⑰
☆
★
途中の図
⑱
☆
縁に
沿って
折る
⑲
縁に沿って
後ろへ折る
⑳
しっかりと
折り筋を
つけてから
⑰の形に戻す
㉑
カドを少し
折る
㉒
ついている
折り筋で
縁を折る
㉓
縁を
すき間に
差し込んで
ノリづけ
㉔
㉕
できあがり

ワイシャツとネクタイ、ハウスBOX

身近にある紙袋を利用して、父の日などのプレゼントに、ハウスBOXは、丈夫なので重い物でも大丈夫。

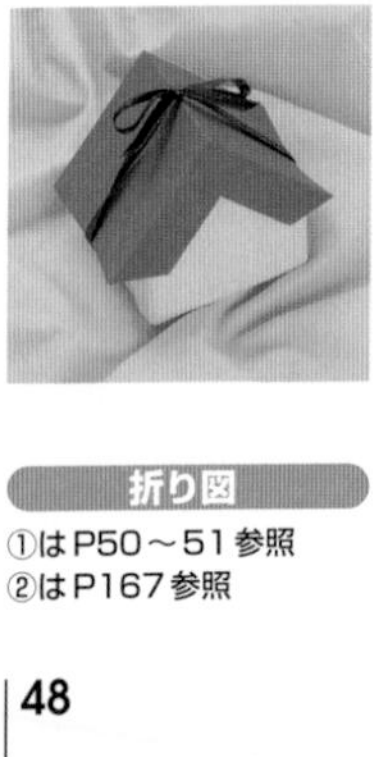

折り図

①はP50～51参照
②はP167参照

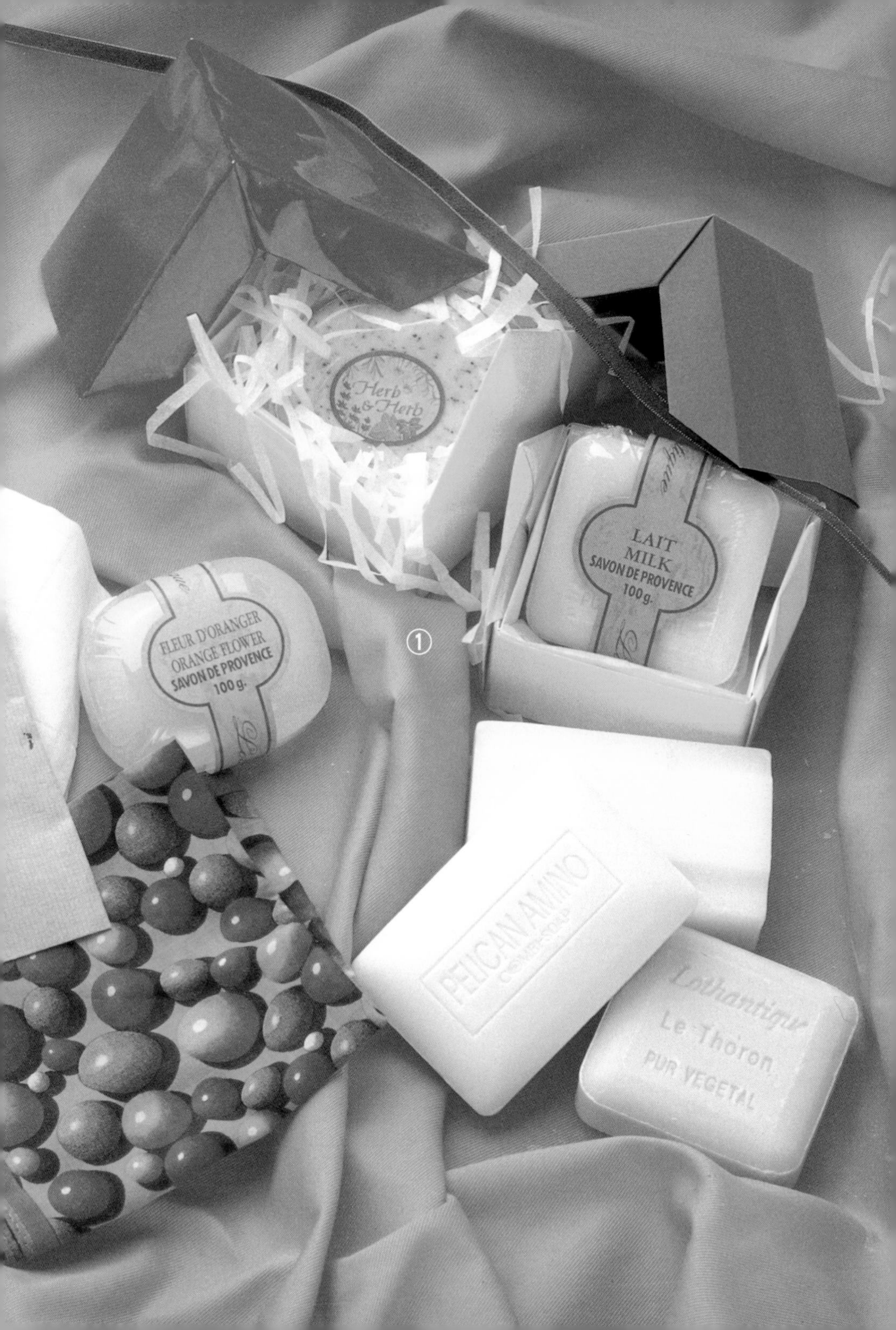
Herb & Herb
FLEUR D'ORANGER
ORANGE FLOWER
SAVON DE PROVENCE
100 g.
①
LAIT
MILK
SAVON DE PROVENCE
100 g.
PELICAN AMINO
Le Thoron
PUR VEGETAL

1
ハウスBOX

用紙
●寸法（写真）
紙
(カベ、屋根、土台)
15×15cm×6枚
仕上がり
8×8×7.5cm

●素材
厚手の洋紙で折ると丈夫に仕上がります。

◆ワンポイント
各パーツの色をいろいろと組み合わせてカラフルな家を作ってみましょう。

[カベ1]

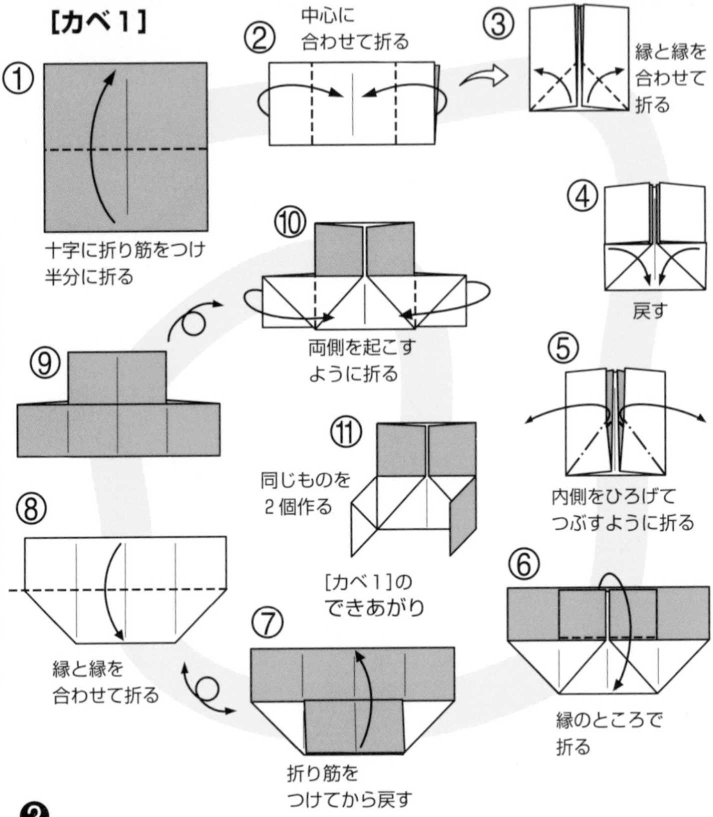

①
十字に折り筋をつけ
半分に折る
②
中心に
合わせて折る
③
縁と縁を
合わせて
折る
④
戻す
⑤
内側をひろげて
つぶすように折る
⑥
縁のところで
折る
⑦
折り筋を
つけてから戻す
⑧
縁と縁を
合わせて折る
⑨
⑩
両側を起こす
ように折る
⑪
同じものを
2個作る
[カベ1]の
できあがり

[カベ2]

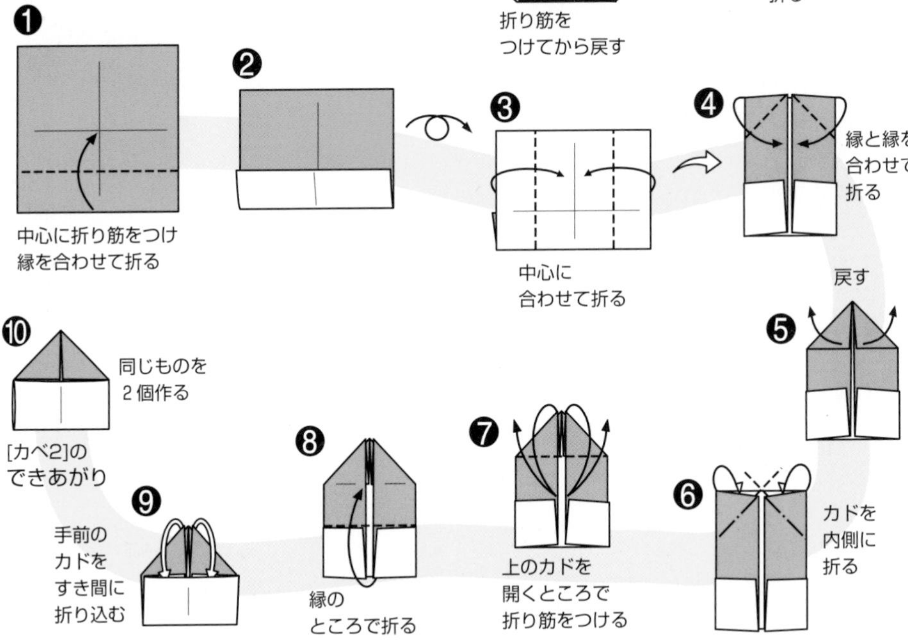

❶
中心に折り筋をつけ
縁を合わせて折る
❷
❸
中心に
合わせて折る
❹
縁と縁を
合わせて
折る
❺
戻す
❻
カドを
内側に
折る
❼
上のカドを
開くところで
折り筋をつける
❽
縁の
ところで折る
❾
手前の
カドを
すき間に
折り込む
❿
同じものを
2個作る
[カベ2]の
できあがり

[土台]

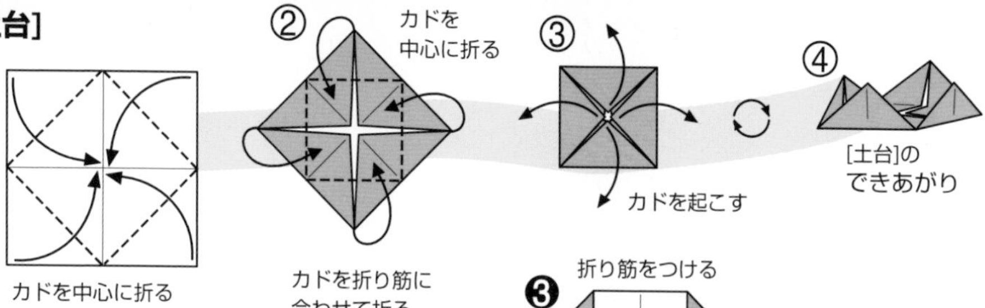
①
カドを中心に折る
②
カドを
中心に折る
③
カドを起こす
④
[土台]の
できあがり

[屋根]

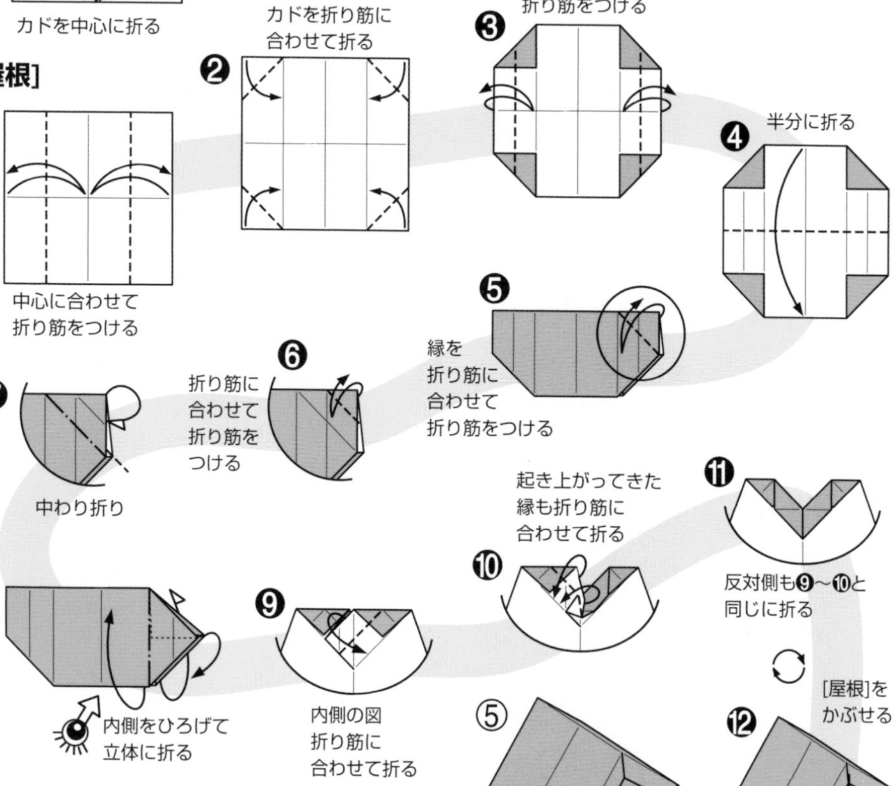
❶
中心に合わせて
折り筋をつける
❷
カドを折り筋に
合わせて折る
❸
折り筋をつける
❹
半分に折る
❺
縁を
折り筋に
合わせて
折り筋をつける
❻
折り筋に
合わせて
折り筋を
つける
❼
中わり折り
❽
内側をひろげて
立体に折る
❾
内側の図
折り筋に
合わせて折る
❿
起き上がってきた
縁も折り筋に
合わせて折る
⓫
反対側も❾～❿と
同じに折る
⓬
[屋根]を
かぶせる

[組み方]

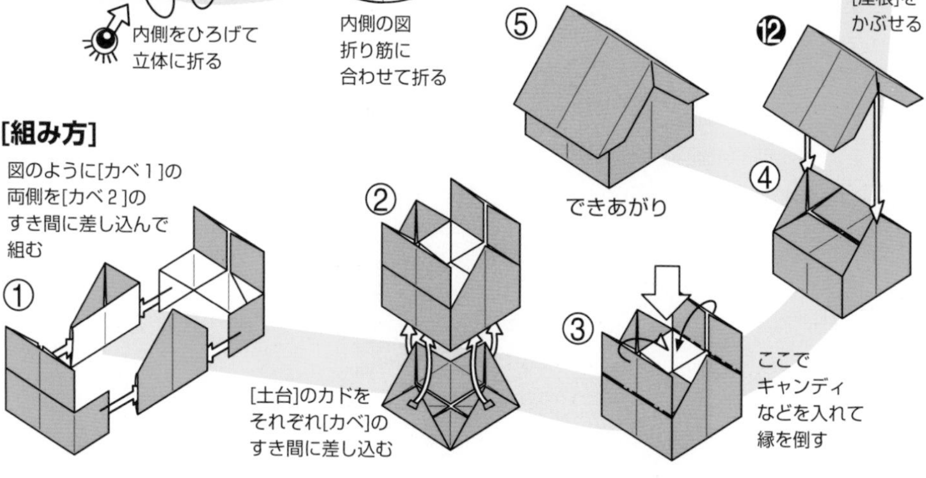
図のように[カベ１]の
両側を[カベ２]の
すき間に差し込んで
組む
①
②
[土台]のカドを
それぞれ[カベ]の
すき間に差し込む
③
ここで
キャンディ
などを入れて
縁を倒す
④
⑤
できあがり

のし袋と内祝い包み

誰でも簡単に折れるのし袋。
たまには手作りで、真心を込めて。

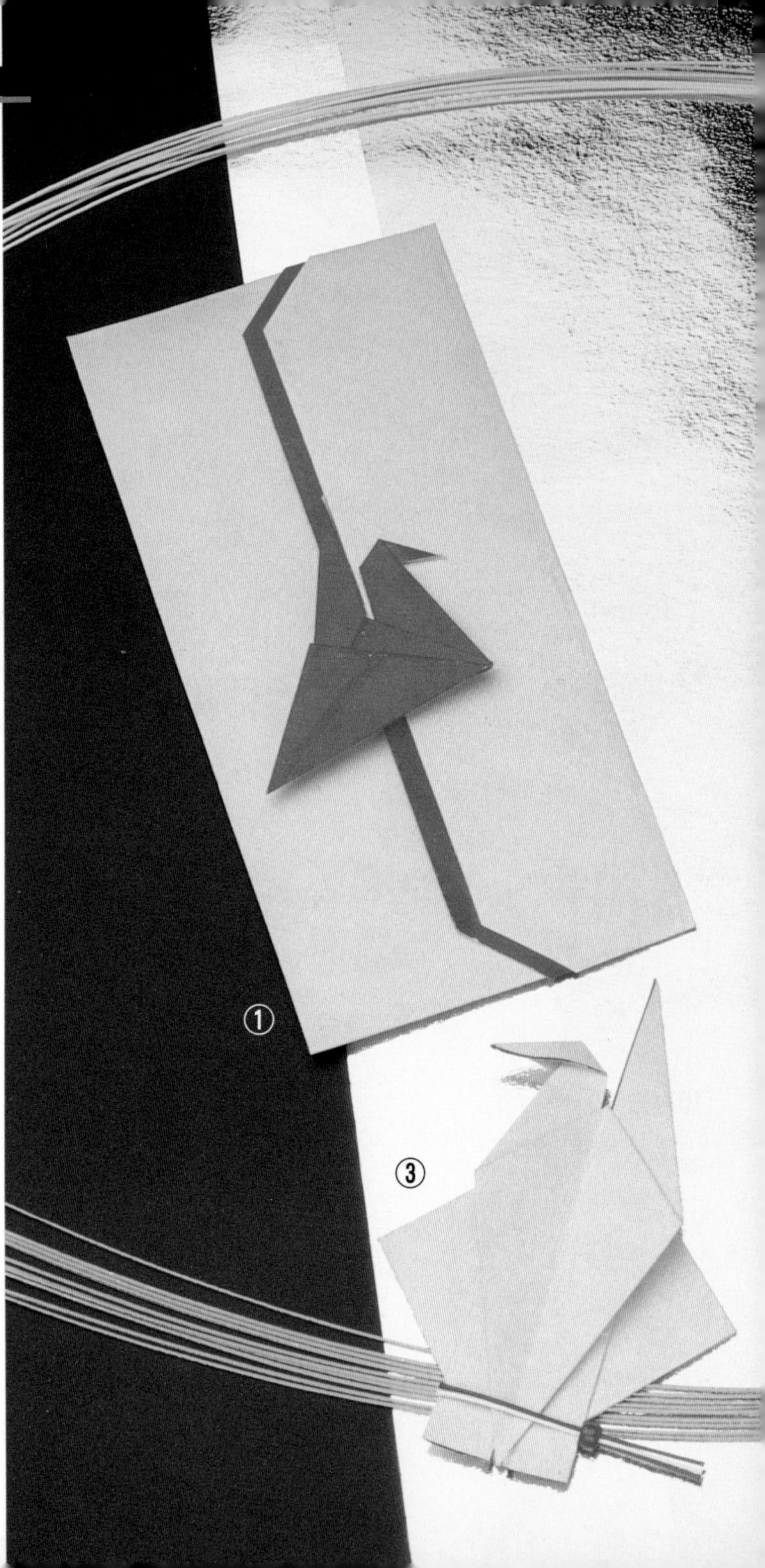

折り図

①はP54～55参照
②はP168参照
③はP169参照

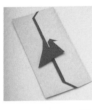

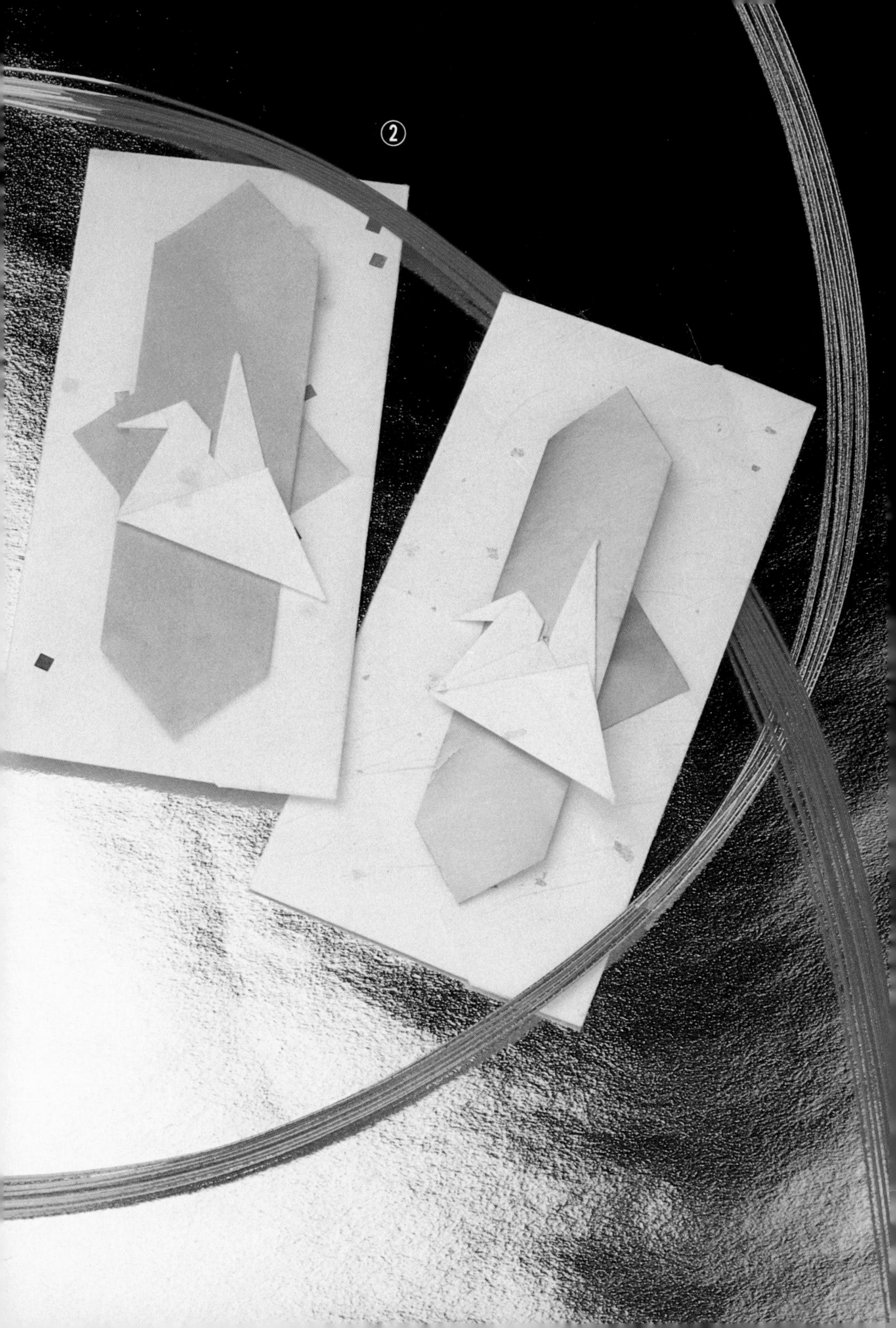
②

1

のし袋と内祝い包み

鶴ののし袋

用紙

●寸法（写真）
紙
28.8×28.8cm
仕上がり
17.8×8.5cm

●素材
紅白の両面和紙（写真）
ほか、和紙、洋紙など

◆ワンポイント
折り方はやさしいですが、切り込みを入れるときに間違えないように注意しましょう。

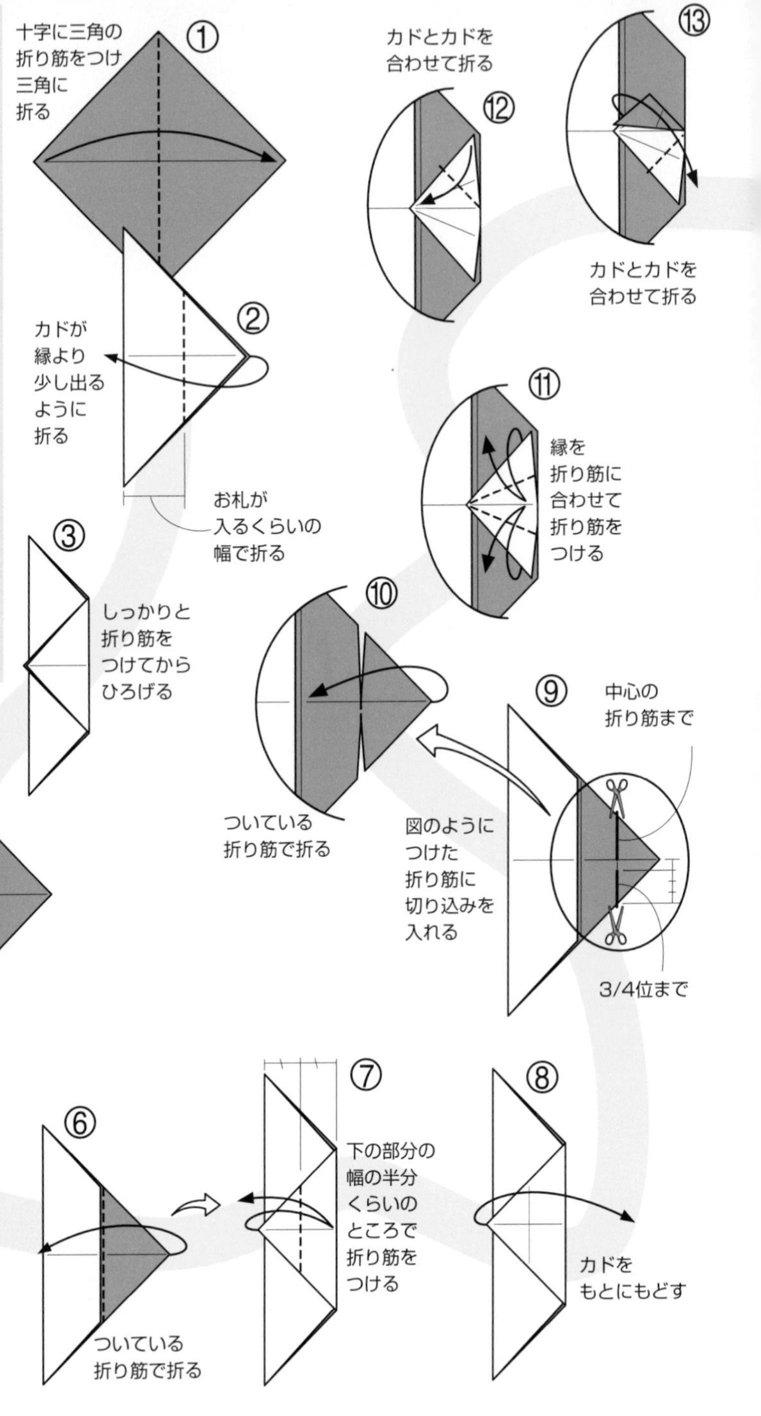

①
十字に三角の
折り筋をつけ
三角に
折る
②
カドが
縁より
少し出る
ように
折る
お札が
入るくらいの
幅で折る
③
しっかりと
折り筋を
つけてから
ひろげる
⑥
ついている
折り筋で折る
⑦
下の部分の
幅の半分
くらいの
ところで
折り筋を
つける
⑧
カドを
もとにもどす
⑨
中心の
折り筋まで
図のように
つけた
折り筋に
切り込みを
入れる
3/4位まで
⑩
ついている
折り筋で折る
⑪
縁を
折り筋に
合わせて
折り筋を
つける
⑫
カドとカドを
合わせて折る
⑬
カドとカドを
合わせて折る

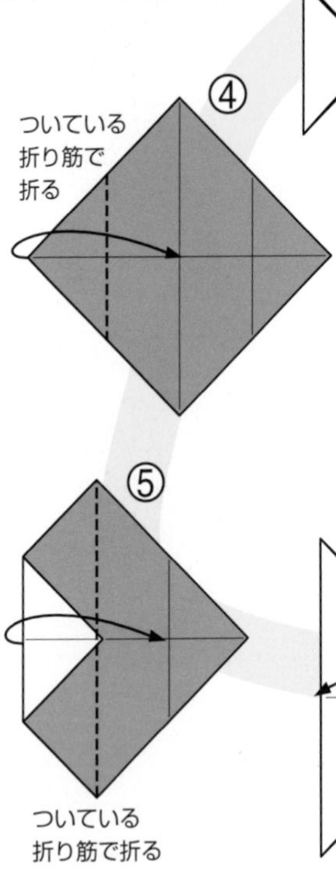

④
ついている
折り筋で
折る
⑤
ついている
折り筋で折る

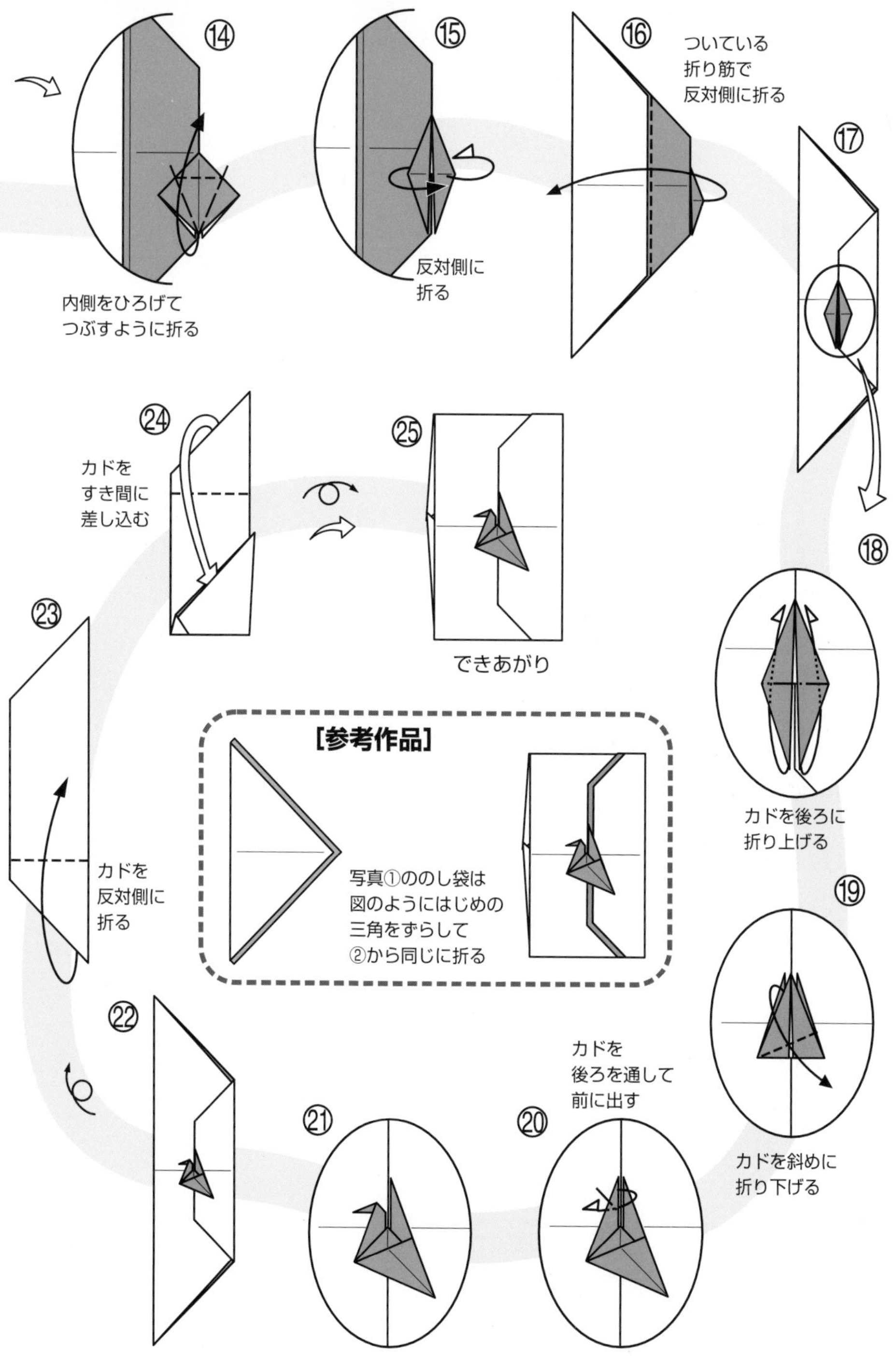
⑭
内側をひろげて
つぶすように折る
⑮
反対側に
折る
⑯
ついている
折り筋で
反対側に折る
⑰
⑱
カドを後ろに
折り上げる
⑲
カドを斜めに
折り下げる
⑳
カドを
後ろを通して
前に出す
㉑
㉒
㉓
カドを
反対側に
折る
㉔
カドを
すき間に
差し込む
㉕
できあがり
[参考作品]
写真①ののし袋は
図のようにはじめの
三角をずらして
②から同じに折る

ボトルカバー

むき出しのボトルにおしゃれな衣装を。
パーティなどの演出にちょっと一役。

折り図

①はP58～59参照
②③はP170～171参照
④はP172～173参照

①
④
③
Grand Fleuron
Brut
ROSE
NET CONT. 750 ML
Cuvée Coquette
MORGON
APPELLATION MORGON CONTROLÉE
MIS EN BOUTEILLE PAR
Cuvée

1

ボトルカバー

鶴のボトルカバー1

用紙

●寸法（写真）
紙
(一升瓶)40×15cm
(ワインボトル)28×11cm
仕上がり
(一升瓶)13×11.3×12.5cm
(ワインボトル)10×8×6cm

●素材
紅白の両面和紙（写真）
ほか、和紙、洋紙など

◆ワンポイント
切り込みの穴にカドを通すときに破れないように注意しましょう。

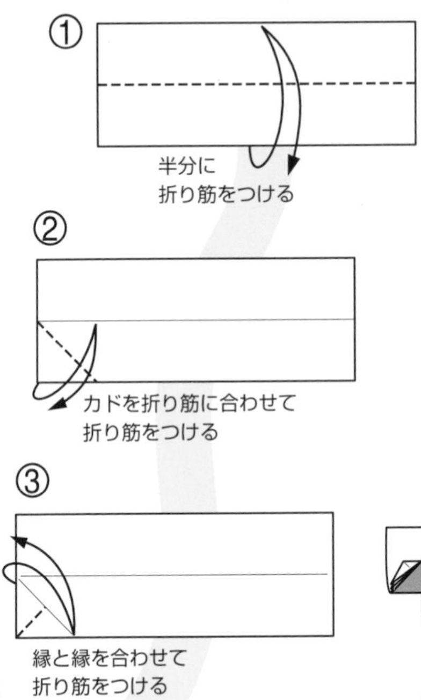
①
半分に
折り筋をつける
②
カドを折り筋に合わせて
折り筋をつける
③
縁と縁を合わせて
折り筋をつける

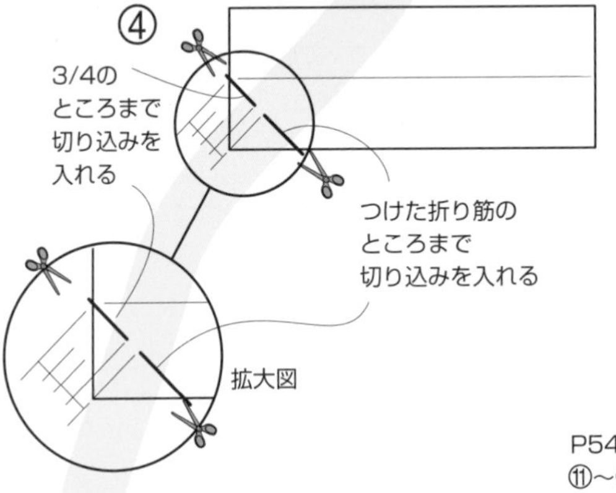
④
3/4の
ところまで
切り込みを
入れる
つけた折り筋の
ところまで
切り込みを入れる
拡大図

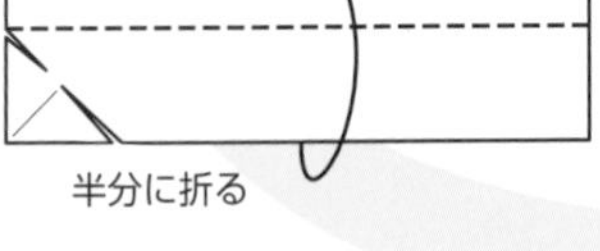
⑤
半分に折る

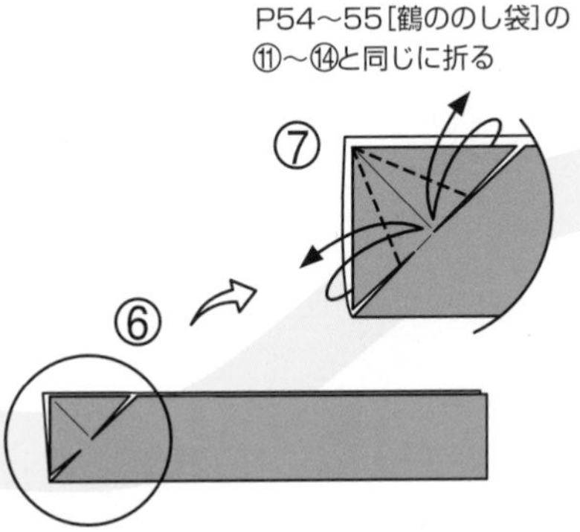
⑥
⑦
P54～55[鶴ののし袋]の
⑪～⑭と同じに折る

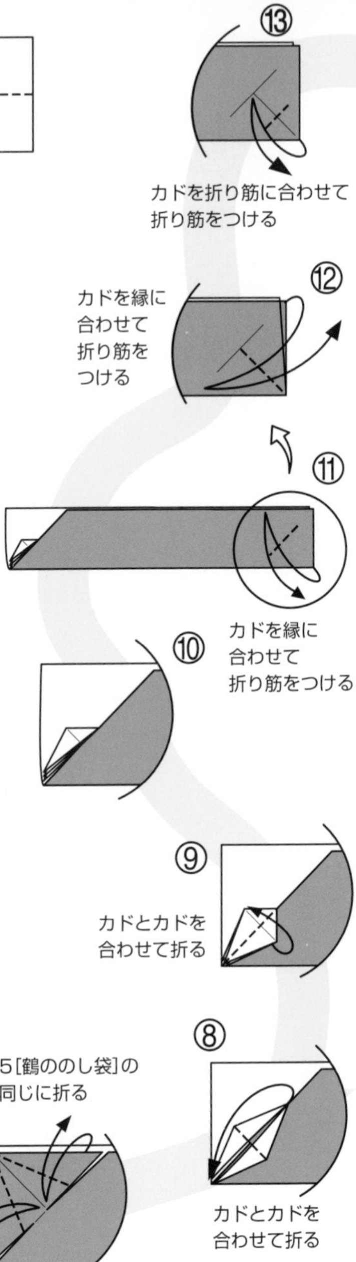
⑧
カドとカドを
合わせて折る
⑨
カドとカドを
合わせて折る
⑩
⑪
カドを縁に
合わせて
折り筋をつける
⑫
カドを縁に
合わせて
折り筋を
つける
⑬
カドを折り筋に合わせて
折り筋をつける

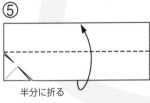

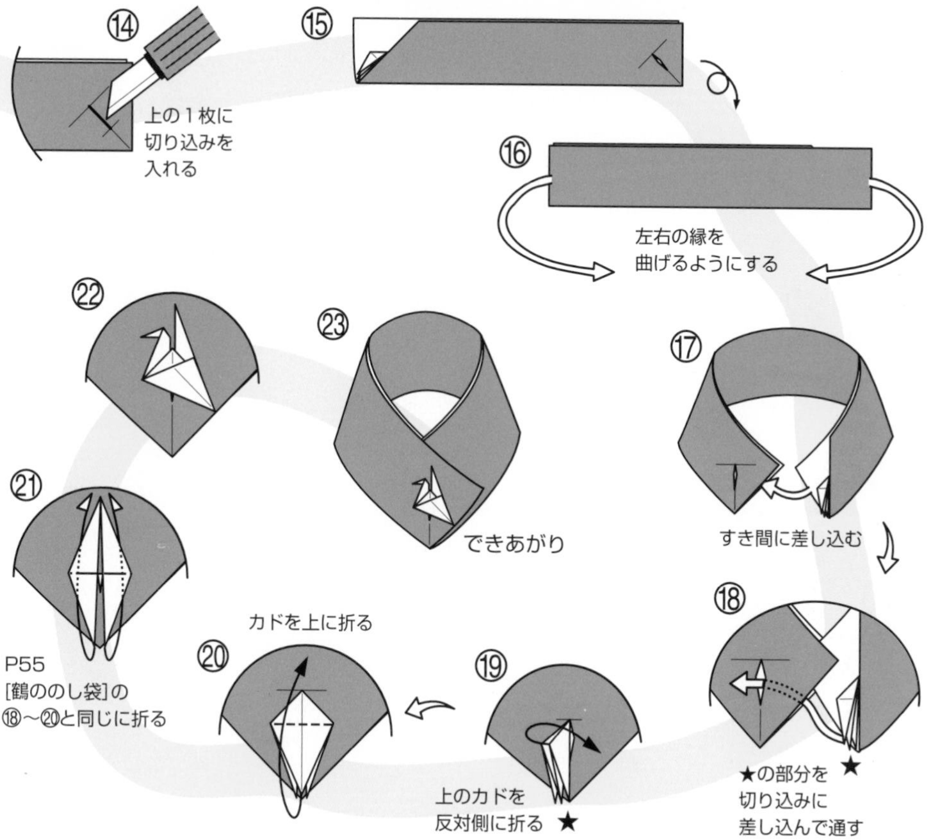
⑭
上の1枚に
切り込みを
入れる
⑮
⑯
左右の縁を
曲げるようにする
⑰
すき間に差し込む
⑱
★の部分を
切り込みに
差し込んで通す
★
⑲
上のカドを
反対側に折る ★
⑳
カドを上に折る
㉑
P55
[鶴ののし袋]の
⑱～⑳と同じに折る
㉒
㉓
できあがり

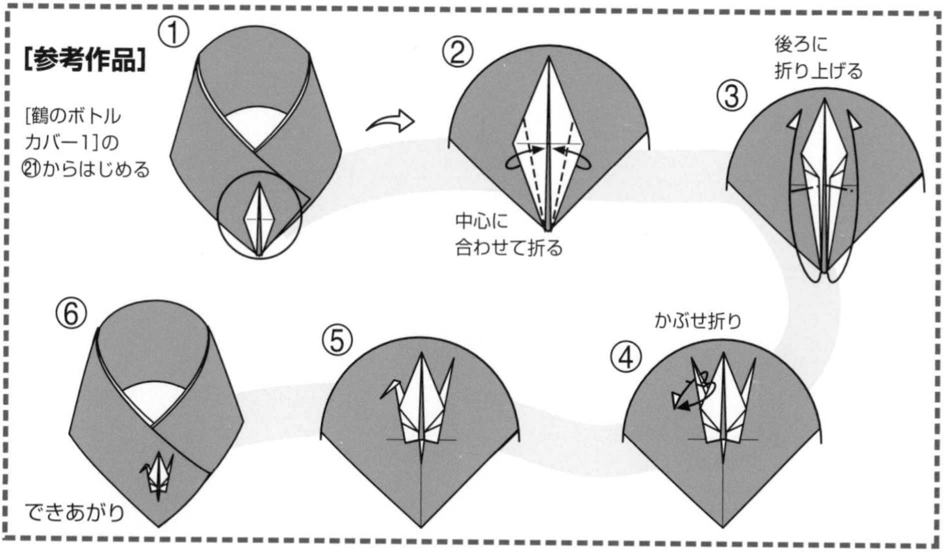
[参考作品]
[鶴のボトル
カバー1]の
㉑からはじめる
①
②
中心に
合わせて折る
③
後ろに
折り上げる
④
かぶせ折り
⑤
⑥
できあがり

かわいくて簡単なぽち袋

簡単に折れるので急な時でもすぐ折れます。
バリエーションもたくさんあるので便利。

折り図

①②③はP62参照
④⑤はP63参照
⑥はP174参照

⑥
⑤
①
③

1~5

かわいくて簡単なぽち袋

小さなぽち袋

用紙

●寸法（写真）
紙
(A.B.C) 15×15cm
(D) 15.2×15.2cm
(E) 17×17cm
仕上がり
(A) 8.2×5.1cm
(B) 8.2×6.1cm
(C) 8.2×4.5cm
(D) 8.4×5.2cm
(E) 8.7×5.4cm

●素材
紅白の両面和紙（写真）ほか、和紙、洋紙など

◆ワンポイント
簡単にできる便利なぽち袋です。手作りで贈るお祝いに最適です。

[ぽち袋A]

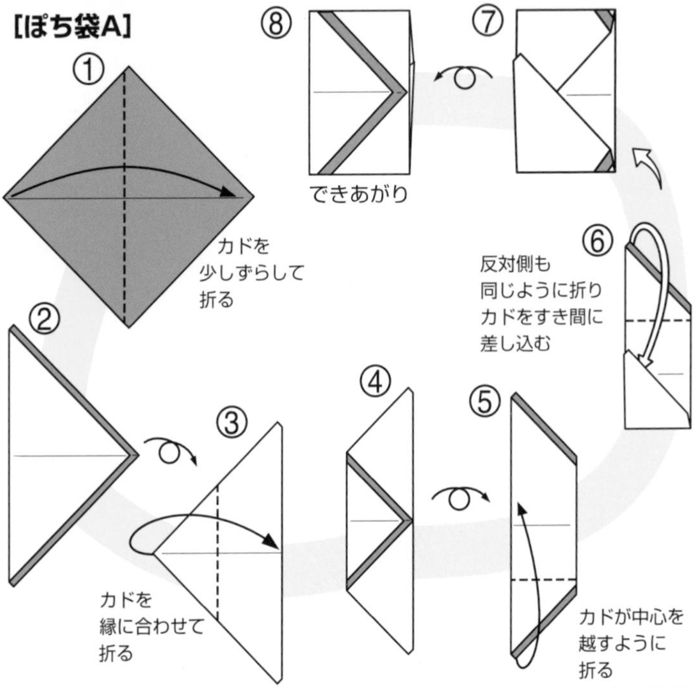
①
カドを少しずらして折る
②
③
カドを縁に合わせて折る
④
⑤
カドが中心を越すように折る
⑥
反対側も同じように折りカドをすき間に差し込む
⑦
⑧
できあがり

[ぽち袋B]

[ぽち袋A]の③からはじめる

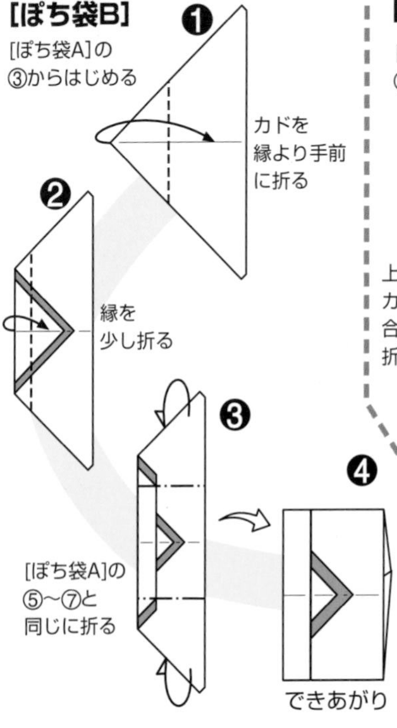
❶
カドを縁より手前に折る
❷
縁を少し折る
❸
[ぽち袋A]の⑤~⑦と同じに折る
❹
できあがり

[ぽち袋C]

[ぽち袋A]の③からはじめる

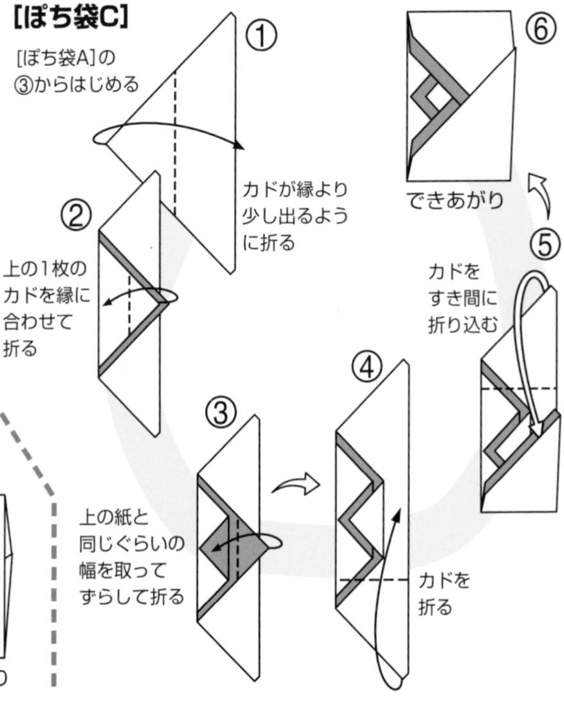
①
カドが縁より少し出るように折る
②
上の1枚のカドを縁に合わせて折る
③
上の紙と同じぐらいの幅を取ってずらして折る
④
カドを折る
⑤
カドをすき間に折り込む
⑥
できあがり

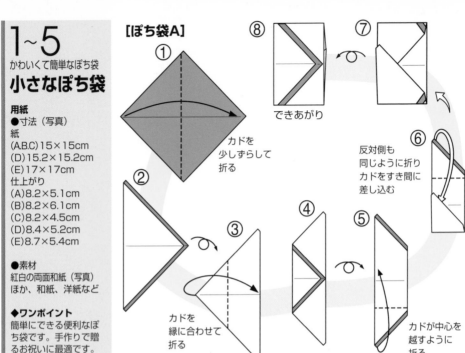

[ぽち袋D]

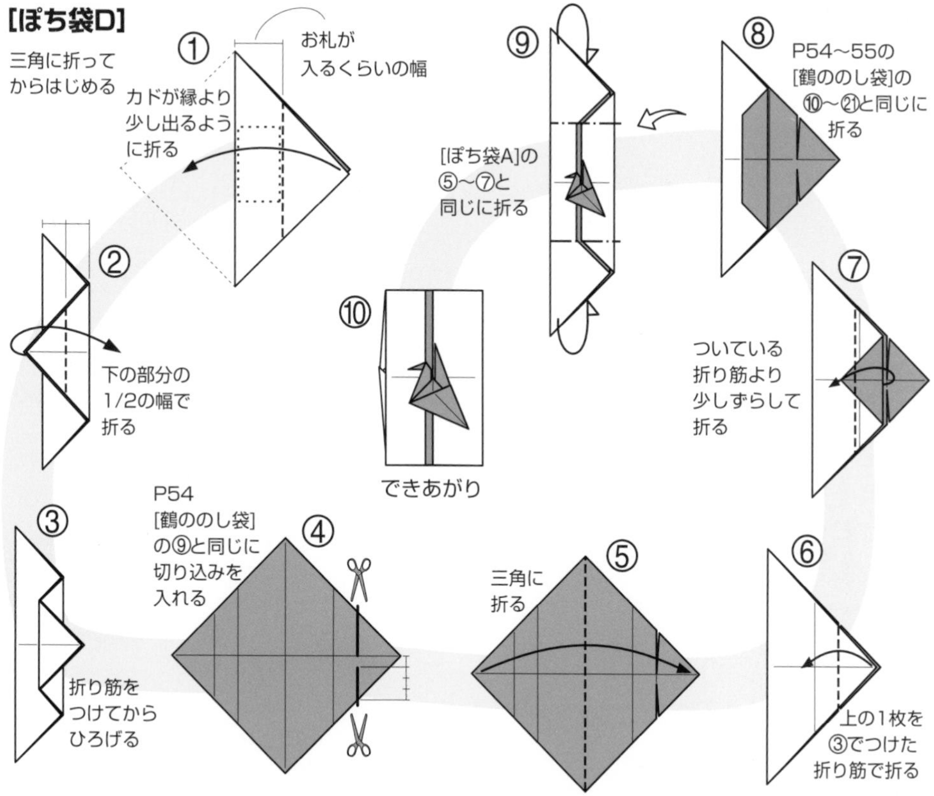
三角に折ってからはじめる
①
お札が入るくらいの幅
カドが縁より少し出るように折る
②
下の部分の1/2の幅で折る
③
折り筋をつけてからひろげる
④
P54 [鶴ののし袋]の⑨と同じに切り込みを入れる
⑤
三角に折る
⑥
上の1枚を③でつけた折り筋で折る
⑦
ついている折り筋より少しずらして折る
⑧
P54~55の[鶴ののし袋]の⑩~㉑と同じに折る
⑨
[ぽち袋A]の⑤~⑦と同じに折る
⑩
できあがり

[ぽち袋E]

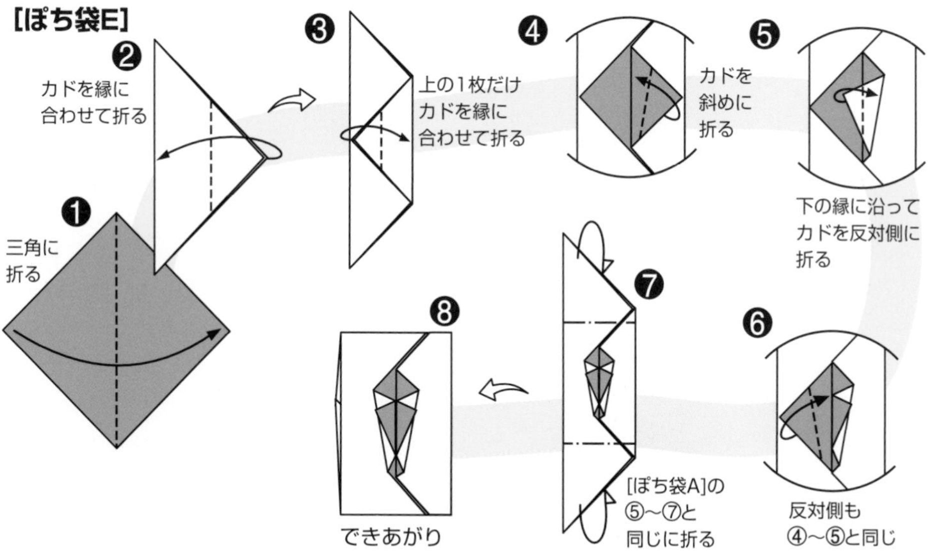
❶
三角に折る
❷
カドを縁に合わせて折る
❸
上の1枚だけカドを縁に合わせて折る
❹
カドを斜めに折る
❺
下の縁に沿ってカドを反対側に折る
❻
反対側も④~⑤と同じ
❼
[ぽち袋A]の⑤~⑦と同じに折る
❽
できあがり

メッセージカード

プレゼントに添えるタグカード。
クリスマスだけでなく、普段のメモ代わりにも。

折り図

カードの作り方はP67参照
柄は①②はP66参照
③はP67参照
④はP167参照
⑤はP147参照
⑥はP198参照

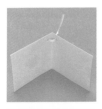

⑥
THANK YOU!
Merry Christmas
③
②

1
メッセージカード
ハート

用紙
●寸法（写真）
紙
4×4cm
仕上がり
2.1×2.3cm

●素材
紅白の両面和紙（写真）
ほか、和紙、洋紙など

◆ワンポイント
簡単にできるかわいらしいハートです。たくさん作ってもかわいいですよ。

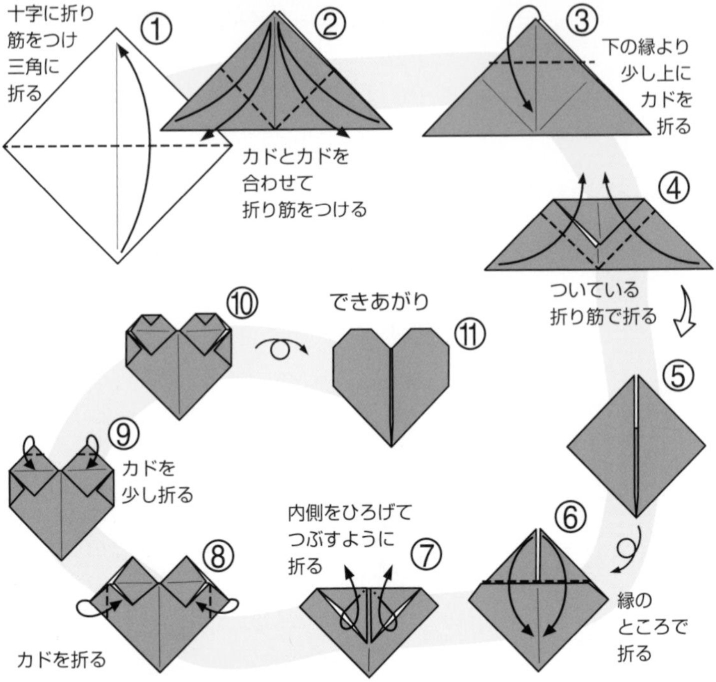

①
十字に折り筋をつけ三角に折る
②
カドとカドを合わせて折り筋をつける
③
下の縁より少し上にカドを折る
④
ついている折り筋で折る
⑤
⑥
縁のところで折る
⑦
内側をひろげてつぶすように折る
⑧
カドを折る
⑨
カドを少し折る
⑩
⑪
できあがり

2
メッセージカード
くつ下

用紙
●寸法（写真）
紙
3.75×3.75cm
仕上がり
2.6×1.8cm

●素材
紅白の両面和紙(写真)
ほか、和紙、洋紙など

◆ワンポイント
クリスマスにはかかせないものの1つです。いろんな柄で折ってみて下さい。

※P96[モービル]の②
P152[クリスマスツリー]の⑤もこの折り図を参照

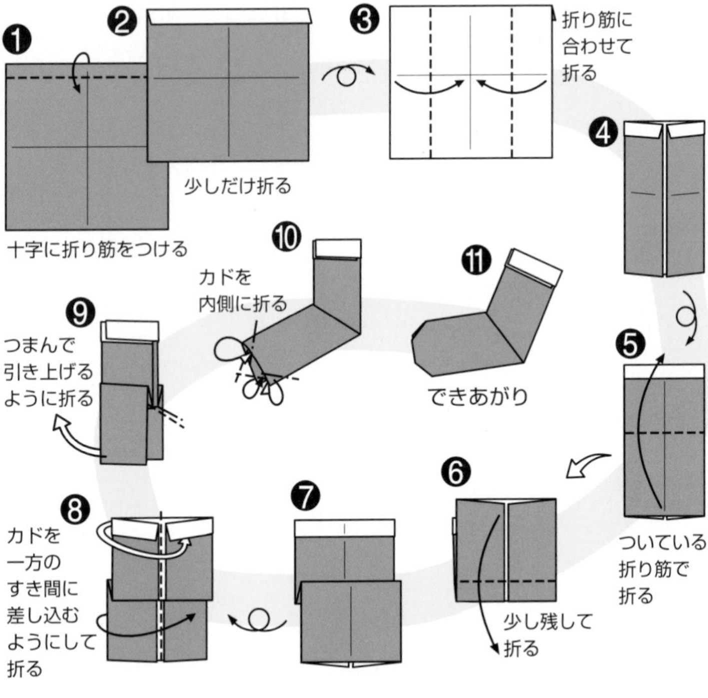

❶
十字に折り筋をつける
❷
少しだけ折る
❸
折り筋に合わせて折る
❹
❺
ついている折り筋で折る
❻
少し残して折る
❼
❽
カドを一方のすき間に差し込むようにして折る
❾
つまんで引き上げるように折る
❿
カドを内側に折る
⓫
できあがり

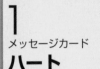

3

メッセージカード

長靴とカード

用紙

●寸法（写真）

紙

(長靴)5×5cm

(カード)15×15cm

仕上がり

(長靴)2×2.5cm

(カード)7.5×7.5cm

●素材

紅白の両面和紙（写真）

ほか、和紙、洋紙など

◆ワンポイント

カードに貼るときは作品の大きさに気をつけましょう。

※P96[モービル]の⑤
P152[クリスマスツリー]の⑥もこの折り図を参照

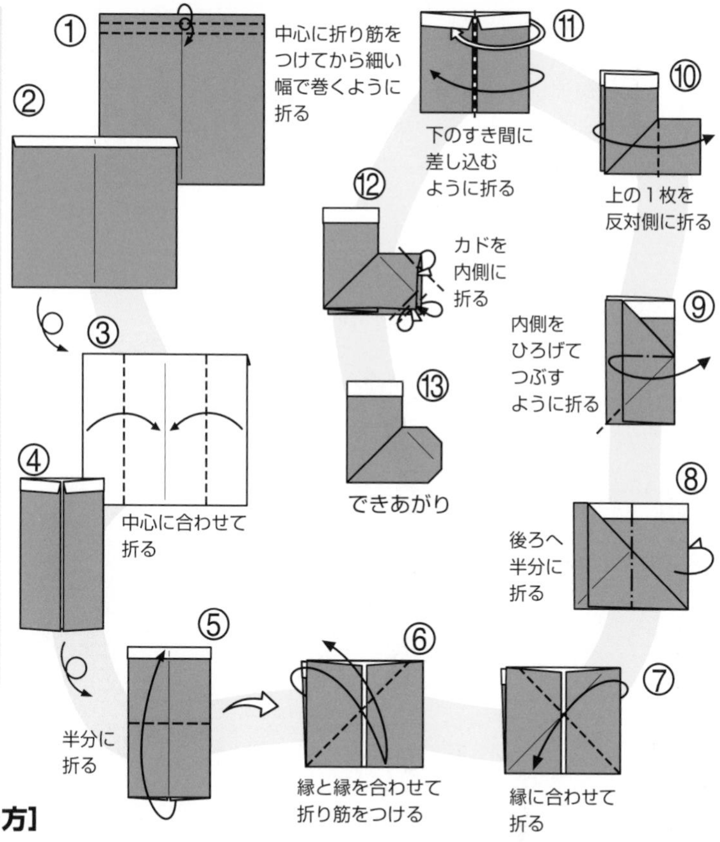
①
中心に折り筋をつけてから細い幅で巻くように折る
②
③
中心に合わせて折る
④
半分に折る
⑤
⑥
縁と縁を合わせて折り筋をつける
⑦
縁に合わせて折る
⑧
後ろへ半分に折る
⑨
内側をひろげてつぶすように折る
⑩
上の１枚を反対側に折る
⑪
下のすき間に差し込むように折る
⑫
カドを内側に折る
⑬
できあがり

[カードの作り方]

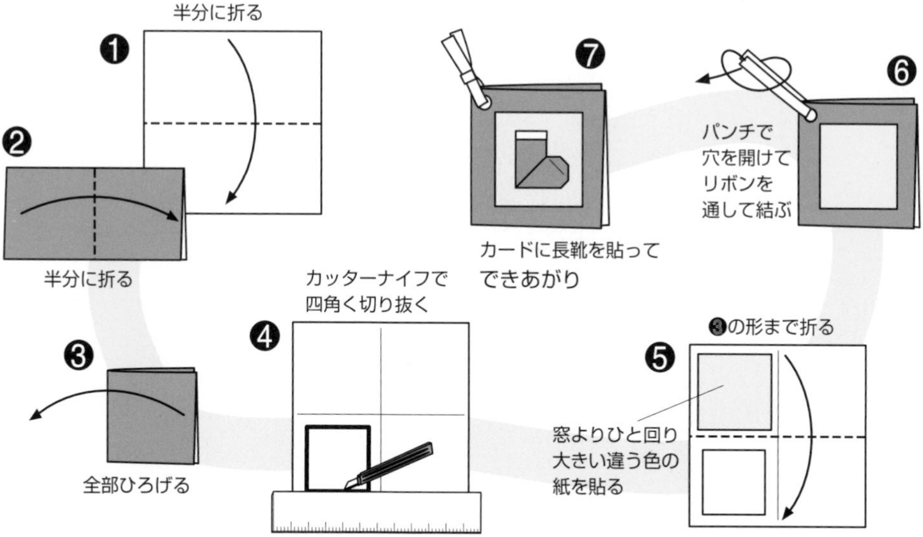
❶
半分に折る
❷
半分に折る
❸
全部ひろげる
❹
カッターナイフで四角く切り抜く
❺
❸の形まで折る
窓よりひと回り大きい違う色の紙を貼る
❻
パンチで穴を開けてリボンを通して結ぶ
❼
カードに長靴を貼ってできあがり

手提げ袋とカード入れ

実用度いちばん。千代紙を使うときは裏打ちすると丈夫に。
カード入れも共紙でおそろいに。

折り図

①は70～71参照
②はP175参照

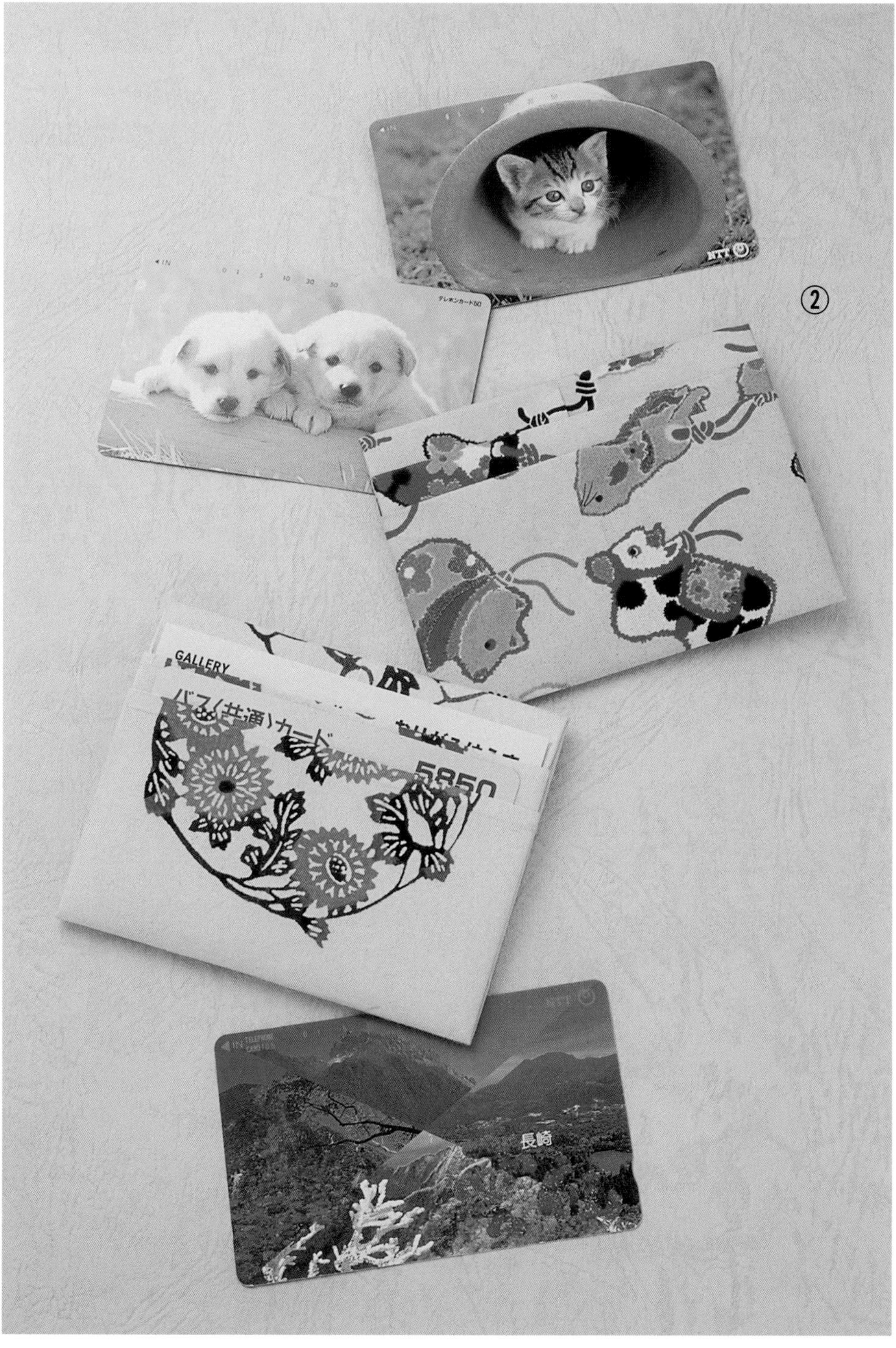

②

1

手提げ袋とカード入れ

手提げ袋

用紙

●寸法（写真）
紙
63×63cm
仕上がり
8×22.7×19cm

●素材
紅白の両面和紙（写真）
ほか、和紙、洋紙など

◆ワンポイント
⑤⑥の折る量で横、底の幅が変わります。思った以上の実用性をみせます。いろいろな柄で折ってみましょう。

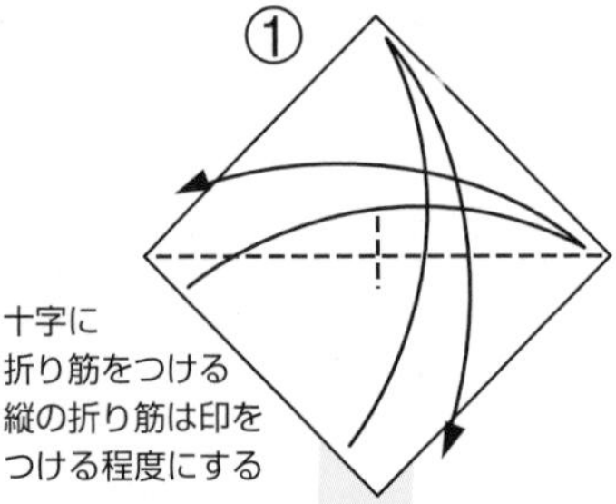
①
十字に
折り筋をつける
縦の折り筋は印を
つける程度にする

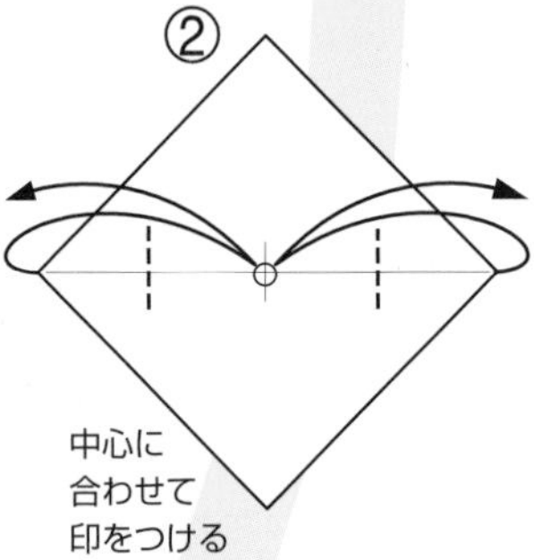
②
中心に
合わせて
印をつける

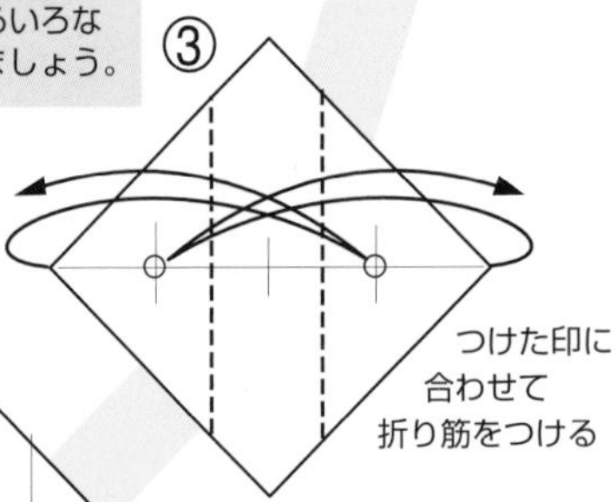
③
つけた印に
合わせて
折り筋をつける

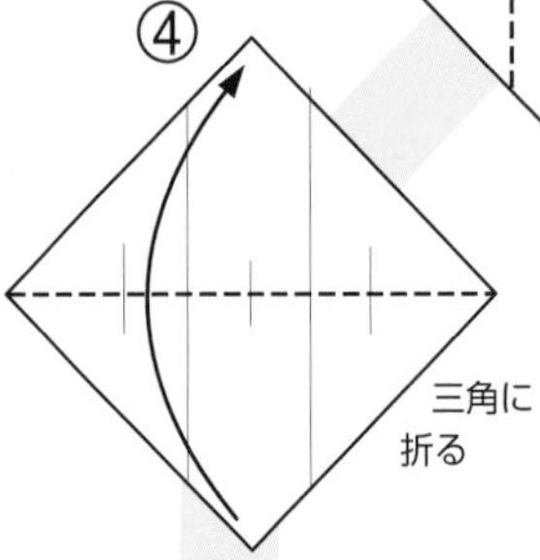
④
三角に
折る

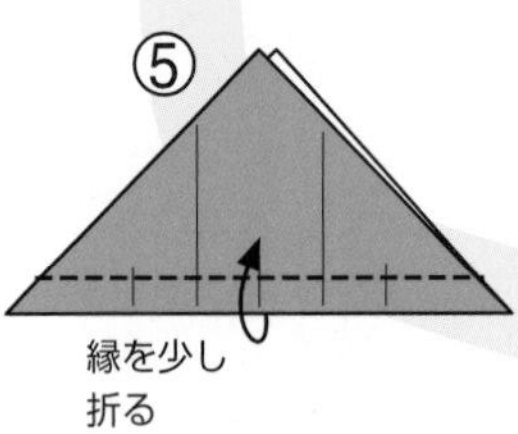
⑤
縁を少し
折る

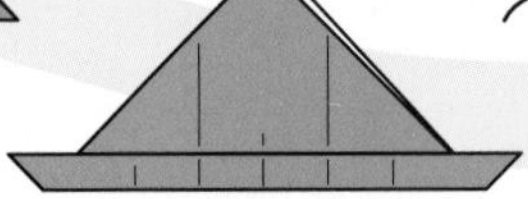
⑥

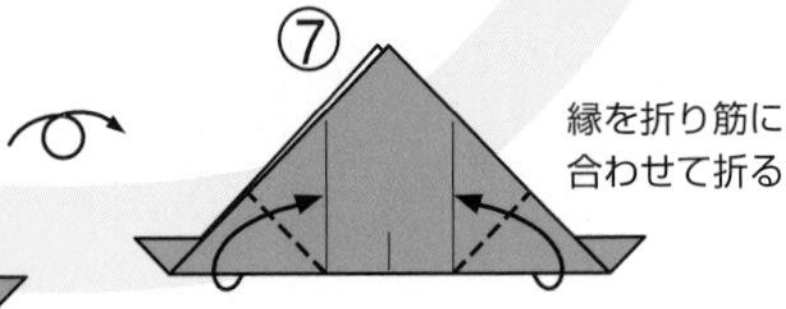
⑦
縁を折り筋に
合わせて折る

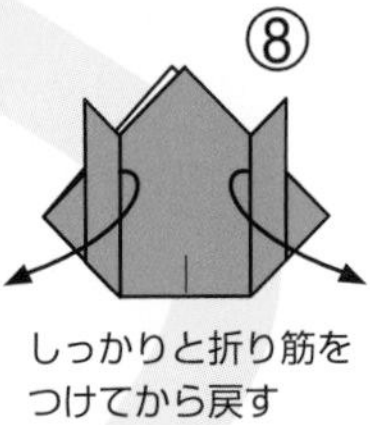
⑧
しっかりと折り筋を
つけてから戻す

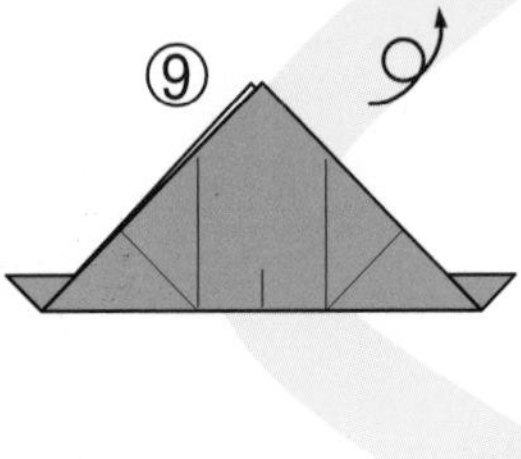
⑨

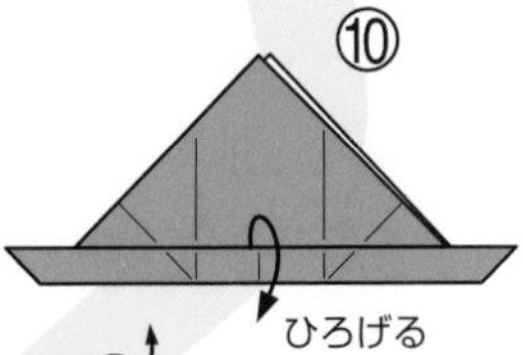
⑩
ひろげる

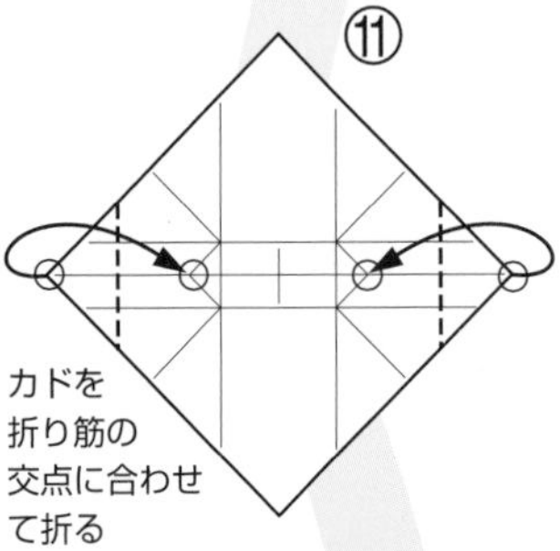
⑪
カドを
折り筋の
交点に合わせ
て折る

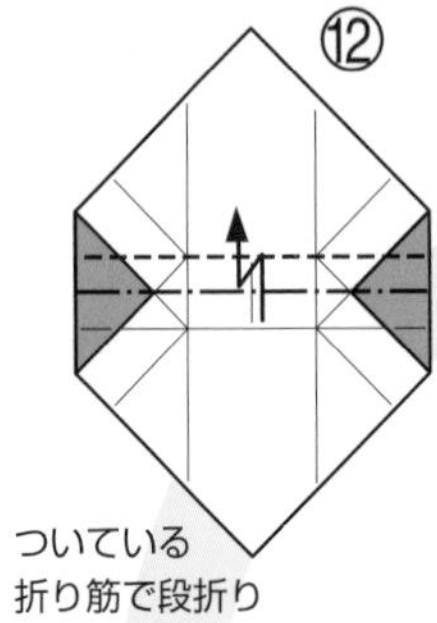
⑫
ついている
折り筋で段折り

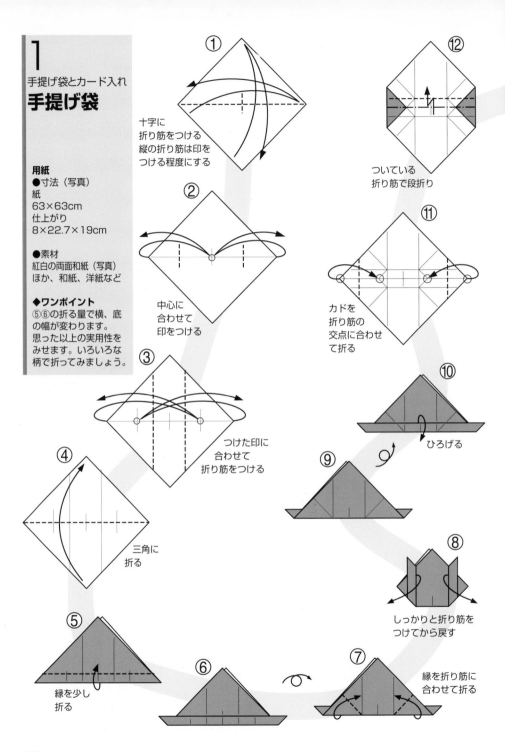

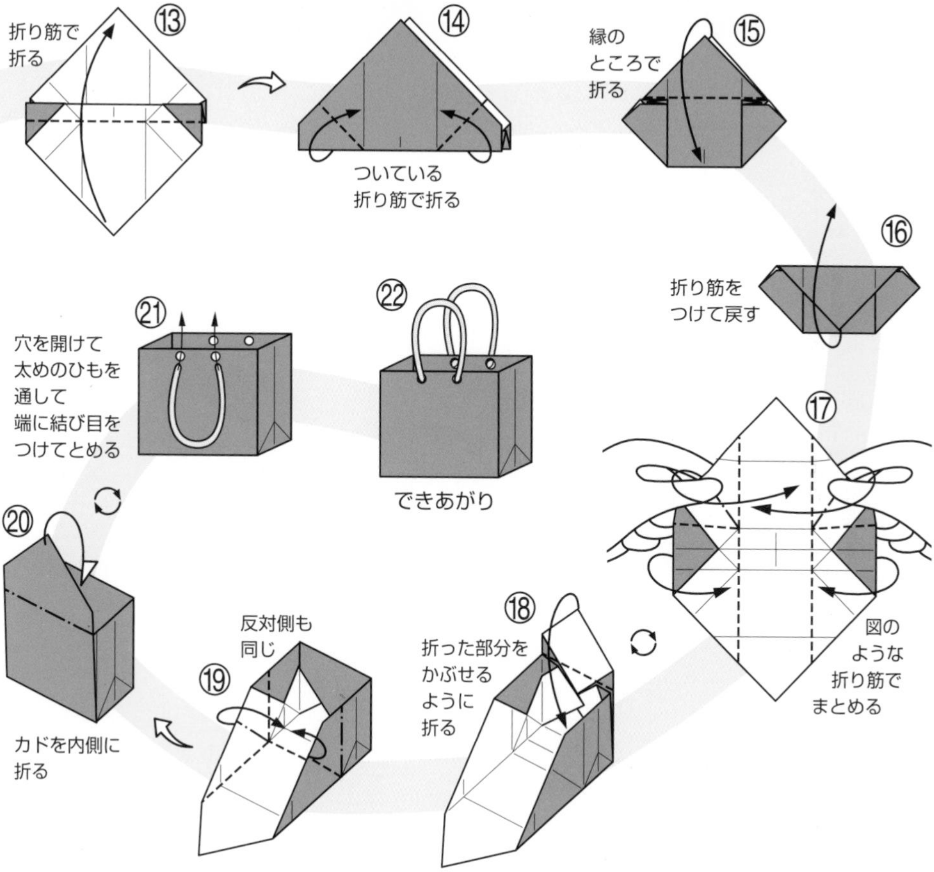

⑬
折り筋で
折る
⑭
ついている
折り筋で折る
⑮
縁の
ところで
折る
⑯
折り筋を
つけて戻す
⑰
図の
ような
折り筋で
まとめる
⑱
折った部分を
かぶせる
ように
折る
⑲
反対側も
同じ
⑳
カドを内側に
折る
㉑
穴を開けて
太めのひもを
通して
端に結び目を
つけてとめる
㉒
できあがり

[補強]

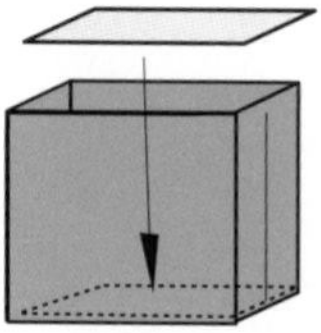

底になる部分に
厚紙をあてる

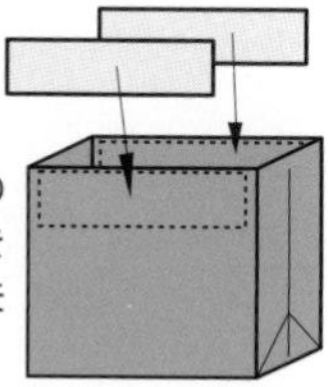

点線の内側の
部分に厚紙を
あてると丈夫
になる

[工夫]

不要になった
紙袋についている
図のような樹脂で
できた取っ手の
部品を再利用して
使っても良い

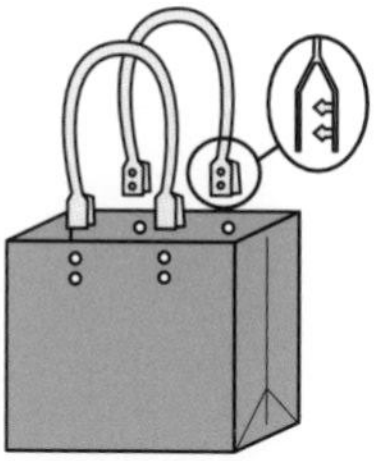

位置を計り穴を開けて
取っ手を取りつける

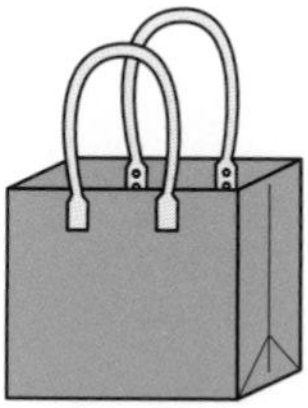

できあがり

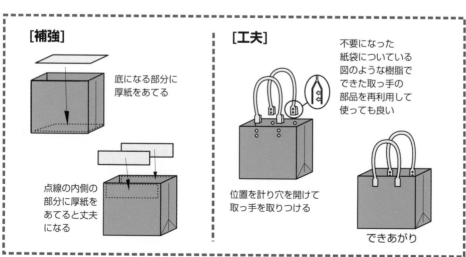

財布と小銭入れ

紙以外に布や革などいろんな素材で折ってみて。
その場合薄手のものを使い、和紙で補強を。

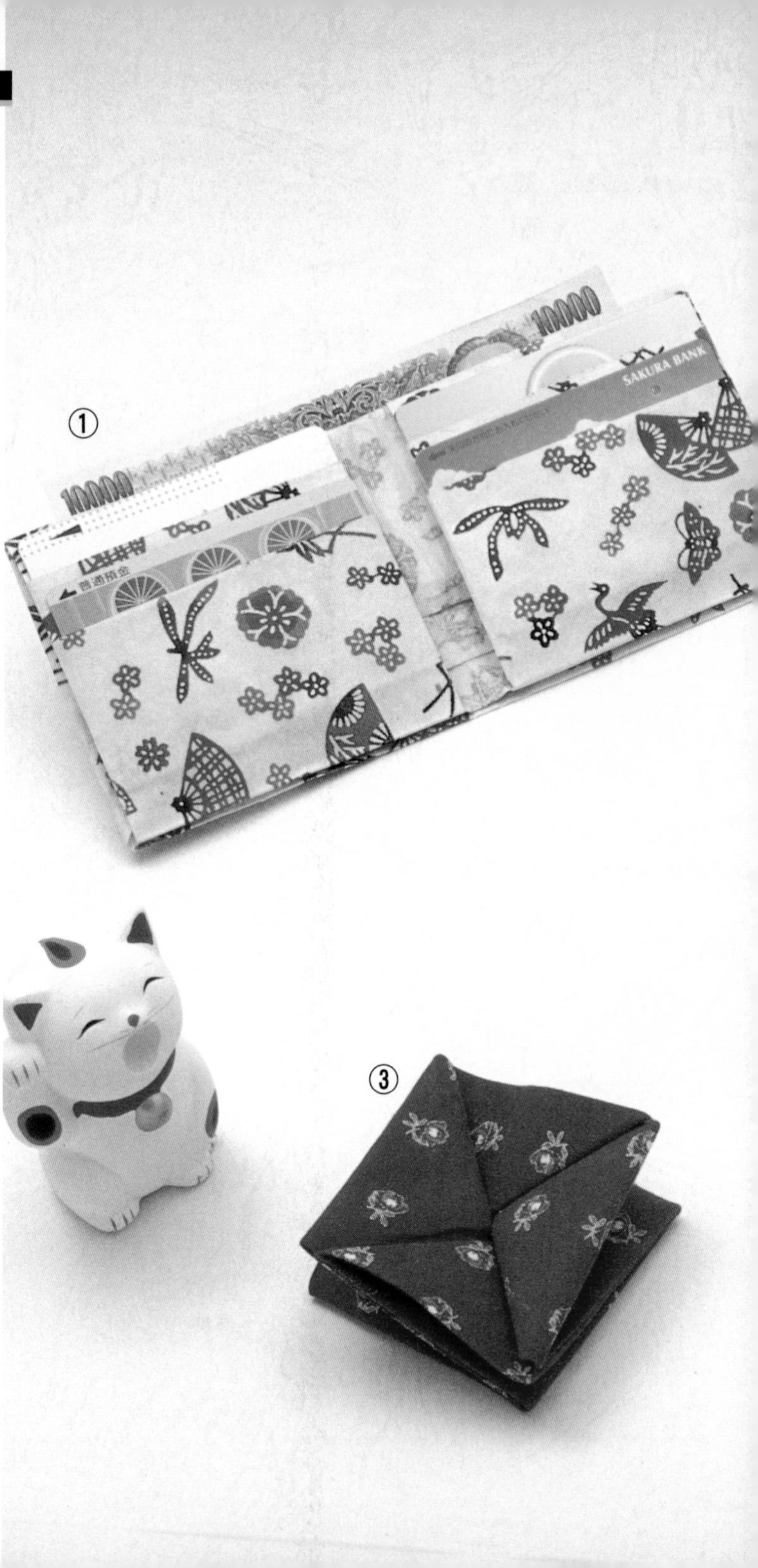

折り図

①②はP74～75参照
③はP176参照

②

1~2

財布と小銭入れ

財布

用紙
●寸法（写真）
紙
61×43.5cm
仕上がり
9.5×8.7cm

●素材
厚手の和紙、洋紙など

◆ワンポイント
お札などの大きさを考えた、実際に使える大きさです。寸法通りの大きさで折ってみて下さい。

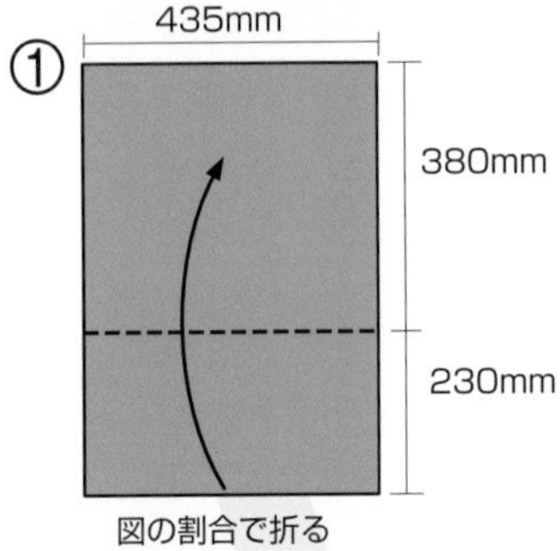
①
435mm
380mm
230mm
図の割合で折る

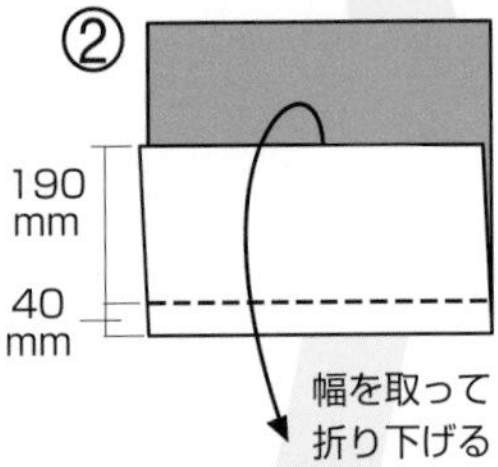
②
190
mm
40
mm
幅を取って
折り下げる

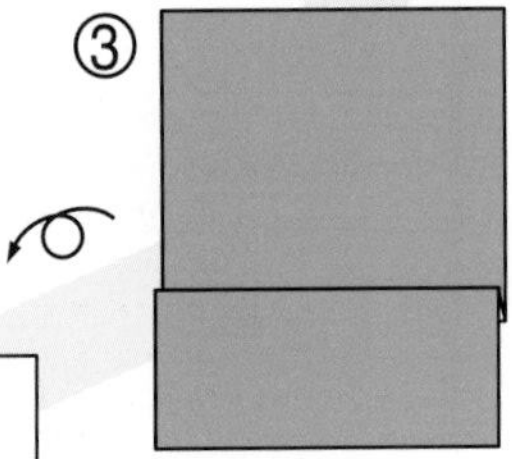
③

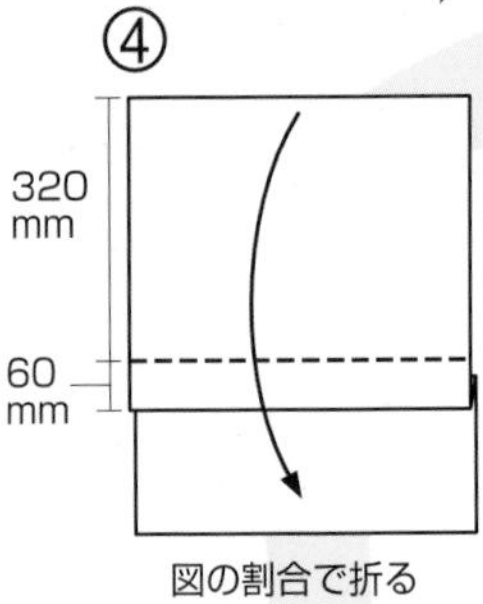
④
320
mm
60
mm
図の割合で折る

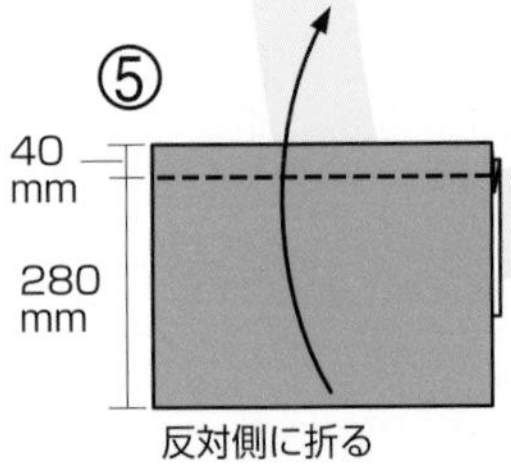
⑤
40
mm
280
mm
反対側に折る

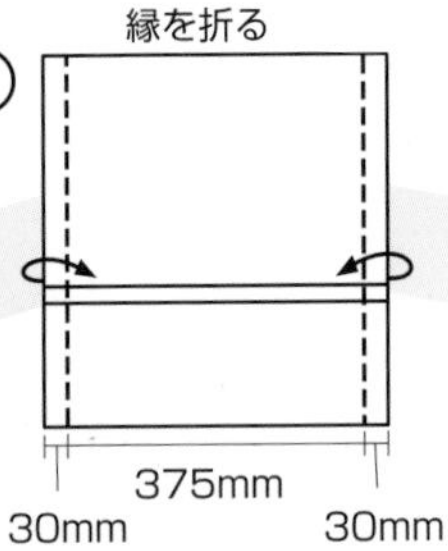
⑥
縁を折る
375mm
30mm
30mm

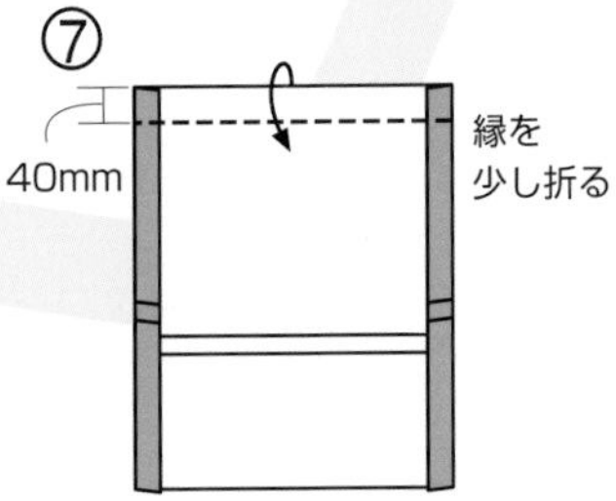
⑦
40mm
縁を
少し折る

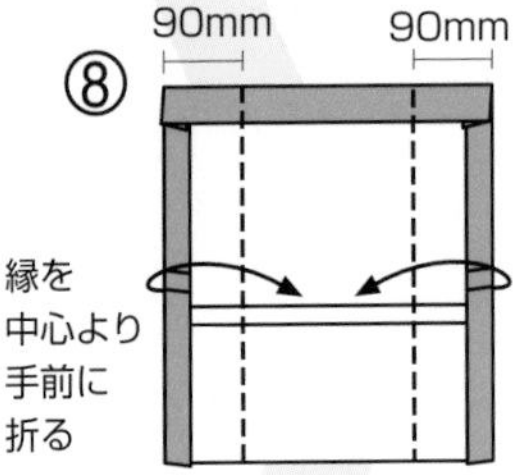
⑧
90mm
90mm
縁を
中心より
手前に
折る

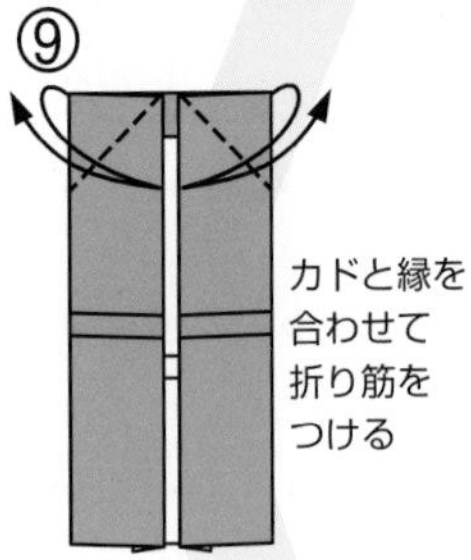
⑨
カドと縁を
合わせて
折り筋を
つける

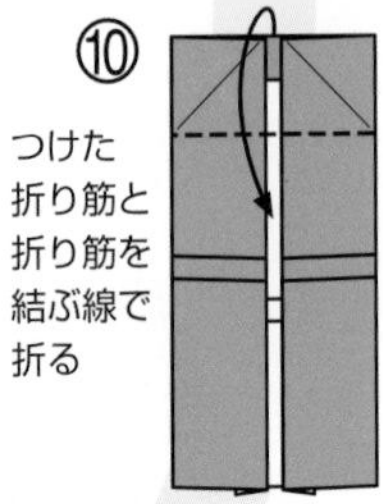
⑩
つけた
折り筋と
折り筋を
結ぶ線で
折る

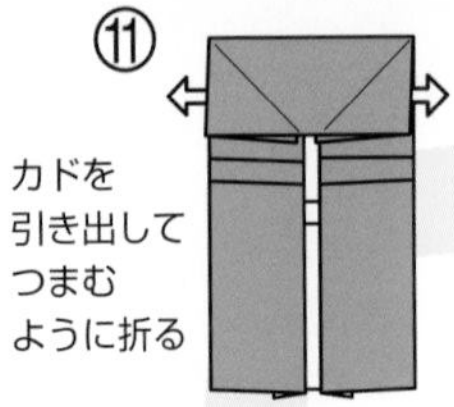
⑪
カドを
引き出して
つまむ
ように折る

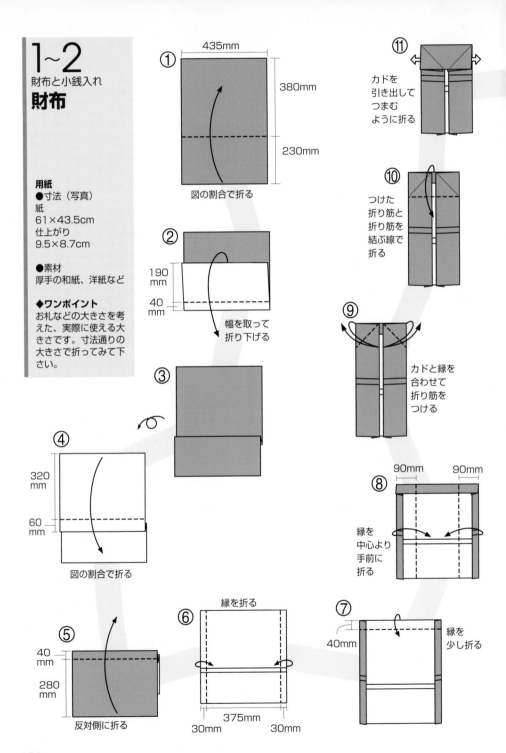

⑫

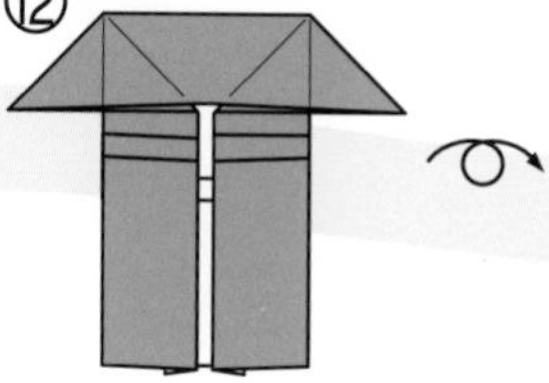

⑬

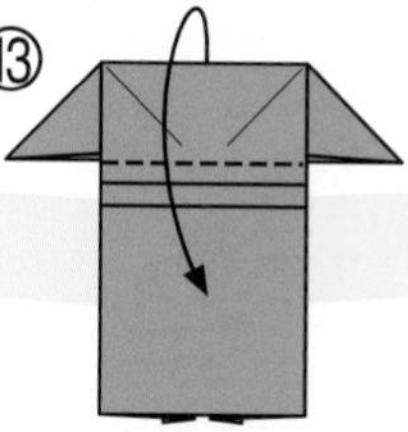

下の縁に沿って折る

⑭

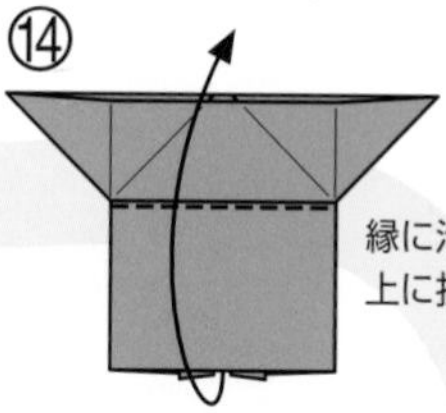

縁に沿って
上に折る

⑮

下の縁に沿って
後ろへ折る

⑯

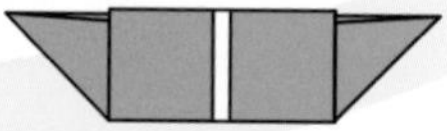

しっかりと折り筋を
つけてから
⑬の形まで戻す

⑰

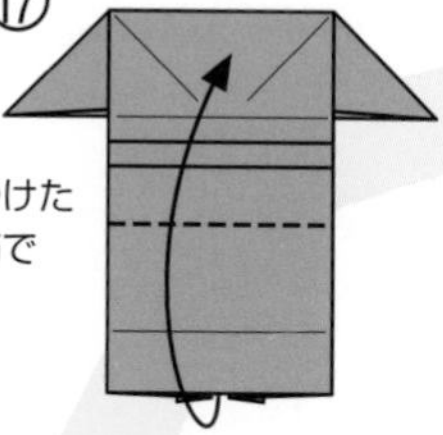

⑭でつけた
折り筋で
折る

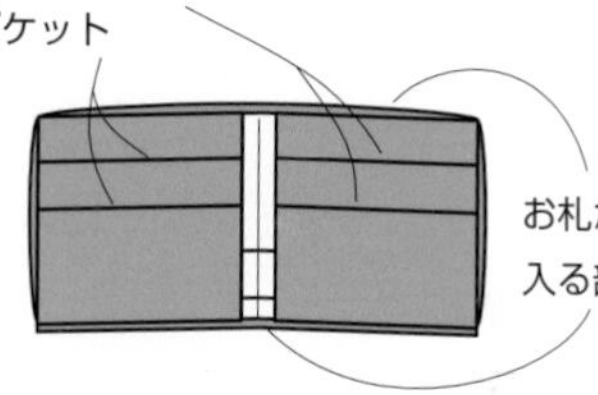

カード類などが
入るポケット
お札が
入る部分

⑱

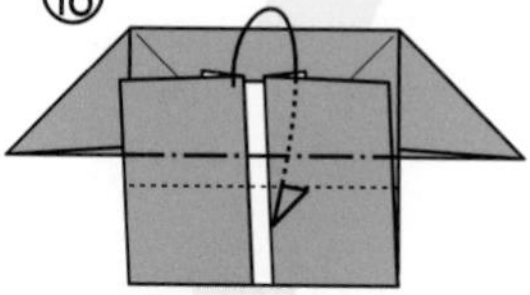

⑮でつけた
折り筋で縁を
内側のすき間に
折り込む

［応用例］（写真②）　紙／45×43.5cm
仕上がり／9.5×8.7cm

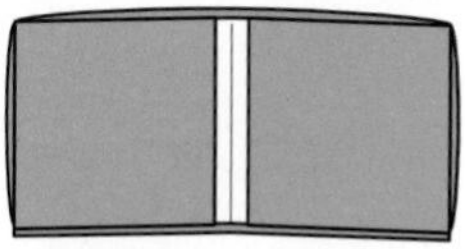

⑥の比率の紙で
⑥から同じに折ると
カード入れの無いタイプの
財布ができます

⑲

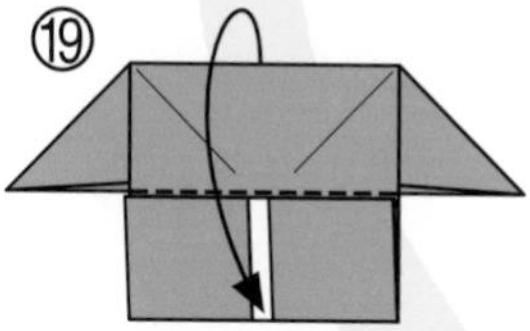

⑬でつけた
折り筋で折る

⑳

縁に合わせて
カドを内側に
折り込む

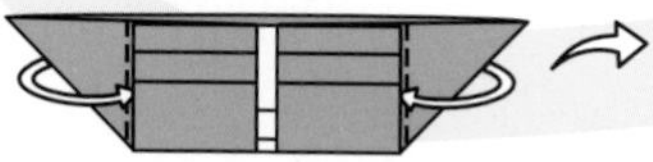

㉑

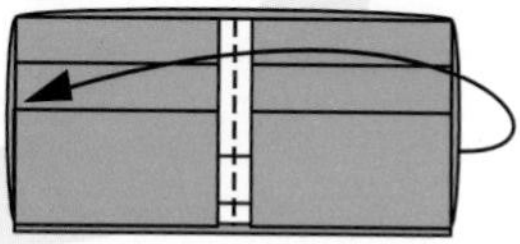

半分に折る

㉒

できあがり

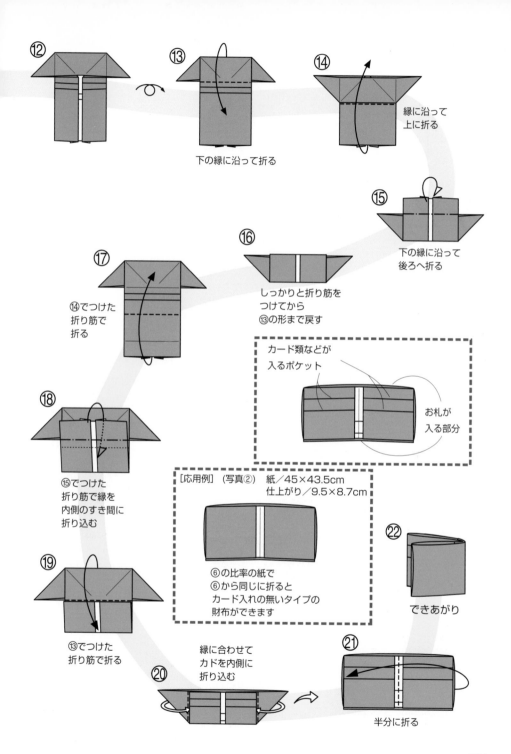

フォトスタンドとティッシュケース

フォトスタンドは厚手の紙でしっかりと。
ティッシュケースは薄手の布に和紙で裏打ちします。

②

折り図

①はP78～79参照
②はP79参照

①

①

1

フォトスタンドと
ティッシュケース

フォトスタンド

用紙
●寸法（写真）
紙
18×26cm
仕上がり
13×12×9cm

●素材
厚手の和紙、洋紙など

◆ワンポイント
飾る写真のサイズを確認してから折りましょう。厚手の紙を使うとしっかりします。

①

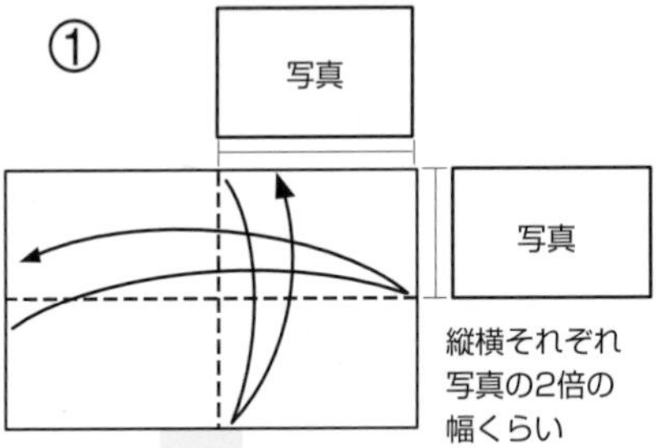

縦横それぞれ
写真の2倍の
幅くらい

十字に折り筋をつける

②

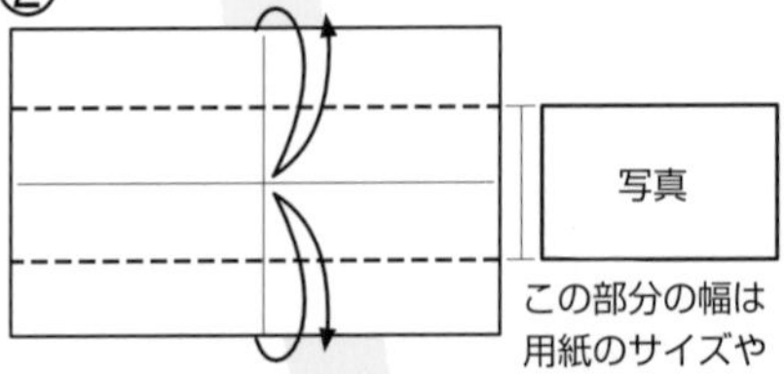

縁を写真の幅で
折り筋をつける

この部分の幅は
用紙のサイズや
写真の幅によって
多少前後する

③

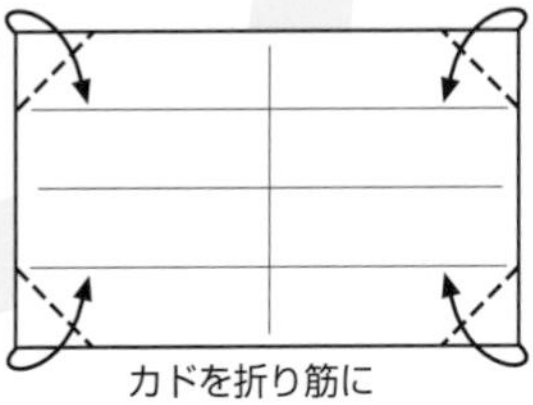

カドを折り筋に
合わせて折る

④

②でつけた
折り筋で折る

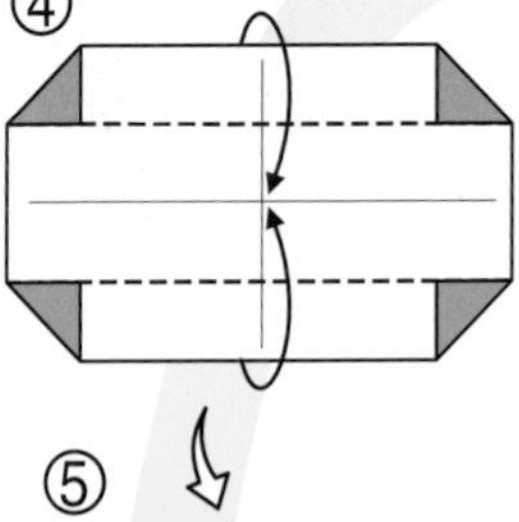

⑤

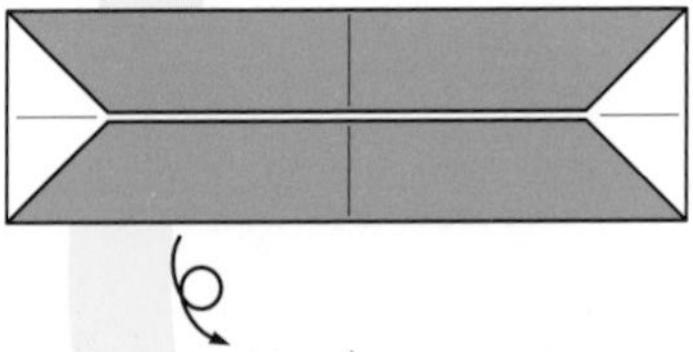

⑥

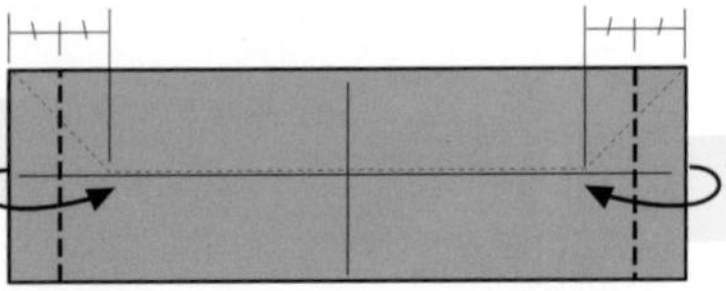

下のカドの
ところに
合わすぐらいの
ところで折る

⑦

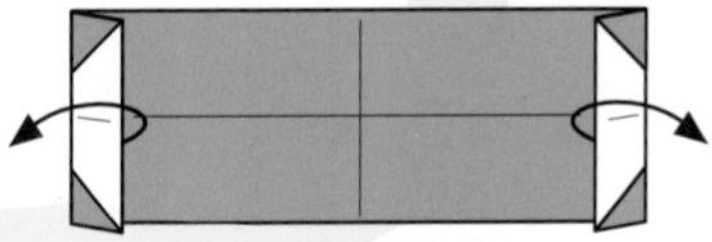

しっかりと折り筋を
つけてから戻す

⑧

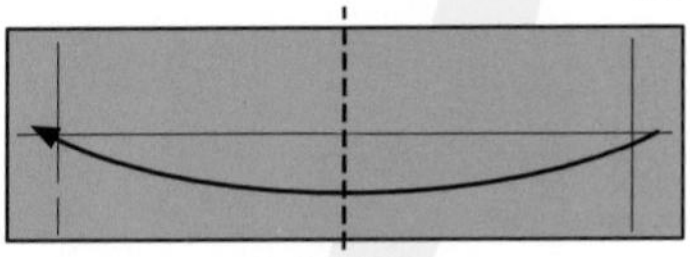

半分に折る

⑨

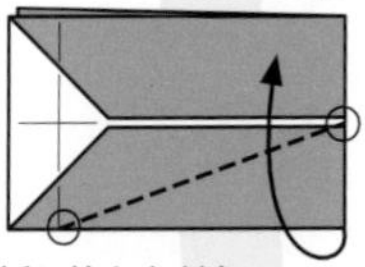

折り筋とカドを
結ぶ線で斜めに折る

⑩

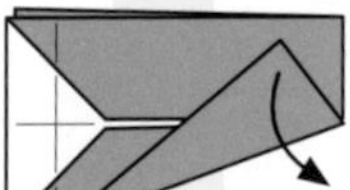

しっかりと折り筋を
つけて戻す

⑪

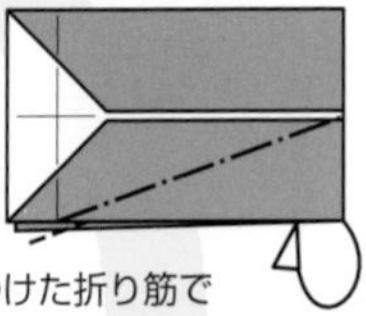

つけた折り筋で
カドを内側に折る

⑫

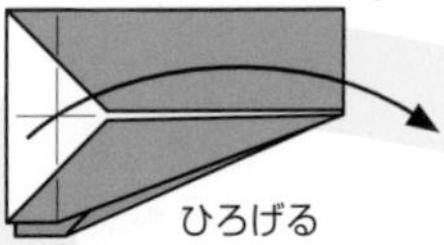

ひろげる

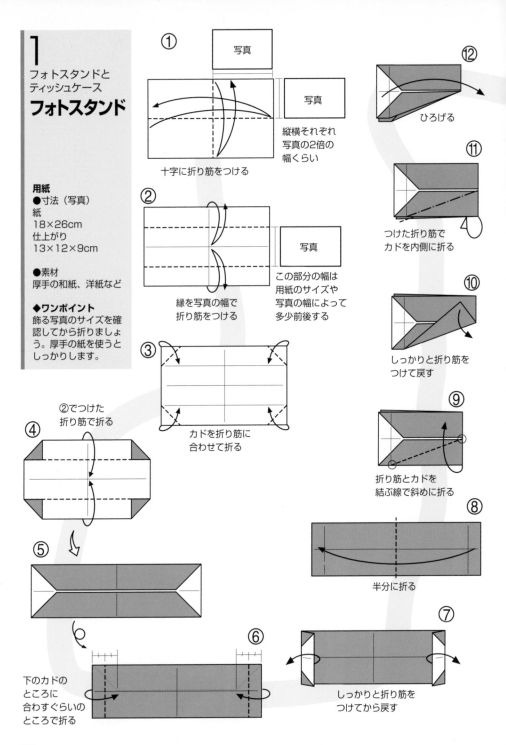

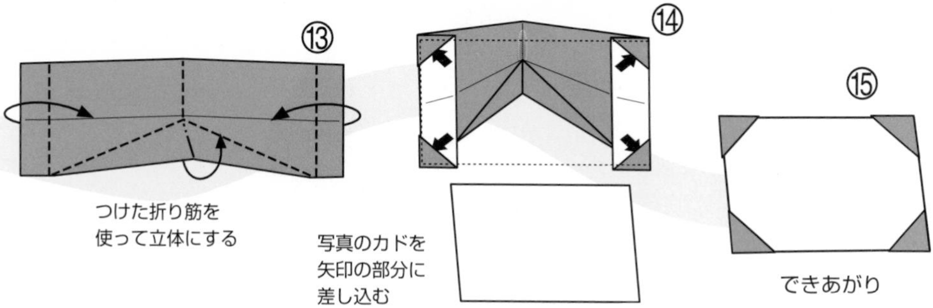
⑬
つけた折り筋を
使って立体にする
⑭
写真のカドを
矢印の部分に
差し込む
⑮
できあがり

2

フォトスタンドと
ティッシュケース

ティッシュケース

用紙
●寸法（写真）
紙
23.5×23.5cm
仕上がり
12×8.5cm

●素材
紅白の両面和紙（写真）
ほか、和紙、洋紙など

◆ワンポイント
携帯するのにおしゃれな作品です。きれいな柄で折ったり、素材を変えて折ってみるとよいでしょう。

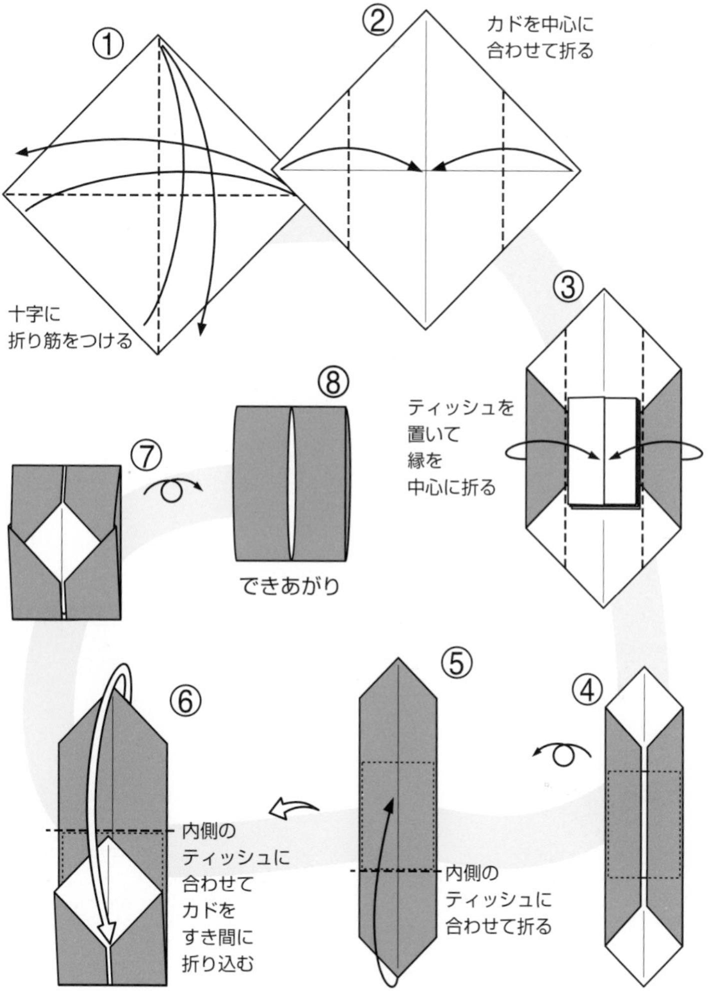
①
十字に
折り筋をつける
②
カドを中心に
合わせて折る
③
ティッシュを
置いて
縁を
中心に折る
④
⑤
内側の
ティッシュに
合わせて折る
⑥
内側の
ティッシュに
合わせて
カドを
すき間に
折り込む
⑦
⑧
できあがり

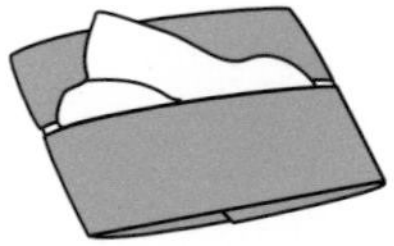

ブローチとイヤリング

素材や大きさでガラッと雰囲気が変わります。いろんな素材で挑戦してみてください。

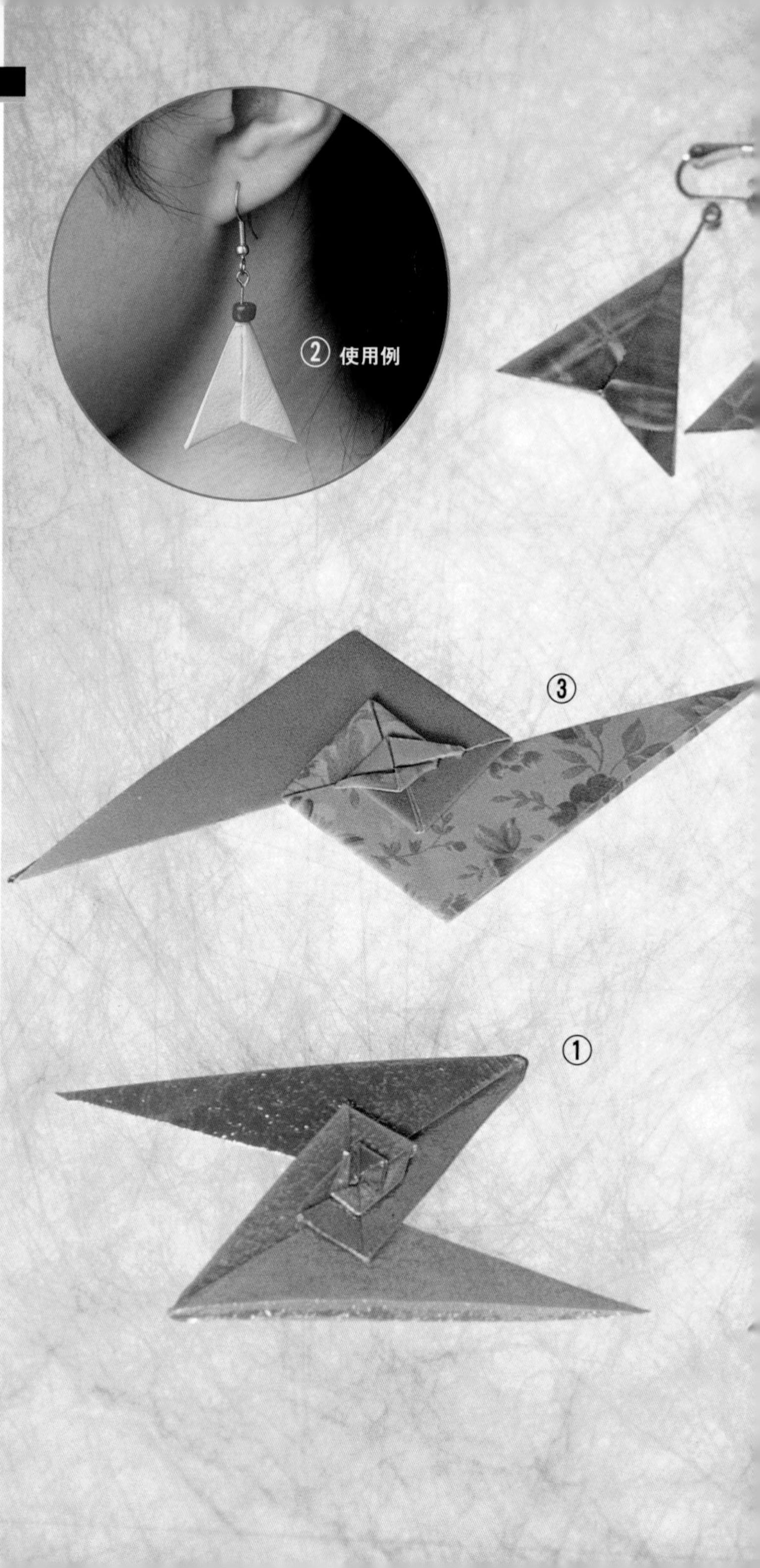

折り図

①はP82～83参照
②はP83参照
③④はP177参照
⑤はP87参照

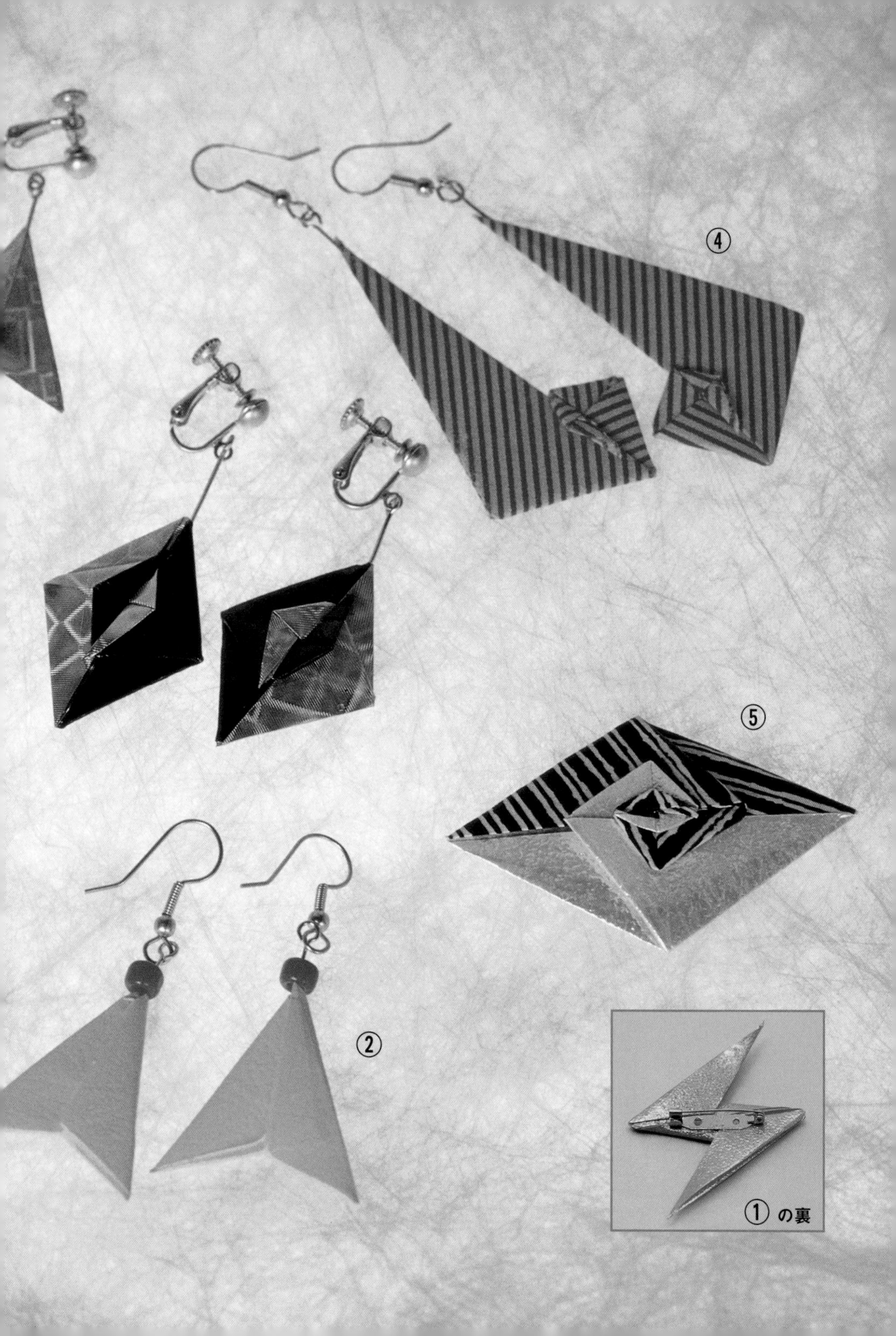
④
⑤
②
①の裏

1

ブローチとイヤリング

ブローチ1

用紙
●寸法（写真）
紙
7×7cm
仕上がり
5.2×3.5cm

●素材
折り紙、和紙、洋紙など

◆ワンポイント
大きさを変えてイヤリングやバレッタにしても良いでしょう。色の組み合わせを楽しんで下さい。この折り方の元には川崎ねじり折り、布施スパイラル折りというのがあります。

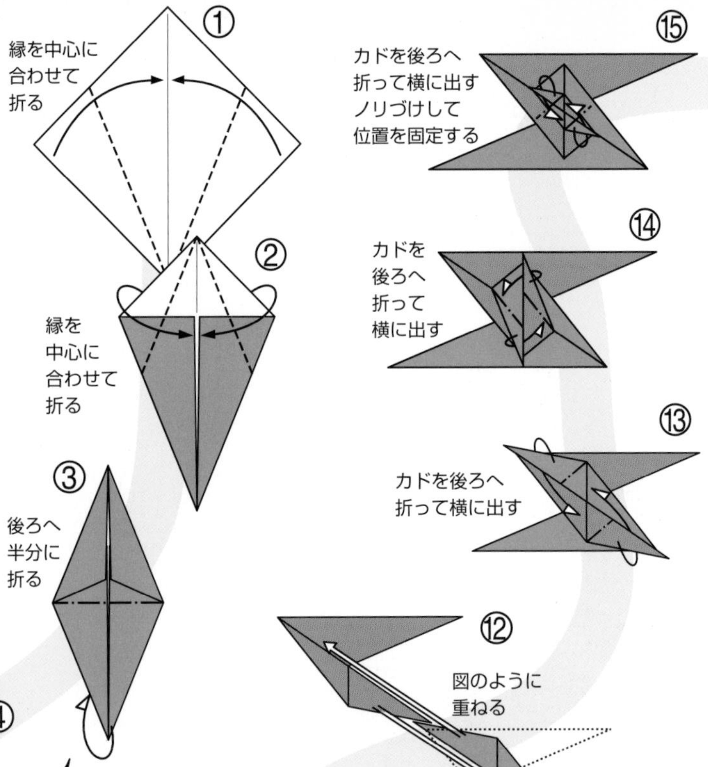
①
縁を中心に合わせて折る
②
縁を中心に合わせて折る
③
後ろへ半分に折る
⑮
カドを後ろへ折って横に出すノリづけして位置を固定する
⑭
カドを後ろへ折って横に出す
⑬
カドを後ろへ折って横に出す
⑫
図のように重ねる

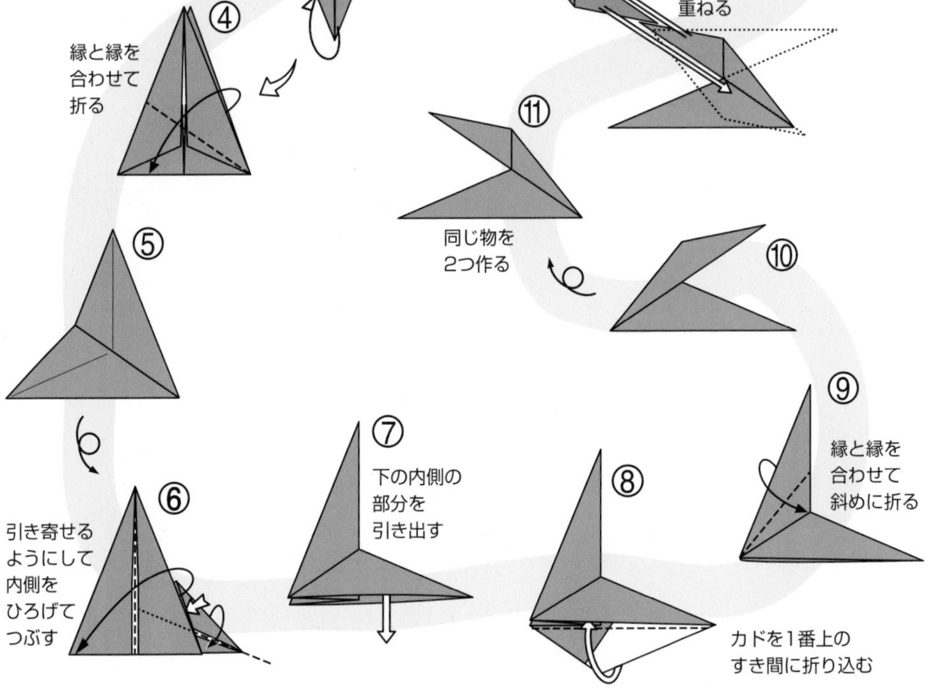
④
縁と縁を合わせて折る
⑤
⑥
引き寄せるようにして内側をひろげてつぶす
⑦
下の内側の部分を引き出す
⑧
カドを1番上のすき間に折り込む
⑨
縁と縁を合わせて斜めに折る
⑩
⑪
同じ物を2つ作る

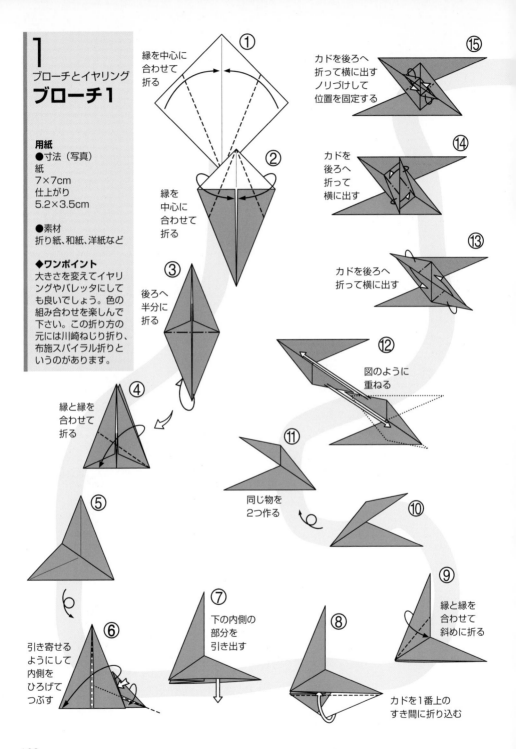

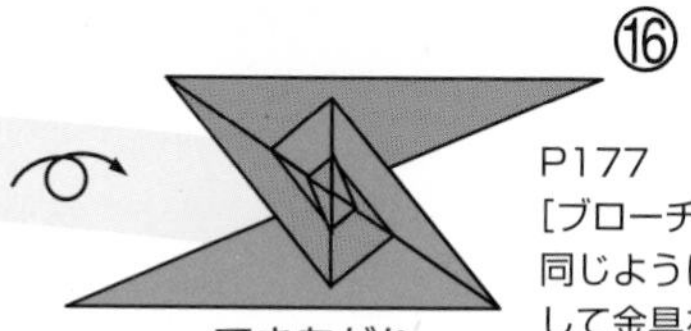
⑯
できあがり
P177
[ブローチ]と
同じように
して金具を
つける

[参考作品]

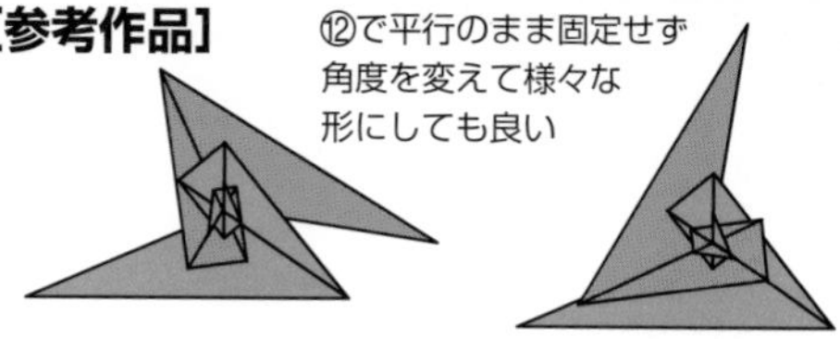
⑫で平行のまま固定せず
角度を変えて様々な
形にしても良い

2
ブローチとイヤリング
イヤリング1

用紙
●寸法（写真）
紙
6×5cm
仕上がり
2.8×3.2cm

●素材
厚手の丈夫な洋紙

◆ワンポイント
仕上がりが小さいため折りが細かくなりますが、丁寧に折って下さい。紙の質をいろいろ変えてみましょう。

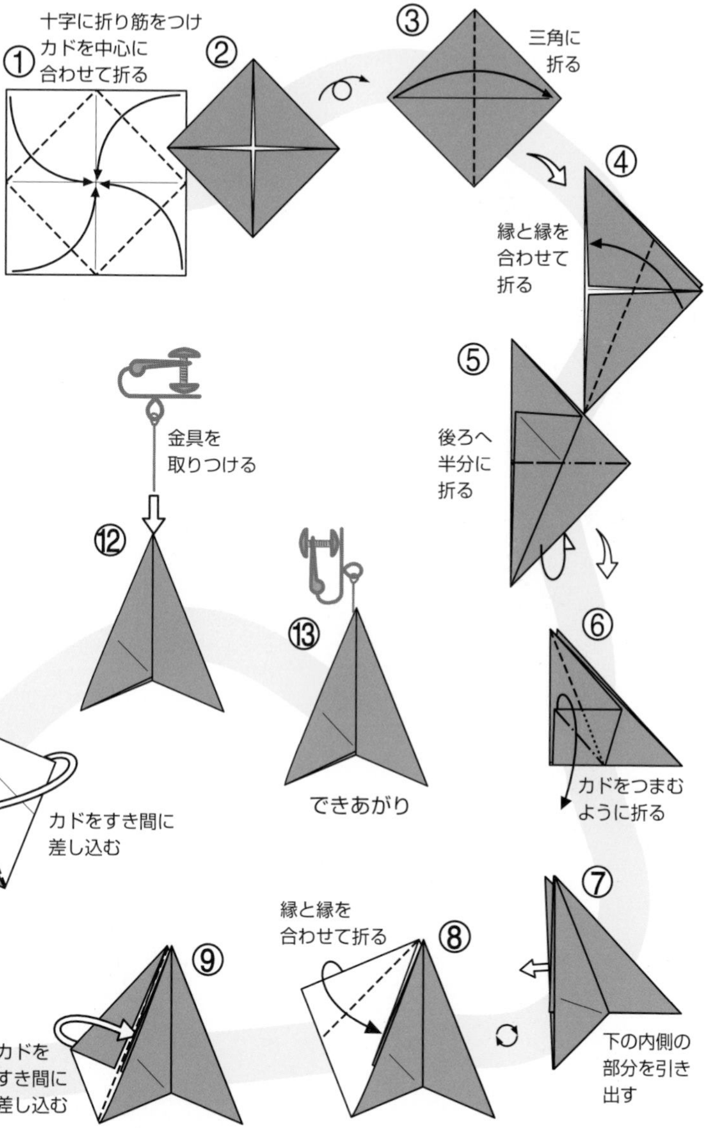
①
十字に折り筋をつけ
カドを中心に
合わせて折る
②
③
三角に
折る
④
縁と縁を
合わせて
折る
⑤
後ろへ
半分に
折る
⑥
カドをつまむ
ように折る
⑦
下の内側の
部分を引き
出す
⑧
縁と縁を
合わせて折る
⑨
カドを
すき間に
差し込む
⑫
金具を
取りつける
⑬
できあがり

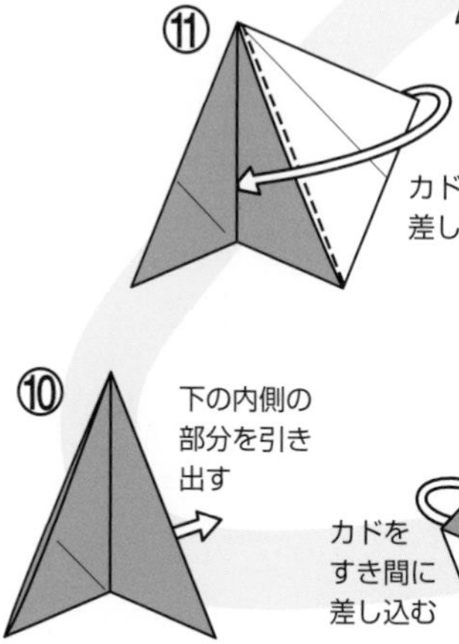
⑪
カドをすき間に
差し込む
⑩
下の内側の
部分を引き
出す

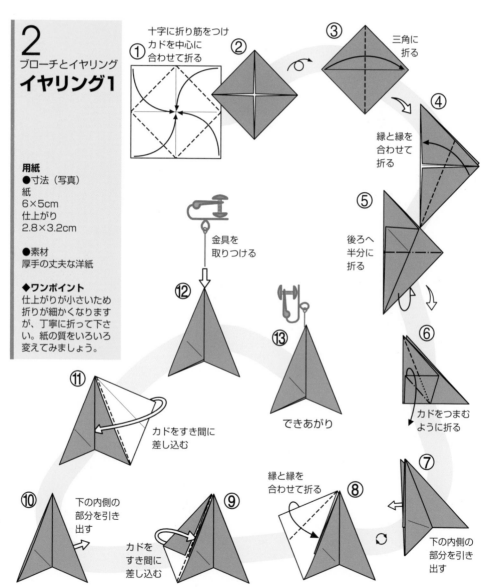

バレッタ

自分の洋服などと合わせて作ってみては？
大胆な柄で組み合わせても意外にきれいです。

折り図
①はP177参照
②はP86参照
③はP87参照

①使用例

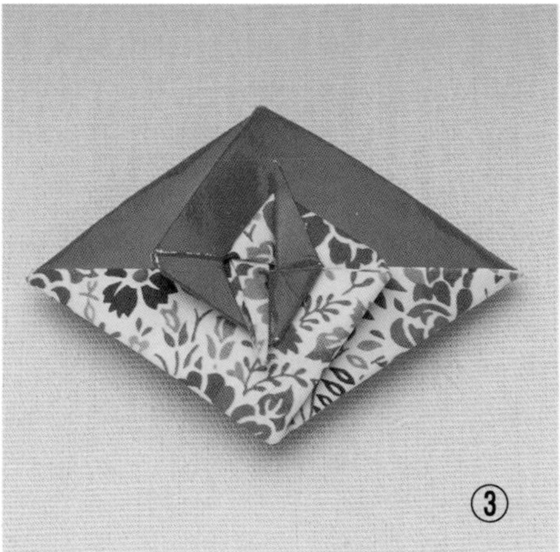

③

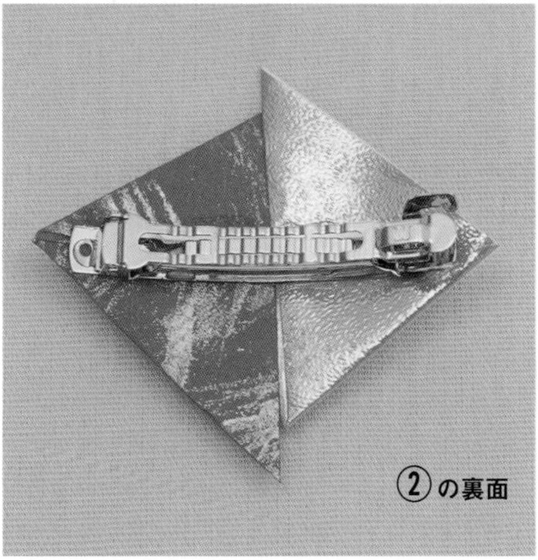

②の裏面

2
バレッタ2

用紙
●寸法（写真）
紙
8.5×8.5cm×2枚
仕上がり
6.5×7.1cm

●素材
折り紙、和紙、洋紙など

◆ワンポイント
大きさを変えてイヤリングやブローチにしても良いでしょう。色の組み合わせを楽しんで下さい。

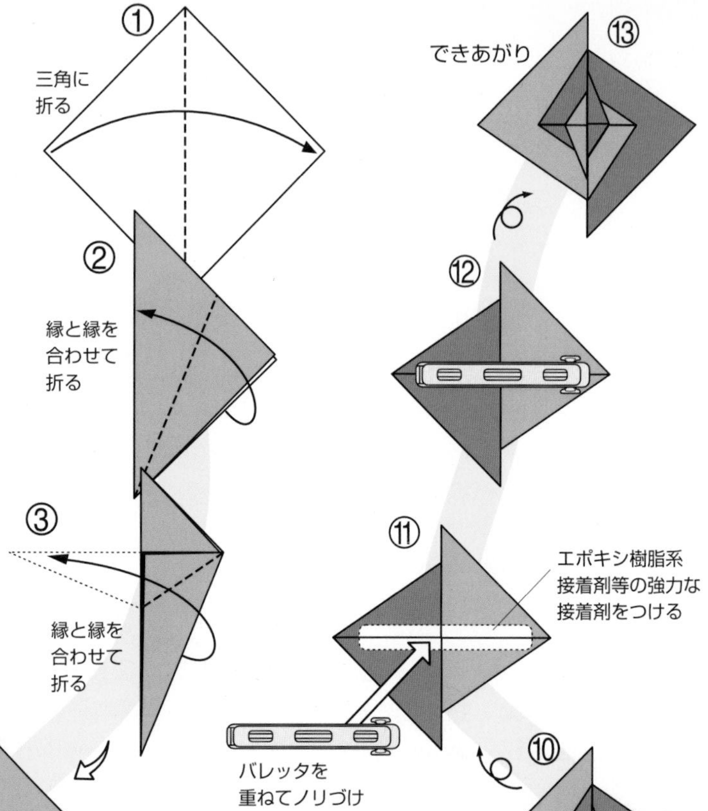

①
三角に
折る
②
縁と縁を
合わせて
折る
③
縁と縁を
合わせて
折る
⑪
エポキシ樹脂系
接着剤等の強力な
接着剤をつける
バレッタを
重ねてノリづけ
⑫
⑬
できあがり
⑩

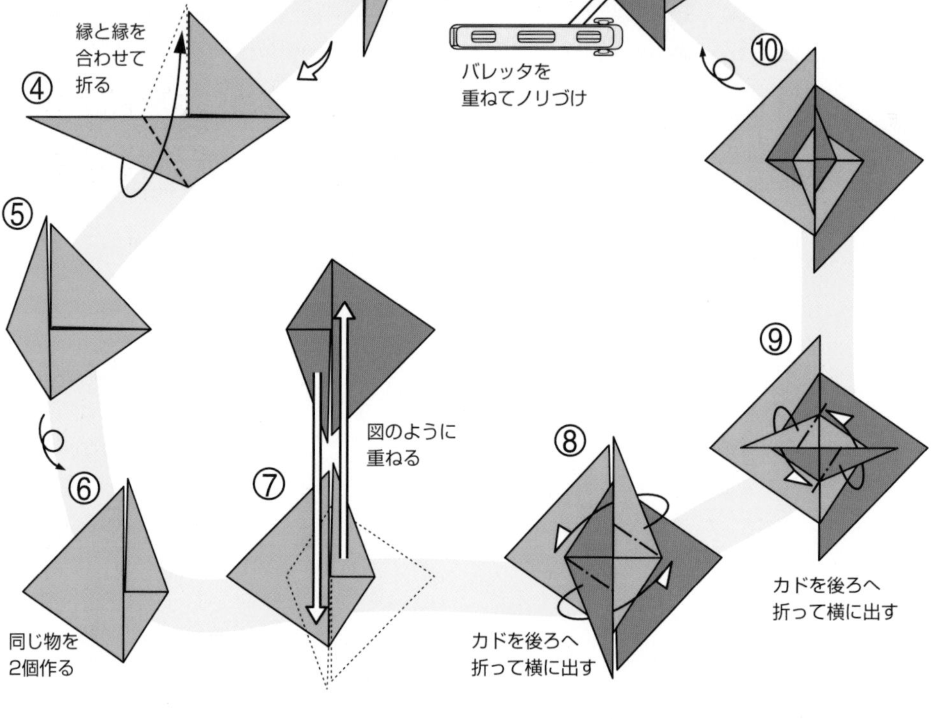

④
縁と縁を
合わせて
折る
⑤
⑥
同じ物を
2個作る
⑦
図のように
重ねる
⑧
カドを後ろへ
折って横に出す
⑨
カドを後ろへ
折って横に出す

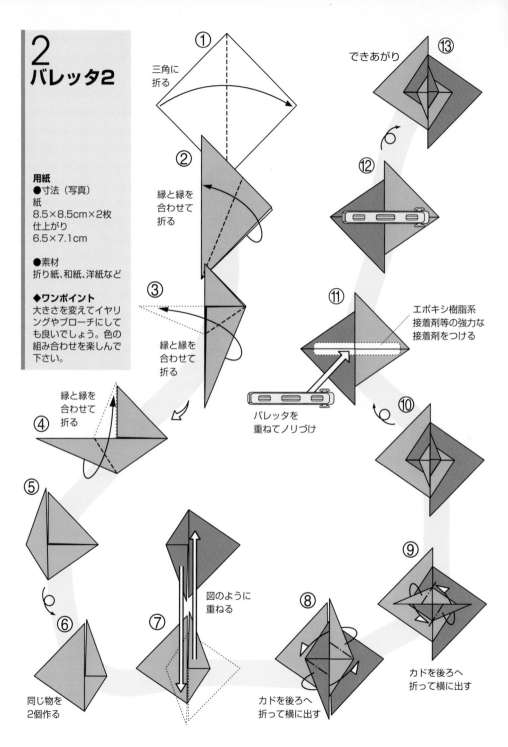

3
バレッタ3

用紙

●寸法（写真）
紙
10×10cm
仕上がり
5.3×7.5cm

●素材
折り紙、和紙、洋紙など

◆ワンポイント
大きさを変えてイヤリングやブローチにしても良いでしょう。色の組み合わせを楽しんで下さい。

※P80〜81［ブローチとイヤリング］の⑤もこの折り図を参照

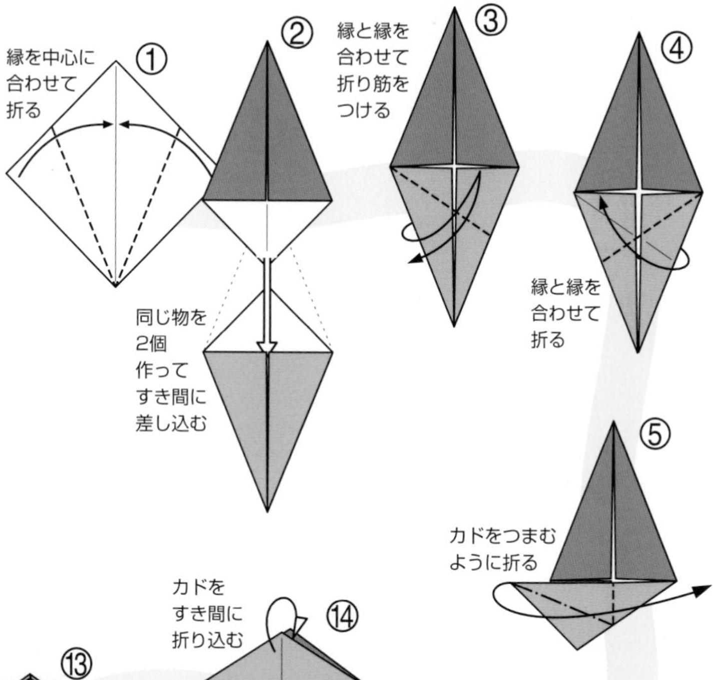

①
縁を中心に合わせて折る
②
同じ物を2個作ってすき間に差し込む
③
縁と縁を合わせて折り筋をつける
④
縁と縁を合わせて折る
⑤
カドをつまむように折る
⑥
反対側も同じ

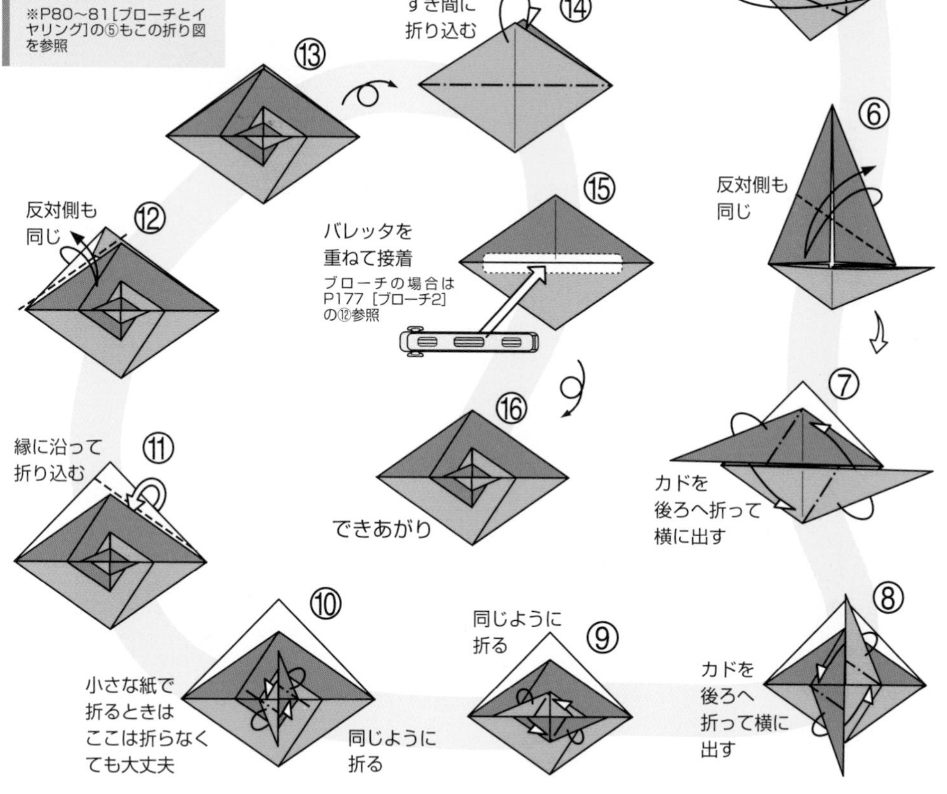

⑦
カドを後ろへ折って横に出す
⑧
カドを後ろへ折って横に出す
⑨
同じように折る
⑩
同じように折る
小さな紙で折るときはここは折らなくても大丈夫
⑪
縁に沿って折り込む
⑫
反対側も同じ
⑬
⑭
カドをすき間に折り込む
⑮
バレッタを重ねて接着
ブローチの場合はP177［ブローチ2］の⑫参照
⑯
できあがり

はぎれで折るワンピース

布の柄はできるだけ小さな模様がいいでしょう。スプレイ糊を使ってアイロンで折ります。

折り図

①はP90～91参照
②はP178～179参照

②

1

はぎれで折るワンピース

ワンピース1

用紙
●寸法（写真）
紙
15× 15cm
仕上がり
6×11cm

●素材
糊のきいた被服用の布

◆ワンポイント
布を折る際には、糊がきいていないときれいに折れません。カドや縁のズレに注意しながら折りましょう。

①

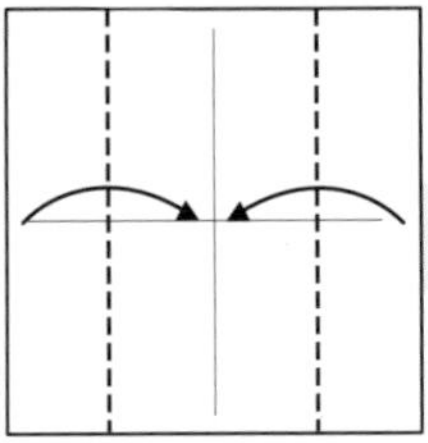

十字に折り筋をつけ
中心に合わせて折る

②

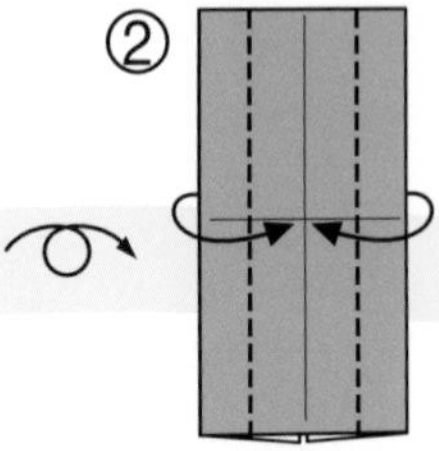

中心に合わせて
折る

③

ひろげる

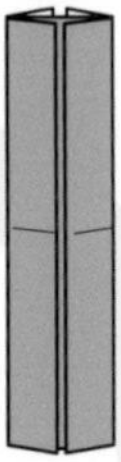

④

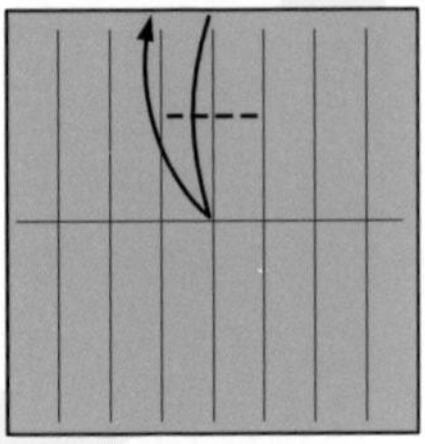

中心に合わせて
印をつける

⑤

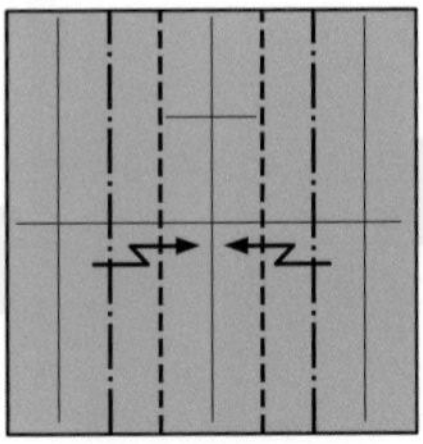

ついている折り筋を
使って段折り

⑥

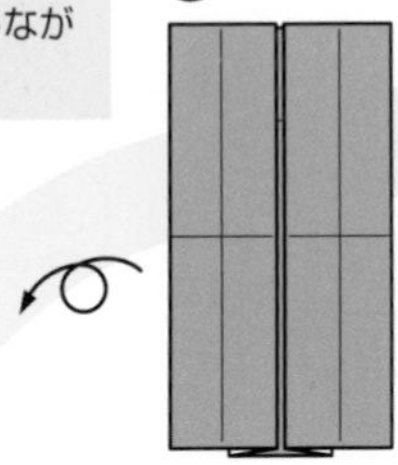

⑦

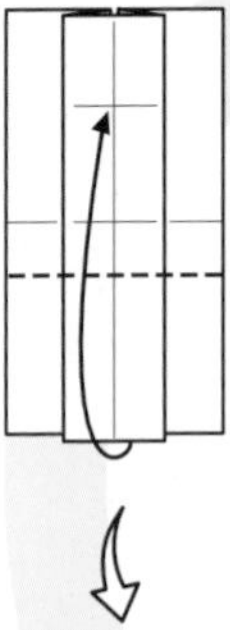

④でつけた
印に合わせて
折る

⑧

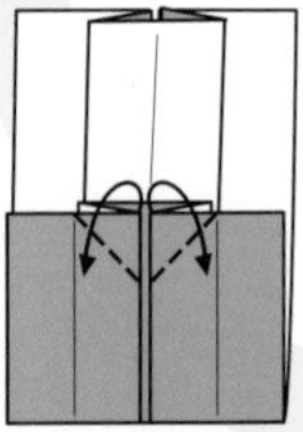

縁を折り筋に
合わせて折る

⑨

縁のところで
後ろに折って
折り筋をつける

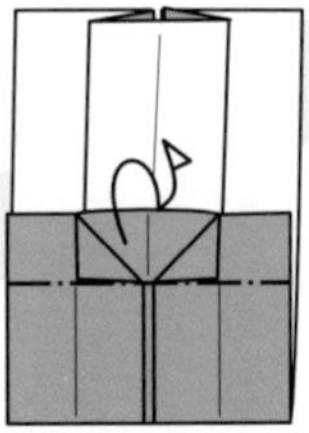

⑩

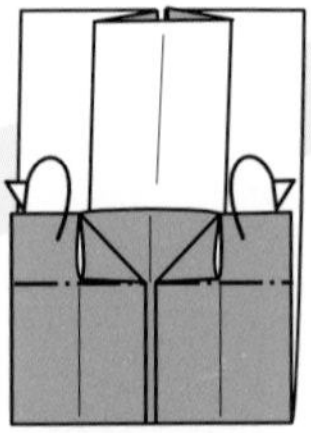

つけた折り筋で
後ろへ折る

⑪

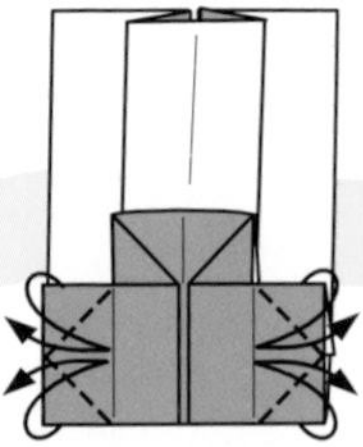

縁を折り筋に
合わせて折り筋を
つける

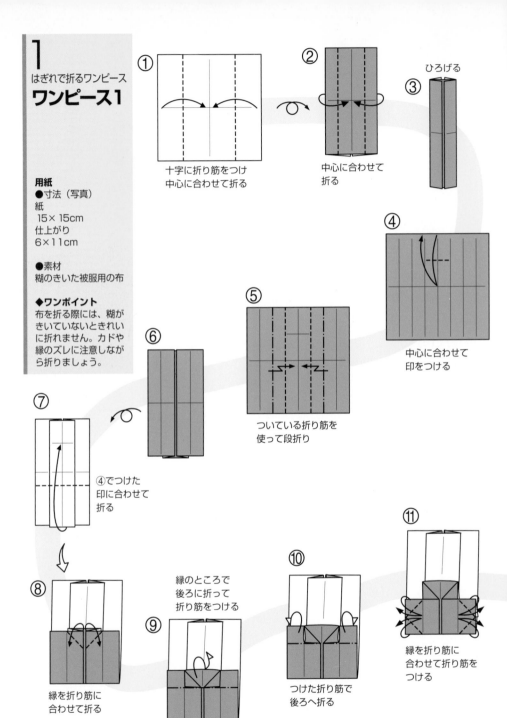

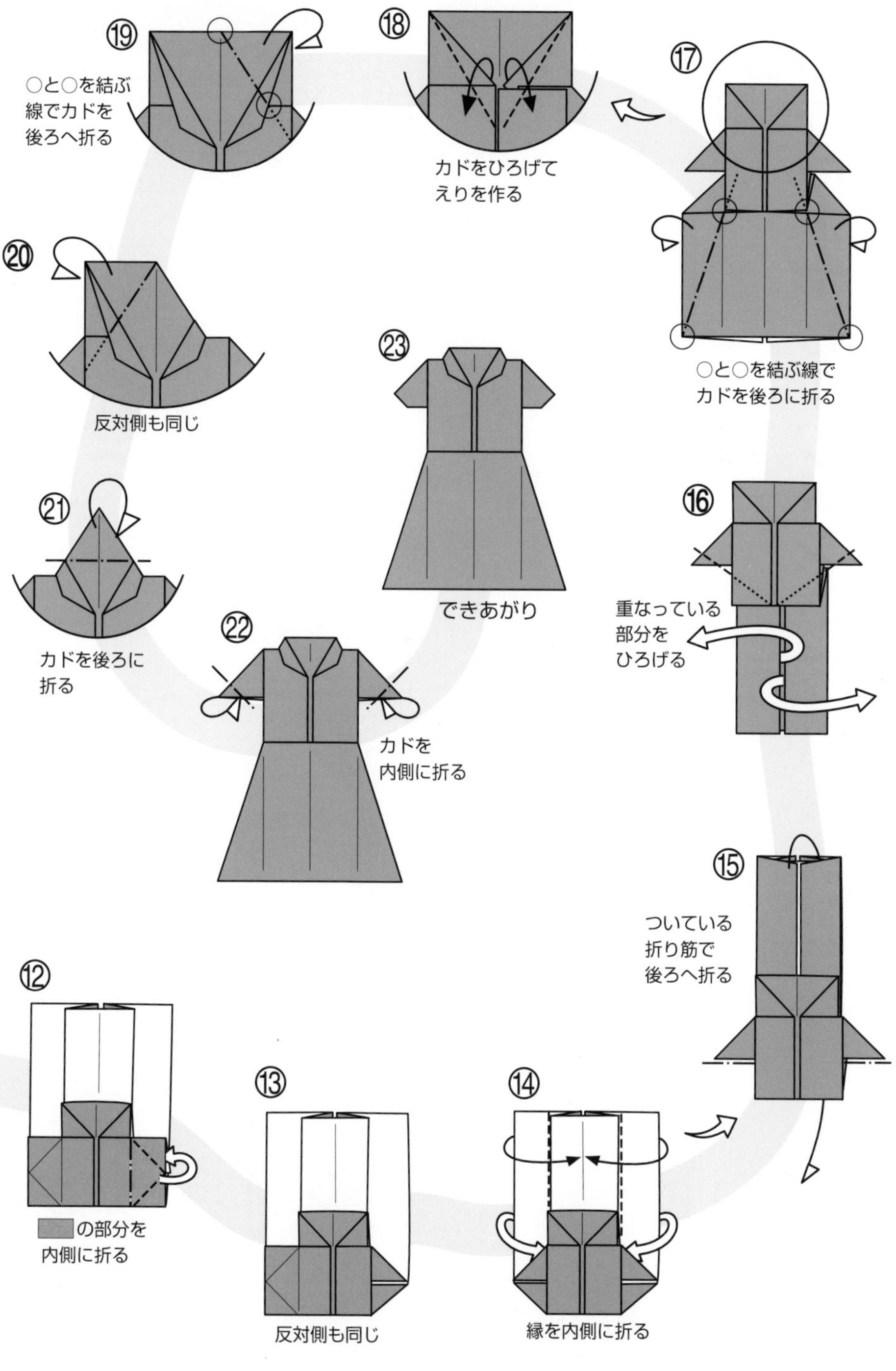
⑫
の部分を
内側に折る
⑬
反対側も同じ
⑭
縁を内側に折る
⑮
ついている
折り筋で
後ろへ折る
⑯
重なっている
部分を
ひろげる
⑰
○と○を結ぶ線で
カドを後ろに折る
⑱
カドをひろげて
えりを作る
⑲
○と○を結ぶ
線でカドを
後ろへ折る
⑳
反対側も同じ
㉑
カドを後ろに
折る
㉒
カドを
内側に折る
㉓
できあがり

フラワーアレンジメント

ぼかし染めの和紙を使うと花の質感がでます。
かすみ草をそえると絶妙なハーモニー。

折り図

①はP94～95参照

①

1

フラワーアレンジメント

リシアンサス

用紙

●寸法（写真）

紙

(花)8×8cm

(葉、芯)4×4cm

仕上がり

4×4×3.2cm

●素材

和紙、洋紙

◆ワンポイント

花束にするとき、かすみ草と合わせると良いでしょう。土を盛った植木鉢に差してもかわいいものができます。

※P96[モービル]の⑦もこの折り図を参照

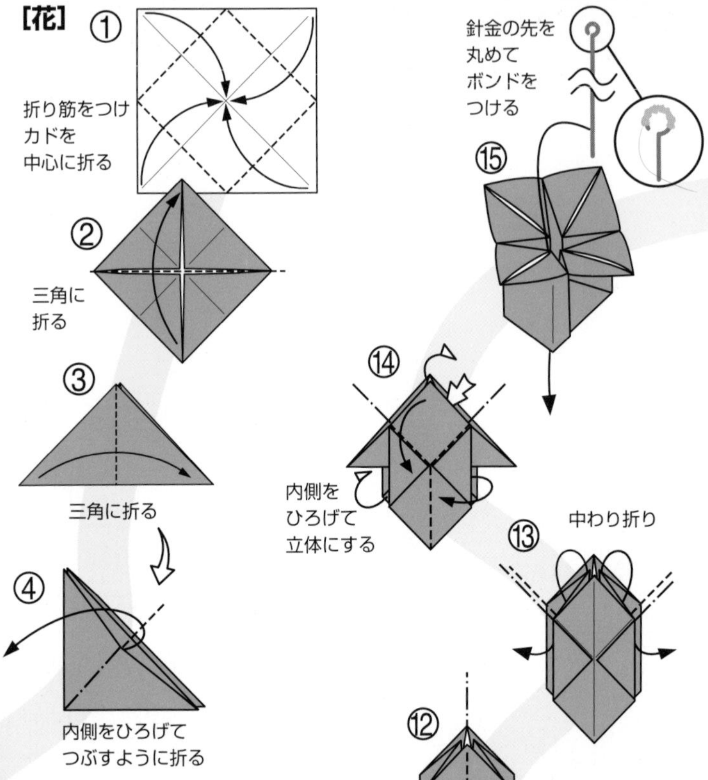

[花]
①
折り筋をつけ
カドを
中心に折る
②
三角に
折る
③
三角に折る
④
内側をひろげて
つぶすように折る
針金の先を
丸めて
ボンドを
つける
⑮
⑭
内側を
ひろげて
立体にする
⑬
中わり折り
⑫
それぞれ
反対側に
折る

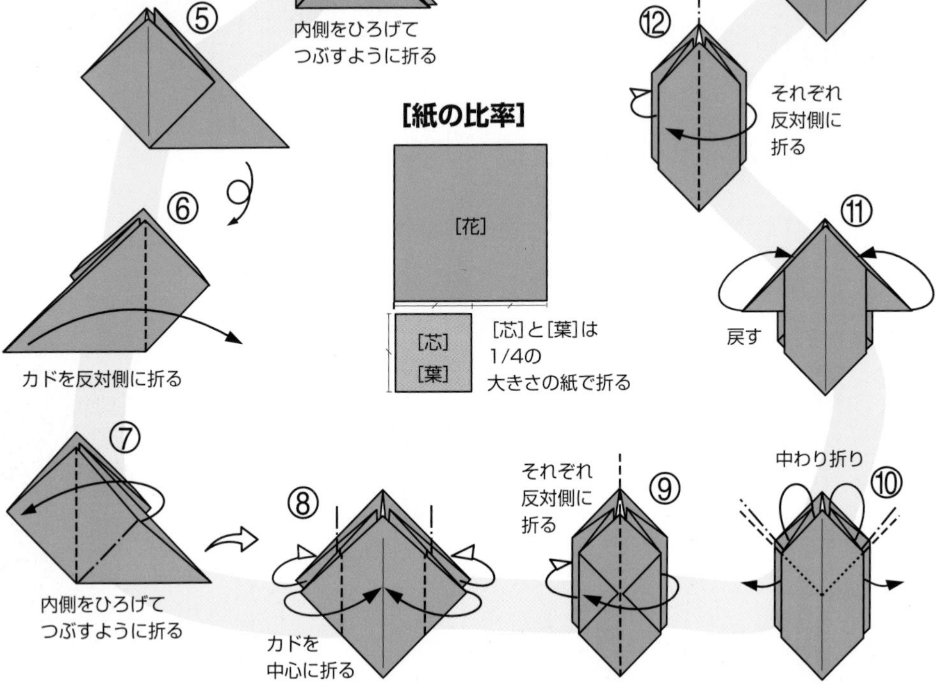

⑤
⑥
カドを反対側に折る
[紙の比率]
[花]
[芯]
[葉]
[芯]と[葉]は
1/4の
大きさの紙で折る
⑪
戻す
⑦
内側をひろげて
つぶすように折る
⑧
カドを
中心に折る
⑨
それぞれ
反対側に
折る
⑩
中わり折り

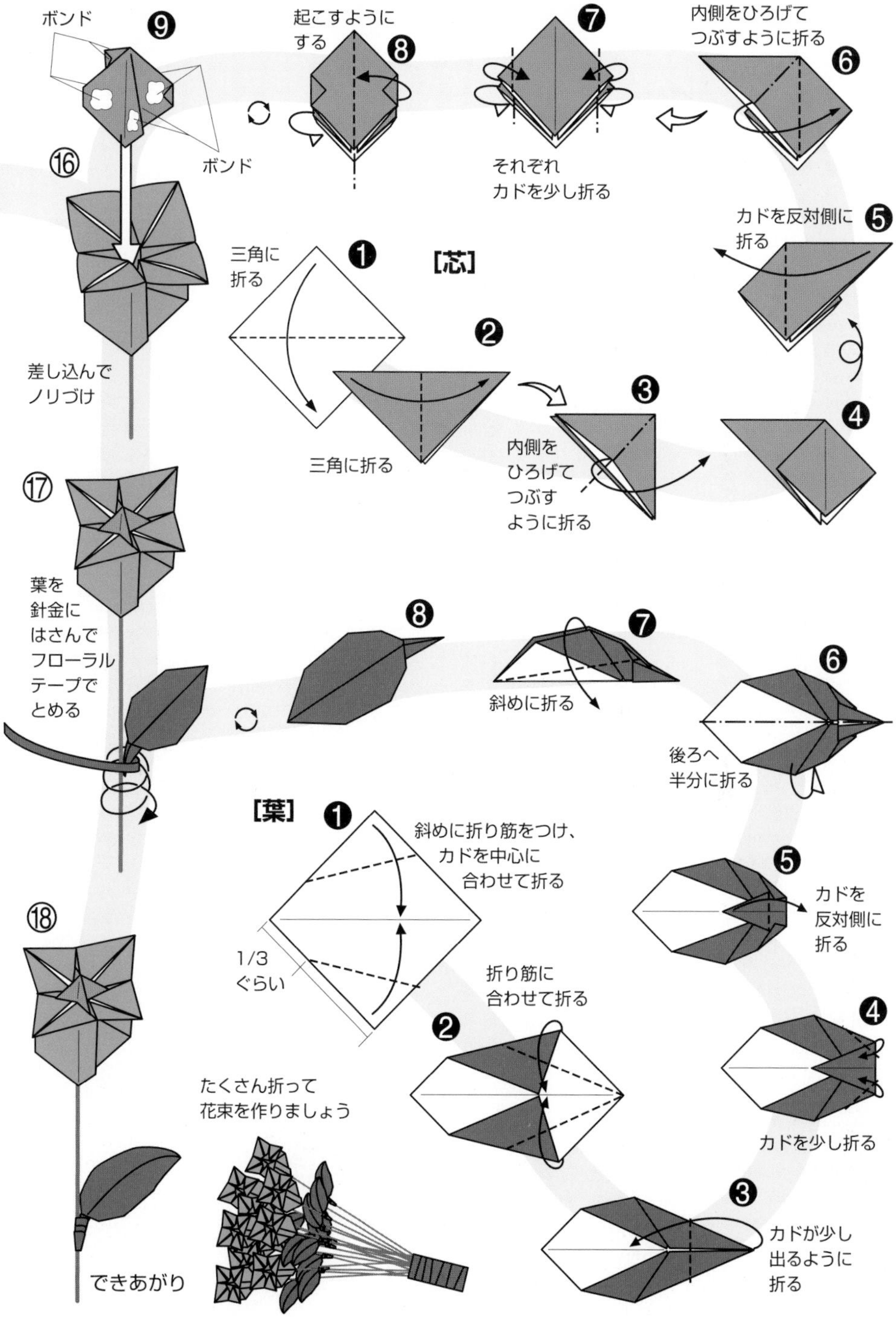

ボンド
ボンド
起こすように
する
それぞれ
カドを少し折る
内側をひろげて
つぶすように折る
カドを反対側に
折る
[芯]
三角に
折る
三角に折る
内側を
ひろげて
つぶす
ように折る
差し込んで
ノリづけ
葉を
針金に
はさんで
フローラル
テープで
とめる
斜めに折る
後ろへ
半分に折る
[葉]
斜めに折り筋をつけ、
カドを中心に
合わせて折る
1/3
ぐらい
折り筋に
合わせて折る
カドを
反対側に
折る
カドを少し折る
カドが少し
出るように
折る
たくさん折って
花束を作りましょう
できあがり

モビール

気分を変えてピアノ線を使って立ててみました。
微かな風でユラユラと動きます。

折り図
①はP156参照
②はP66参照
③はP198参照
④はP153参照
⑤はP67参照
⑥はP98～99参照
⑦はP94～95参照

⑥

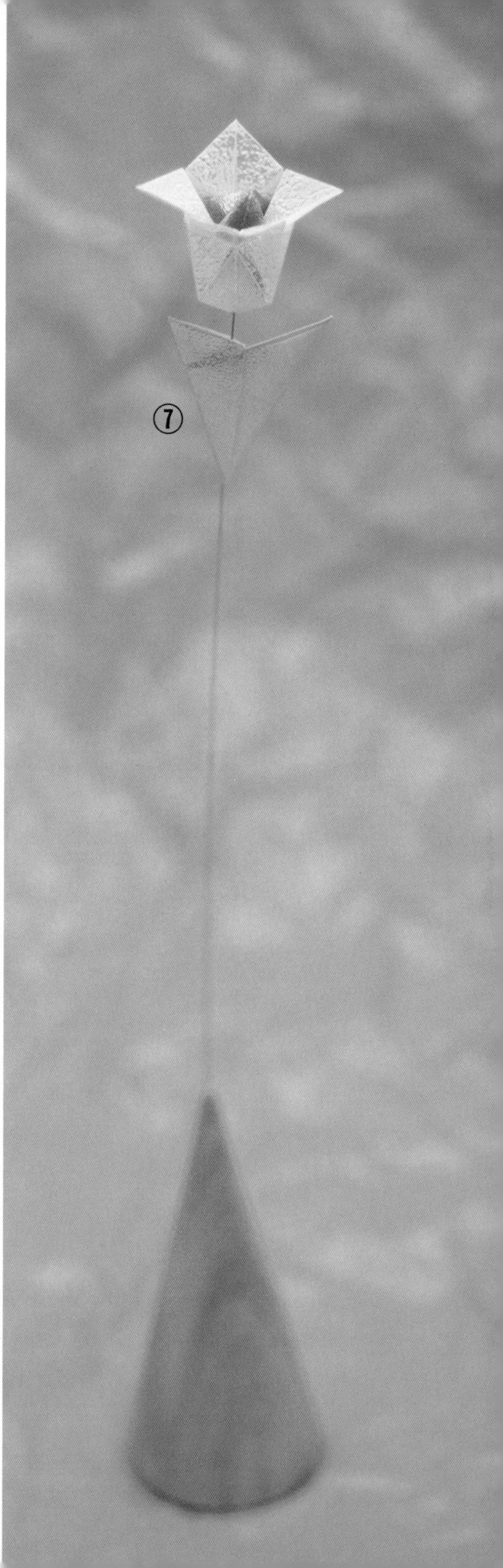
⑦

6
モビール
イルカ

用紙
●寸法（写真）
紙
15× 15cm
仕上がり
10.5×3.5cm

●素材
白黒の両面折り紙
（写真）

◆ワンポイント
ゆらゆらと揺れるかわいいモビールです。いろいろな作品を作って飾りましょう。

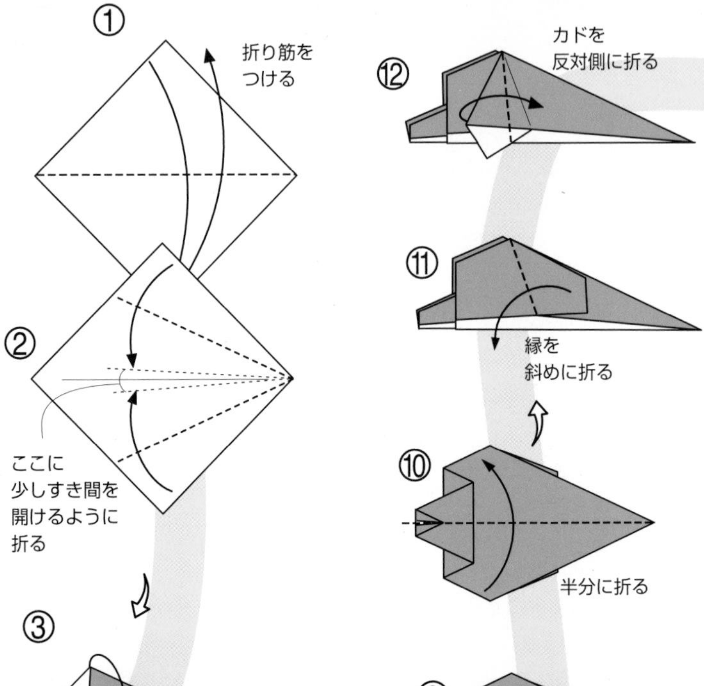
①
折り筋を
つける
②
ここに
少しすき間を
開けるように
折る
⑩
半分に折る
⑪
縁を
斜めに折る
⑫
カドを
反対側に折る

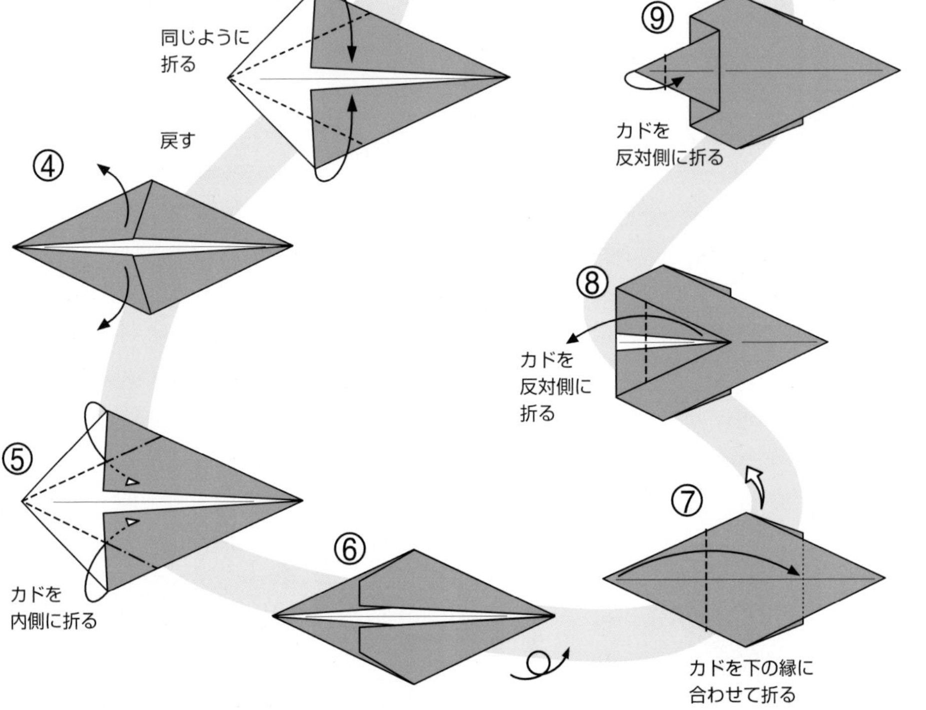
③
同じように
折る
戻す
④
⑤
カドを
内側に折る
⑥
⑦
カドを下の縁に
合わせて折る
⑧
カドを
反対側に
折る
⑨
カドを
反対側に折る

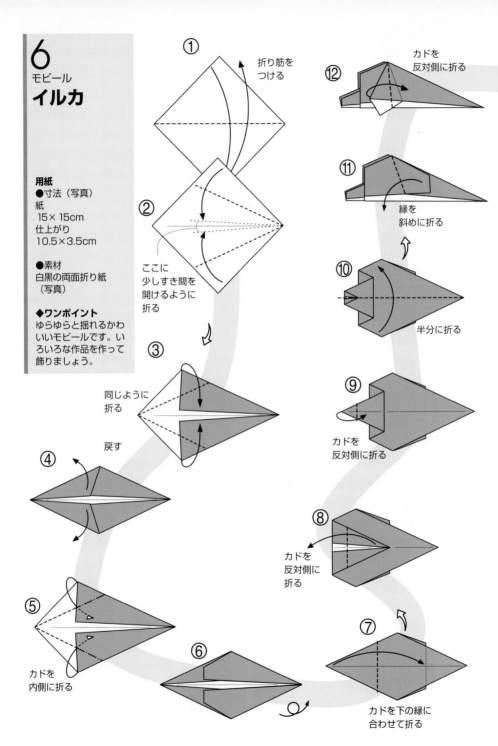

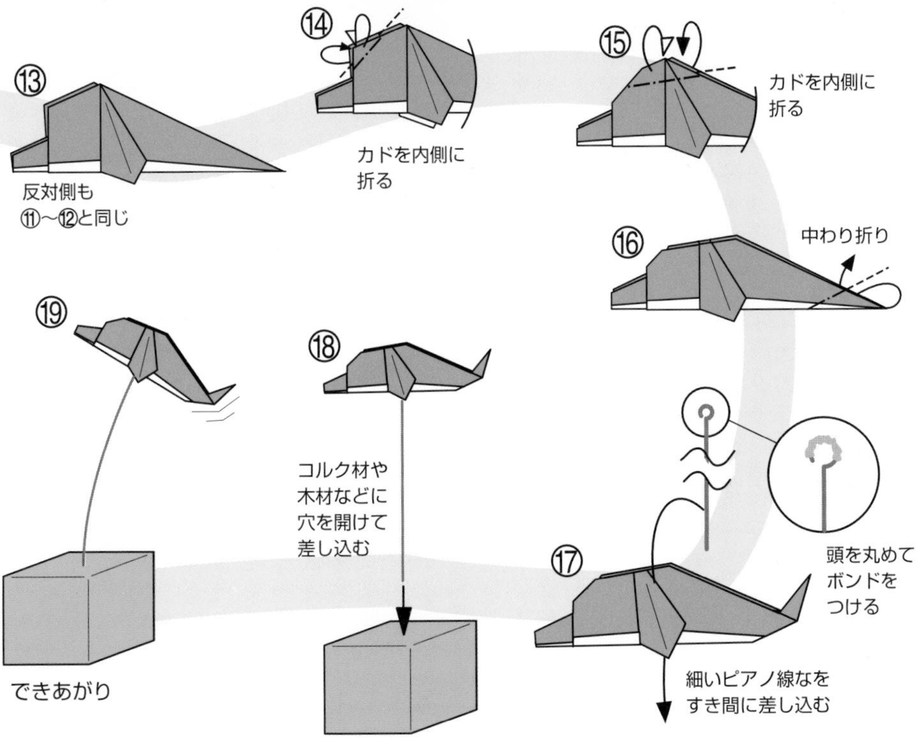
⑬
反対側も
⑪〜⑫と同じ
⑭
カドを内側に
折る
⑮
カドを内側に
折る
⑯
中わり折り
⑰
頭を丸めて
ボンドを
つける
細いピアノ線なを
すき間に差し込む
⑱
コルク材や
木材などに
穴を開けて
差し込む
⑲
できあがり

[その他の作品]

P94〜95
[リシアンサス]

[葉]はP83の
[イヤリング]
と同じに折る
[花]が7.5cm
のとき[葉]は
6cmで折る

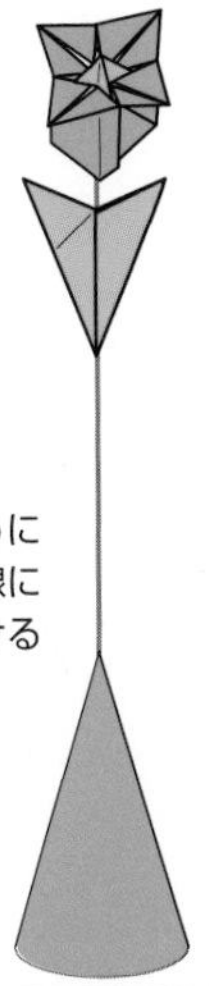

同じように
ピアノ線に
取りつける

同じようにピアノ線に取りつける

P156
[キャンドル]

P66
[くつ下]

P198
[サンタクロース]

P153
[星の子]

P67
[長靴]

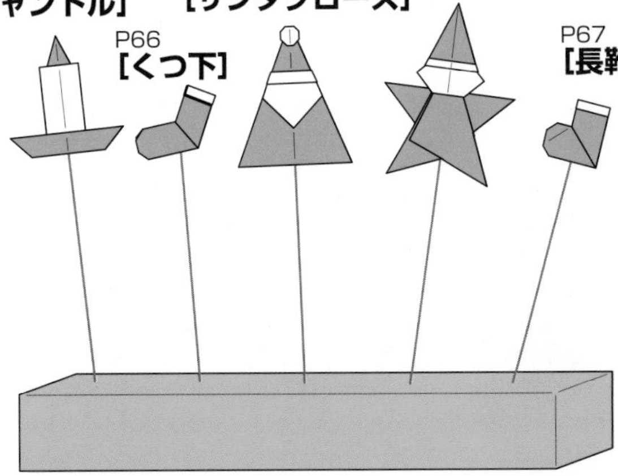

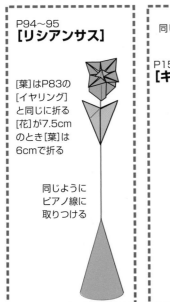

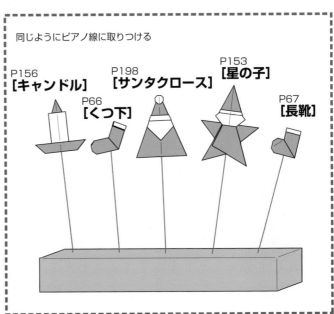

鶴の名札立て

人生の大きなセレモニーに自分の手作りの名札立てを。
鶴のカード立てはお品書きにも使えますね。

折り図

①はP102～103参照
②はP180～181参照

②

1
鶴の名札立て
2羽の鶴の名札立て

用紙
●寸法（写真）
紙
15×30cm
仕上がり
8.5×8.5×16cm

●素材
紅白の両面和紙

◆ワンポイント
丁寧に折り筋をつけて切り込みを入れてからは紙を破かないように注意しましょう。

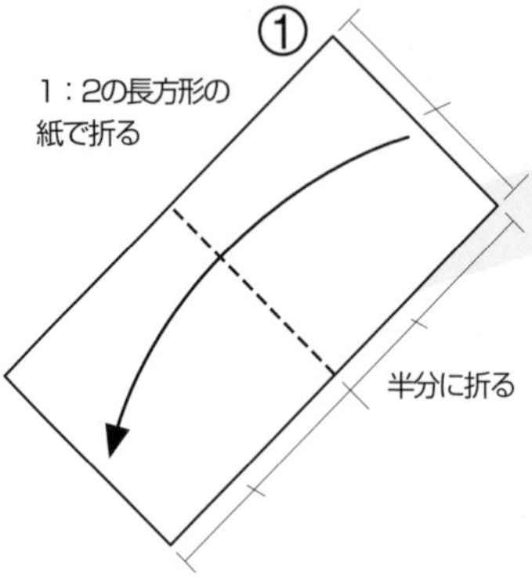
1：2の長方形の紙で折る
半分に折る

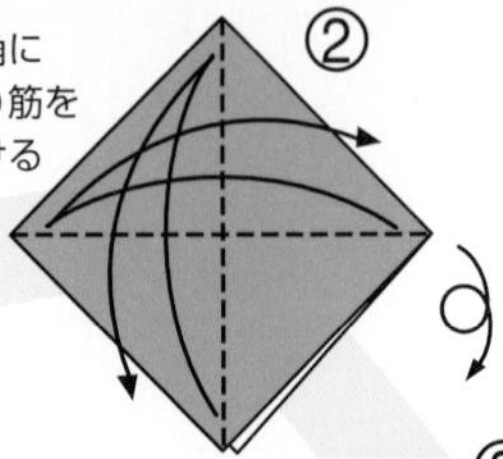
三角に折り筋をつける

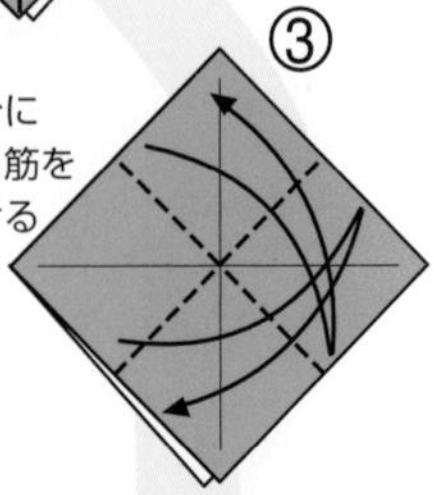
半分に折り筋をつける

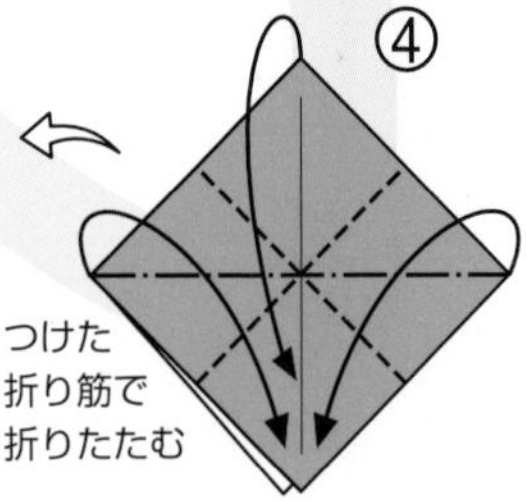
つけた折り筋で折りたたむ

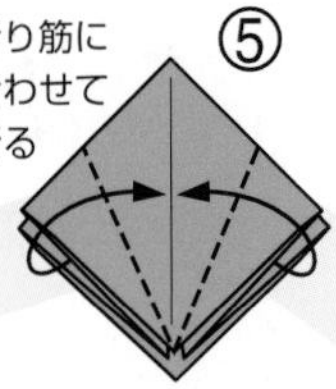
折り筋に合わせて折る

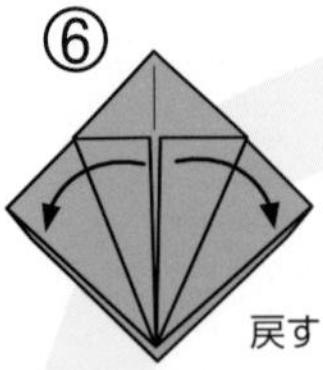
戻す

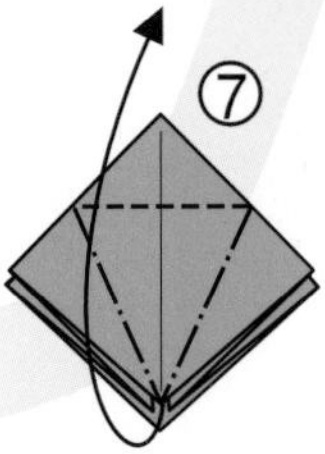
内側をひろげてつぶすように折る
反対側も同じ

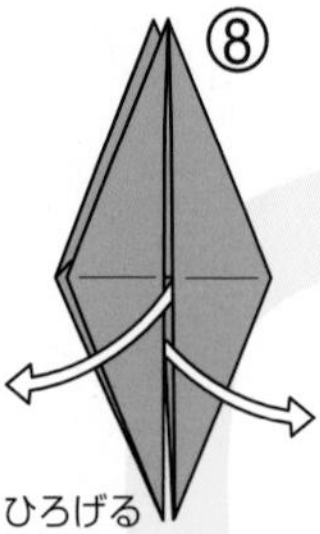
ひろげる

⑨ 中心の折り筋の半分まで切り込みを入れる

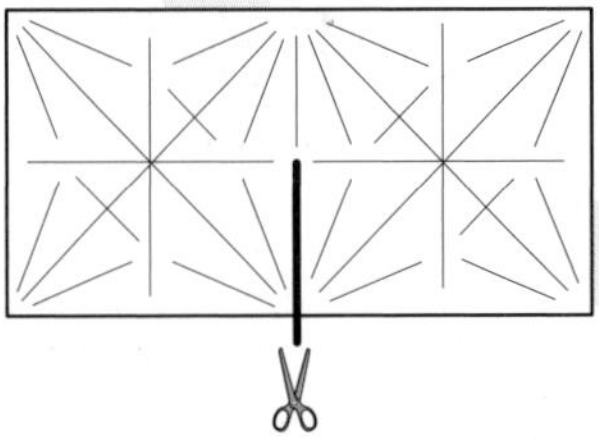

⑩ 切り込みを入れたらまず右側についている折り筋のまま色の面が外になるように鶴の基本形まで折りたたむ

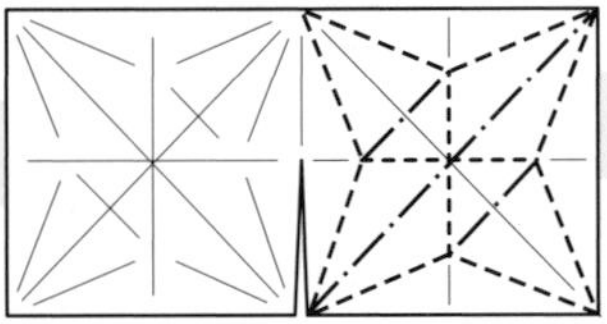

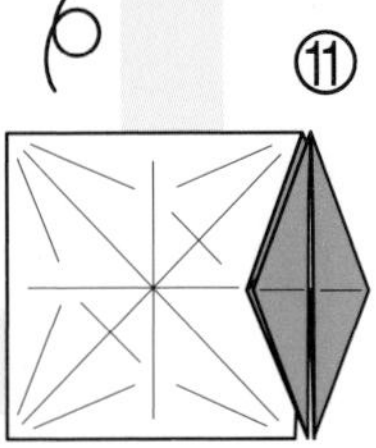

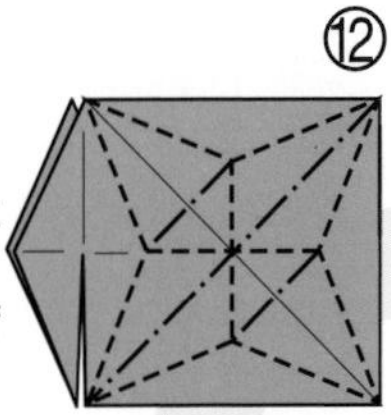
もう一方もついている折り筋のまま色の面が内側になるように鶴の基本形まで折りたたむ

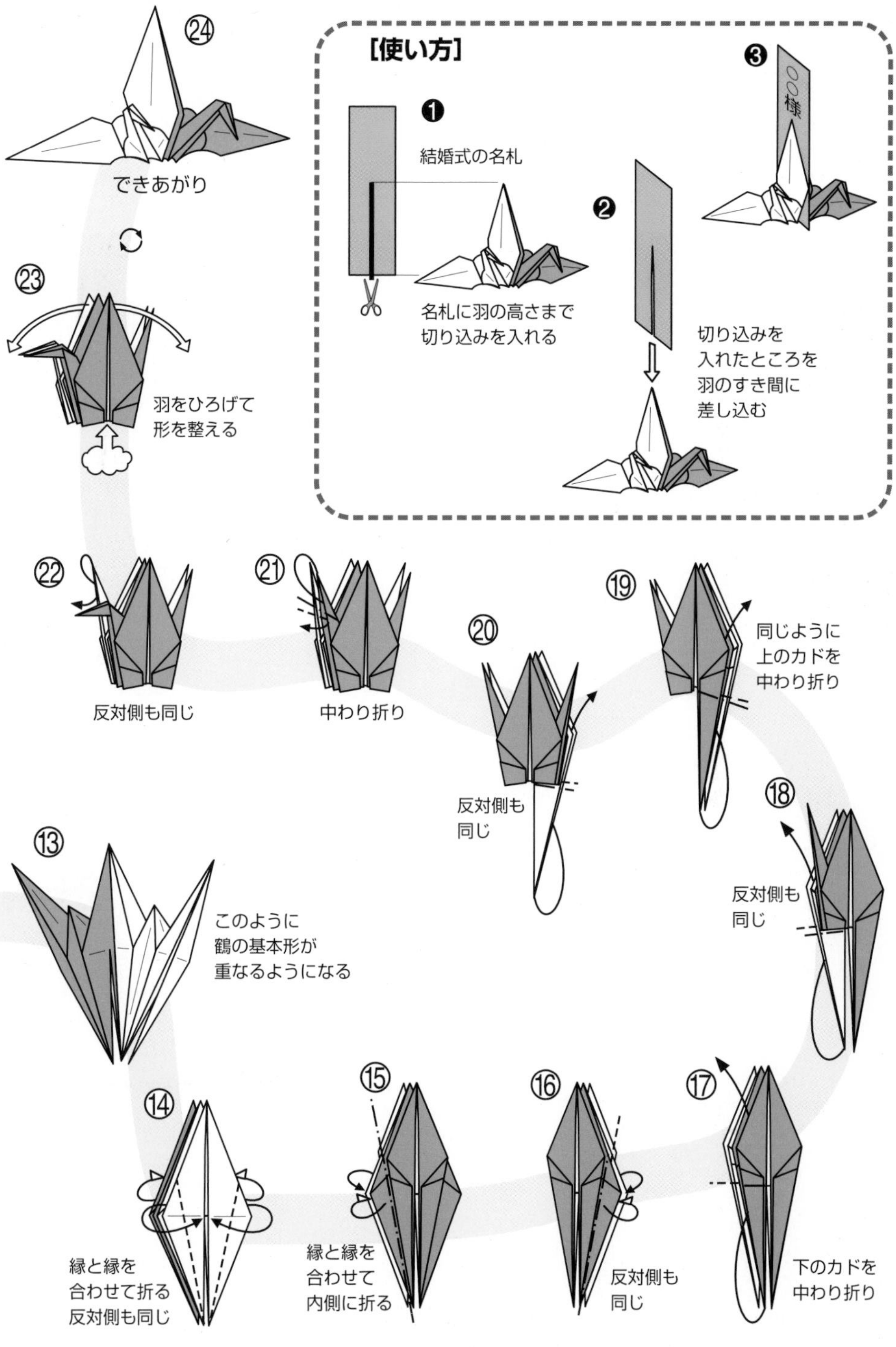
⑬
このように
鶴の基本形が
重なるようになる
⑭
縁と縁を
合わせて折る
反対側も同じ
⑮
縁と縁を
合わせて
内側に折る
⑯
反対側も
同じ
⑰
下のカドを
中わり折り
⑱
反対側も
同じ
⑲
同じように
上のカドを
中わり折り
⑳
反対側も
同じ
㉑
中わり折り
㉒
反対側も同じ
㉓
羽をひろげて
形を整える
㉔
できあがり
[使い方]
❶
結婚式の名札
名札に羽の高さまで
切り込みを入れる
❷
切り込みを
入れたところを
羽のすき間に
差し込む
❸
○○様

ランプシェード

簡単にすてきなランプシェードが作れます。
お部屋のムードづくりにいかが？

折り図

①はP106～107参照
②はP183参照

②

1

ランプシェード

鶴のランプシェード1

用紙
●寸法（写真）
紙
32×54cm
仕上がり
12×16×27cm

●素材
厚手の和紙

◆ワンポイント
切り込みを入れた部分が切れないように注意しましょう。鶴は丁寧に折り筋をつけて折りましょう。

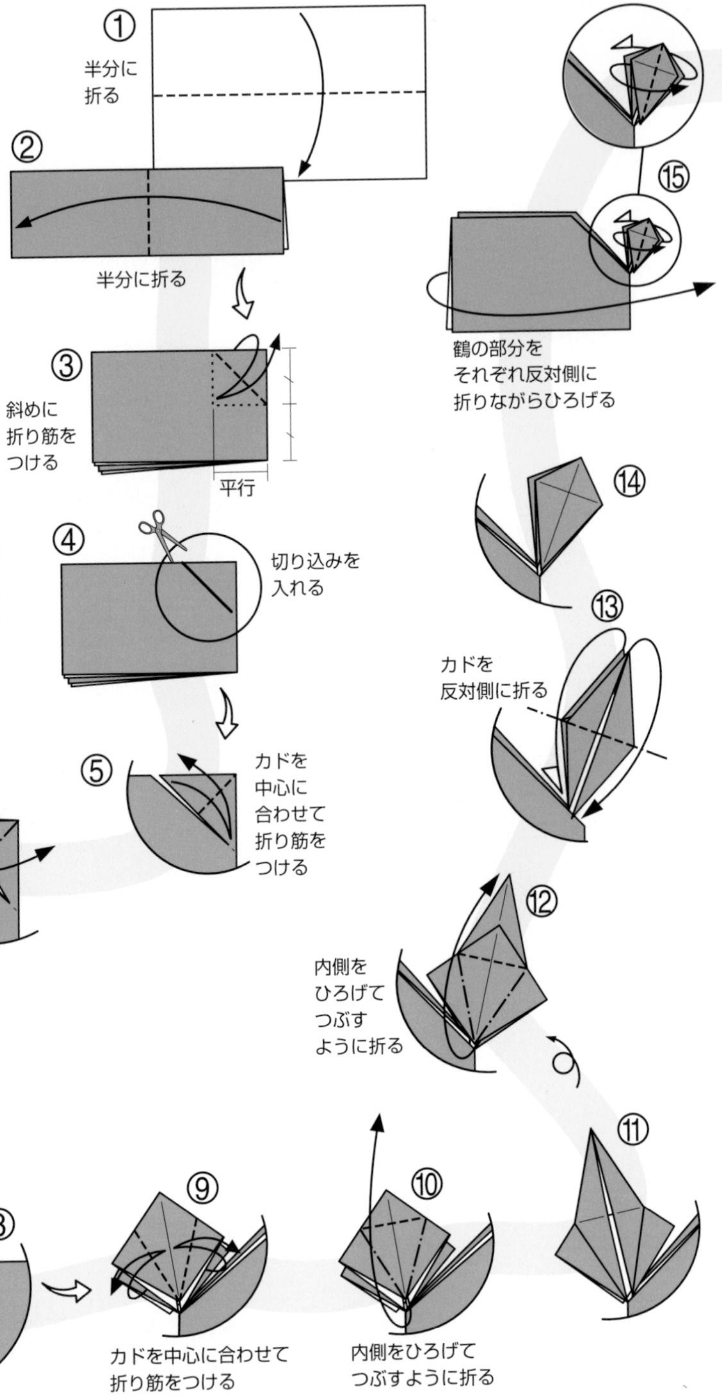
①
半分に
折る
②
半分に折る
③
斜めに
折り筋を
つける
平行
④
切り込みを
入れる
⑤
カドを
中心に
合わせて
折り筋を
つける
⑨
カドを中心に合わせて
折り筋をつける
⑩
内側をひろげて
つぶすように折る
⑪
⑫
内側を
ひろげて
つぶす
ように折る
⑬
カドを
反対側に折る
⑭
⑮
鶴の部分を
それぞれ反対側に
折りながらひろげる

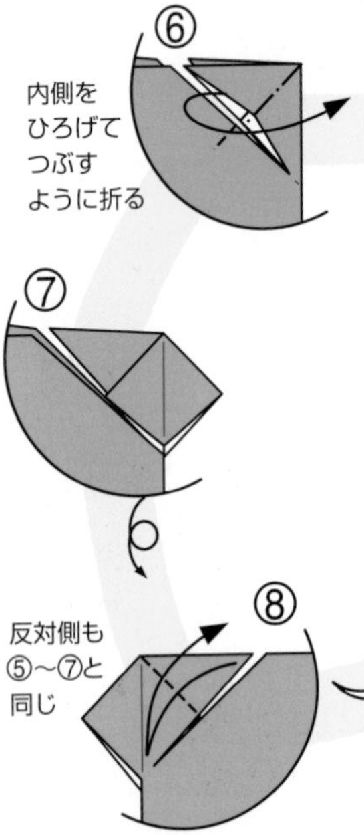
⑥
内側を
ひろげて
つぶす
ように折る
⑦
⑧
反対側も
⑤～⑦と
同じ

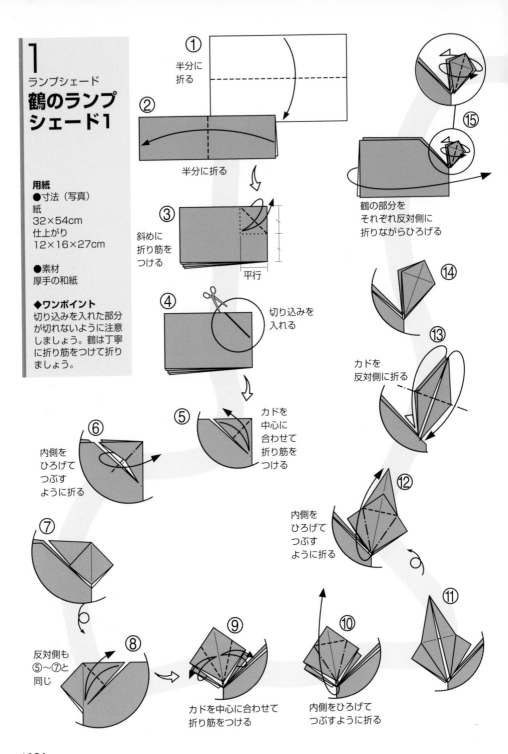

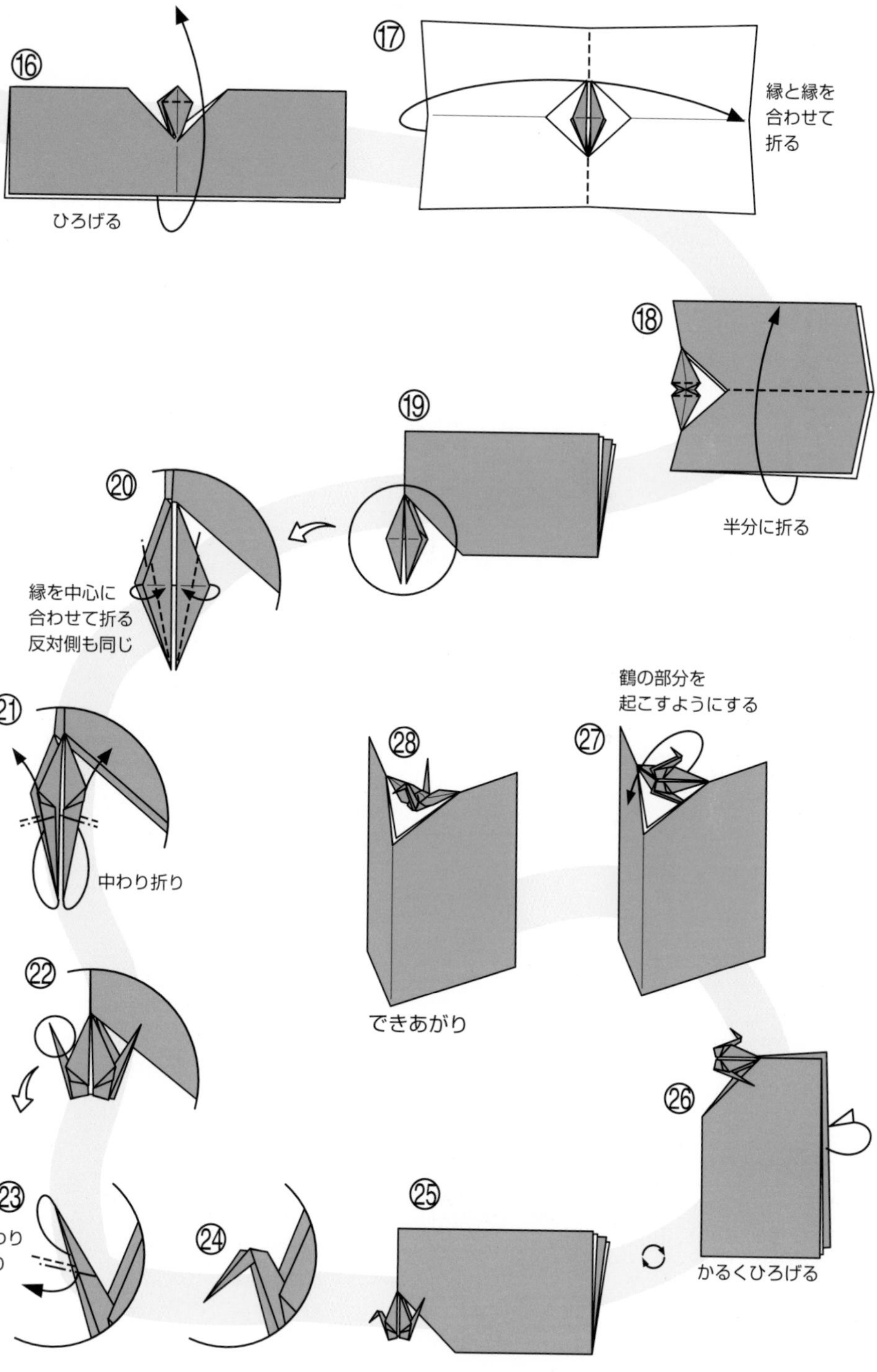
⑯
ひろげる
⑰
縁と縁を
合わせて
折る
⑱
半分に折る
⑲
⑳
縁を中心に
合わせて折る
反対側も同じ
㉑
中わり折り
㉒
㉓
中わり
折り
㉔
㉕
㉖
かるくひろげる
㉗
鶴の部分を
起こすようにする
㉘
できあがり

花瓶と植木鉢カバー

厚手の紙で折るとしっかりとしたものに。
部屋の隅に置かれた鉢植えがおしゃれに変身。

折り図

①②はP110〜111参照

②

1~2

花瓶と鉢植えカバー

花瓶
植木鉢カバー

用紙

●寸法（写真）
紙
39.5×39.5cm
仕上がり
(花瓶)
13×13cm×8cm、
(植木鉢カバー)
13×13cm×5.5cm

●素材
厚手の丈夫な洋紙

◆ワンポイント
最後の立体的にする部分が難しいですが、内側の紙をゆっくりと引き出して形を整えましょう。

①
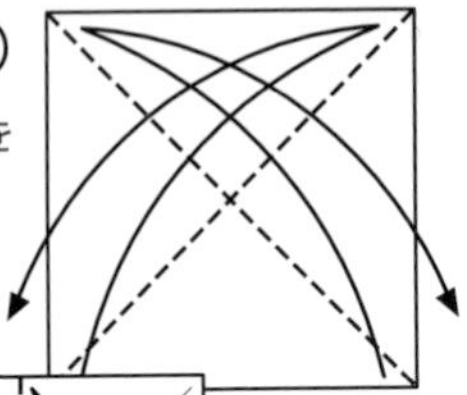
折り筋をつける

②
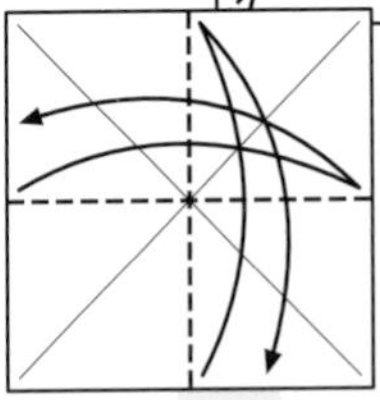
十字折り筋をつける

③
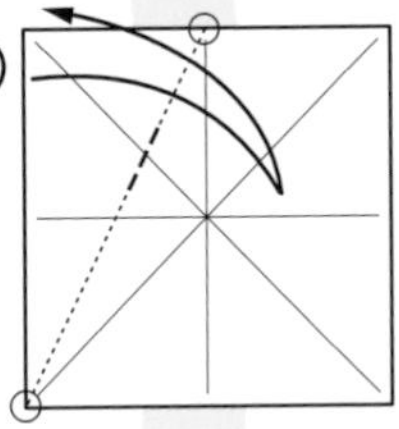
○印を結ぶ線で折り筋のところに印をつける

④
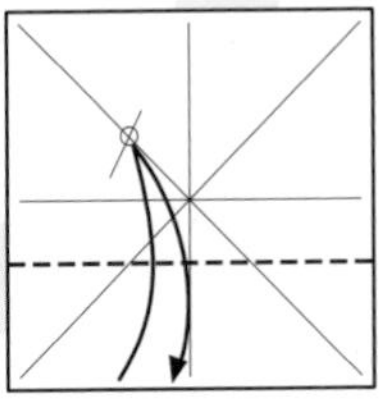
縁を印に合わせて折り筋をつける

⑤
折り筋に合わせて折り筋をつける
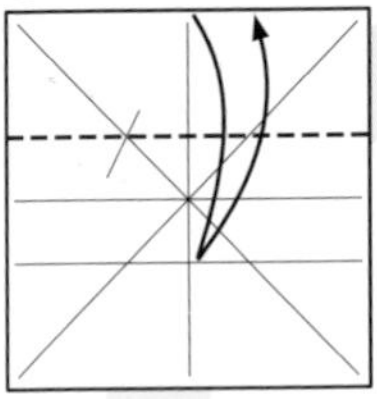

⑥
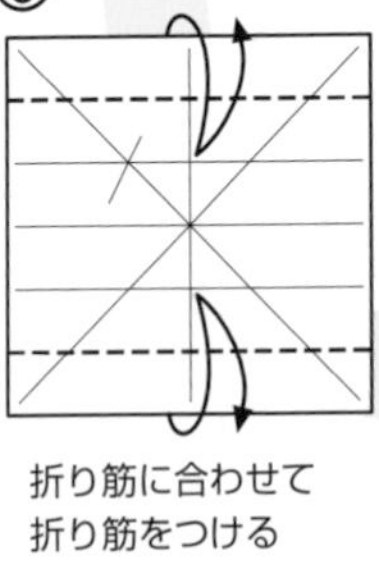
折り筋に合わせて折り筋をつける

⑦
縁を印に合わせて折り筋をつける
⑤～⑥と同じように縦に 6 等分の折り筋をつける
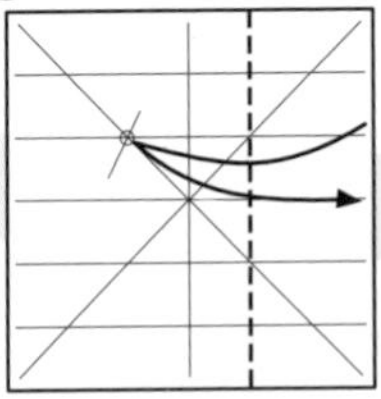

⑧
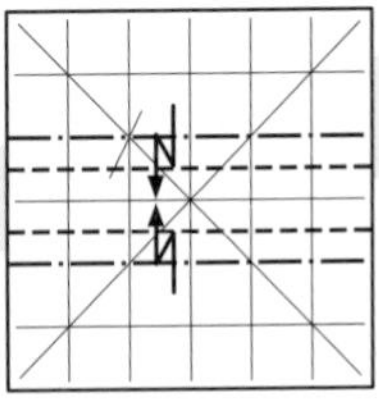
折り筋を中心に合わせて段折り

⑨
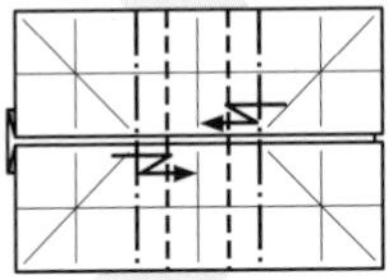
折り筋を中心に合わせて段折り

⑩
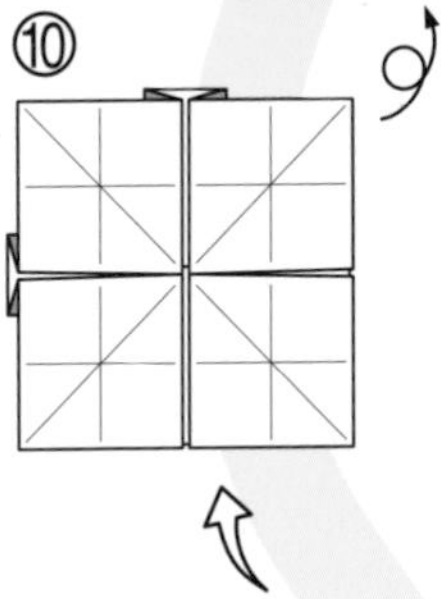

⑪
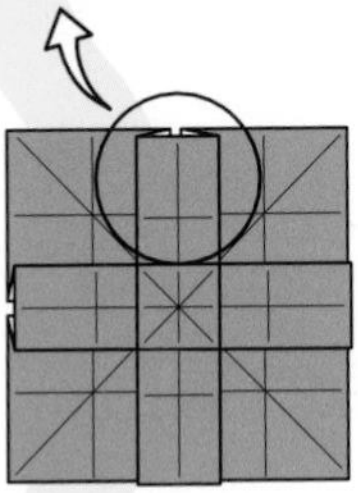

⑫
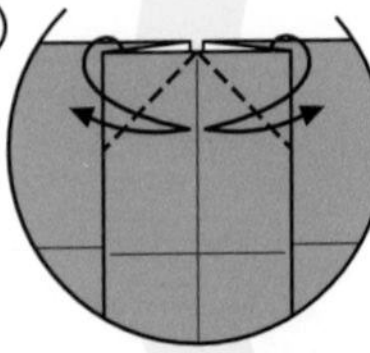
カドに折り筋をつける

⑬
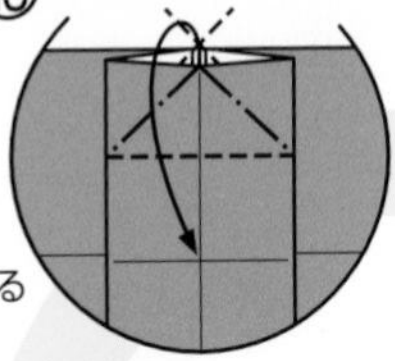
内側をひろげてつぶすように折る

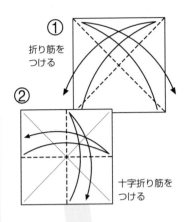

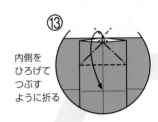

⑭

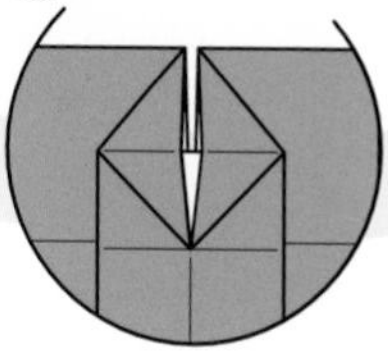

⑮

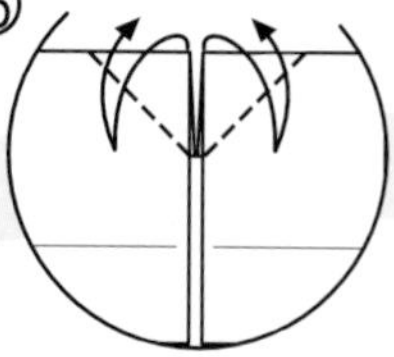

折り筋をつける
残りも⑫〜⑮と
同じように折る

⑯

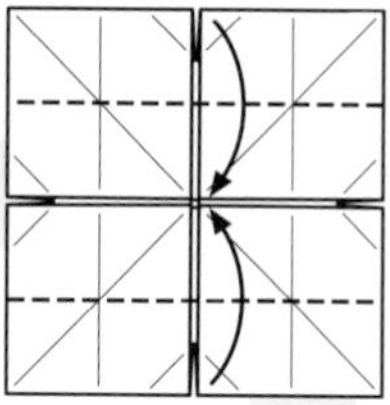

中心に
合わせて
折る

⑰

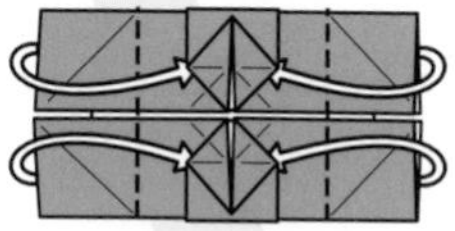

縁を折り込む

⑱

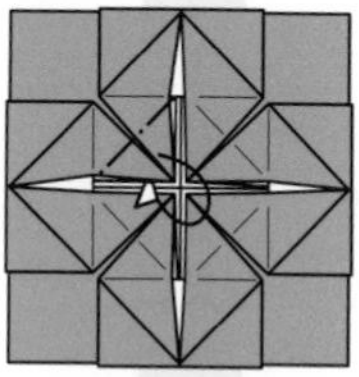

ついている折り筋で
カドを内側に折る

⑲

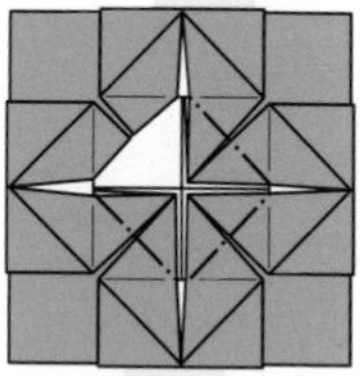

残りも同じに折る

⑳

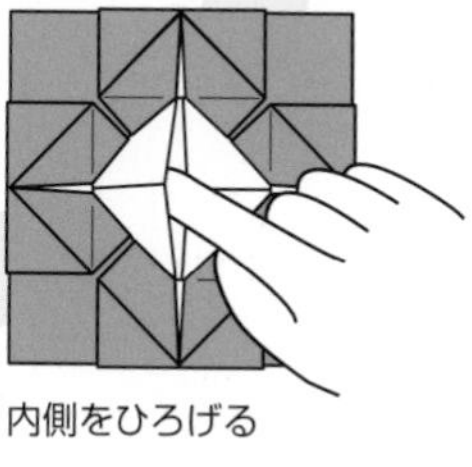

内側をひろげる

㉑

内側に折り込まれた
部分を引き出す

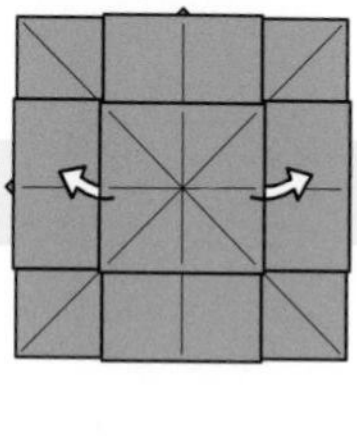

㉒

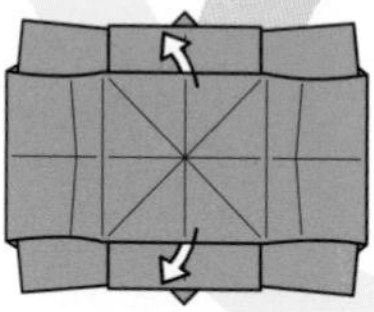

内側に折り込まれた
部分を引き出す

内側をひろげて
ついている折り筋のところで
■の部分を平らにする

㉓

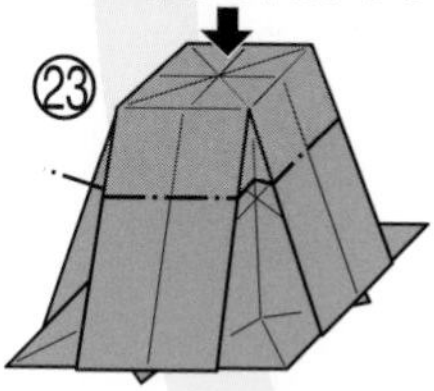

形を整える

㉔

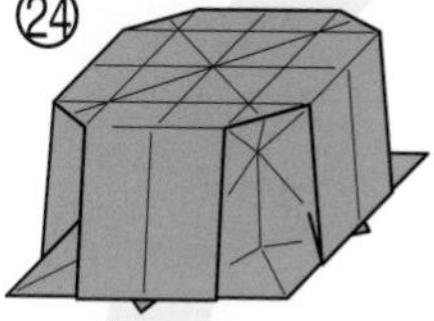

㉕

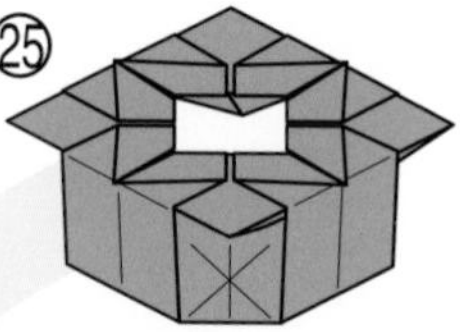

[植木鉢のカバー]の
できあがり

㉓

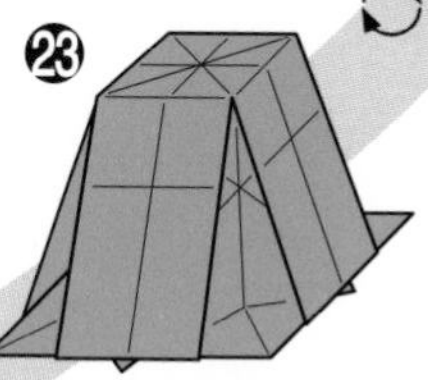

形を整える

㉔

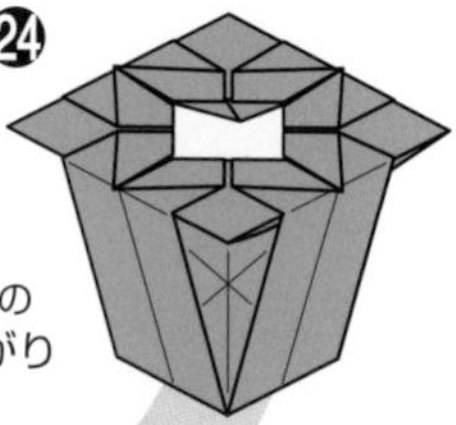

［花瓶］の
できあがり

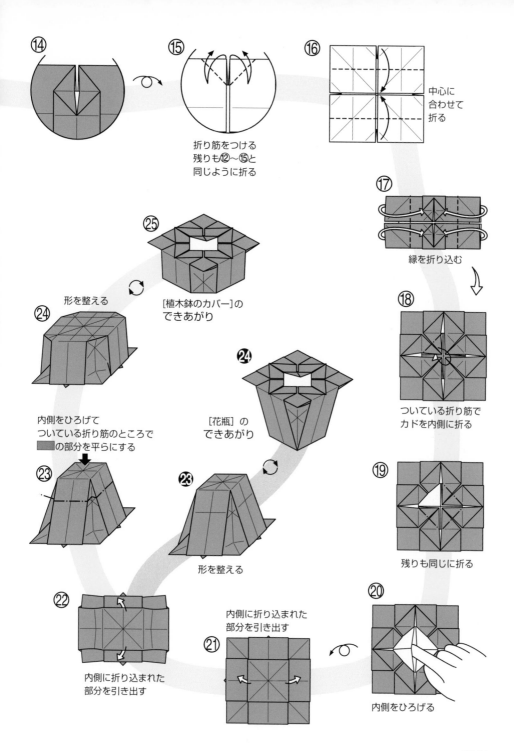

テーブルセット

子どものパーティにはぜひ欲しい小道具。
手作りでお母さんの愛情いっぱい。

折り図

①はP114参照
②③はP115参照

③

1

テーブルセット

ナプキンホルダー

用紙

●寸法（写真）

紙

15×7.5cm

仕上がり

(男の子)3.75×3cm

(女の子)5×3cm

●素材

折り紙、和紙、洋紙など

◆ワンポイント

男の子、女の子に合わせて折ってあげて下さい。用紙の縦の長さを長くすると、輪の部分が大きくなります。

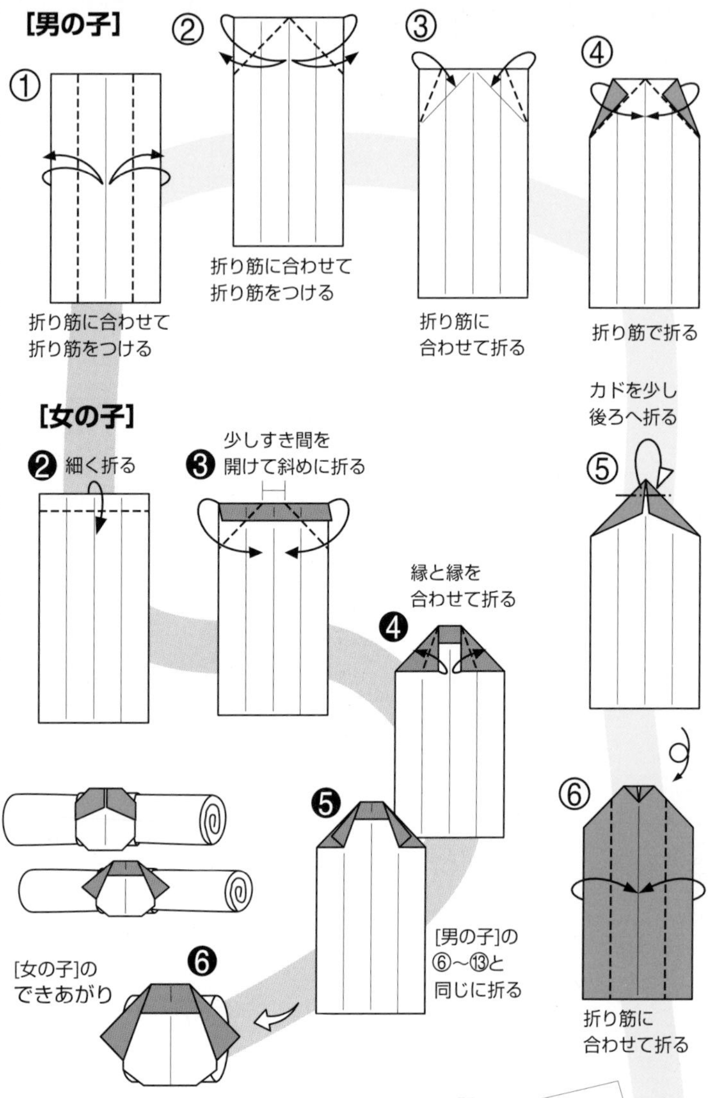
[男の子]
①
折り筋に合わせて
折り筋をつける
②
折り筋に合わせて
折り筋をつける
③
折り筋に
合わせて折る
④
折り筋で折る
カドを少し
後ろへ折る
⑤
[女の子]
❷ 細く折る
❸ 少しすき間を
開けて斜めに折る
縁と縁を
合わせて折る
❹
❺
[男の子]の
⑥～⑬と
同じに折る
⑥
折り筋に
合わせて折る
[女の子]の
できあがり
❻

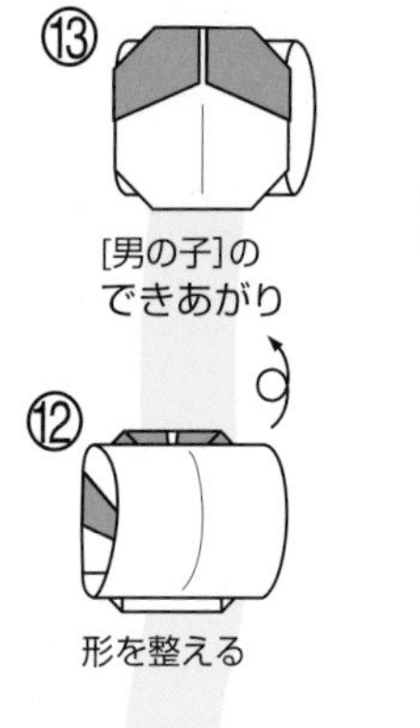
⑬
[男の子]の
できあがり
⑫
形を整える

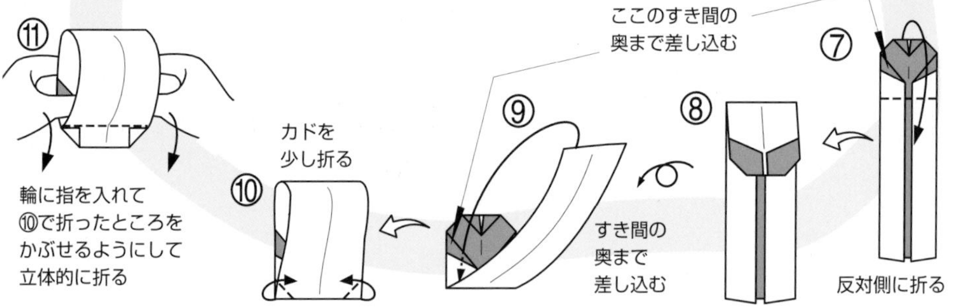
⑪
輪に指を入れて
⑩で折ったところを
かぶせるようにして
立体的に折る
カドを
少し折る
⑩
⑨
すき間の
奥まで
差し込む
ここのすき間の
奥まで差し込む
⑧
⑦
反対側に折る

2
テーブルセット
ネームスタンド

用紙
●寸法（写真）
紙
15×15cm
仕上がり
3.5×10.8×3.3cm

●素材
折り紙、和紙、洋紙など

◆ワンポイント
差し込むネームプレートの幅に合わせて折って下さい。簡単ですがしっかりしたものができます。

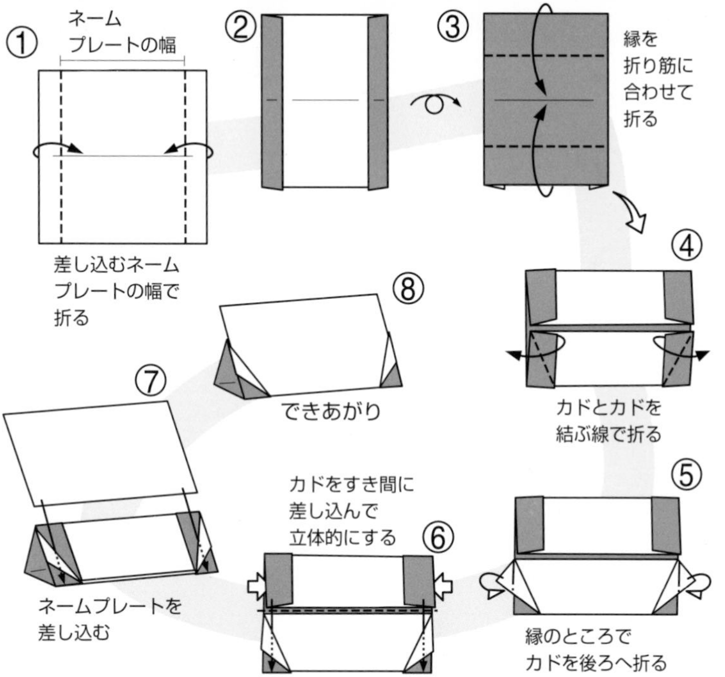

①
ネーム
プレートの幅
差し込むネーム
プレートの幅で
折る
②
③
縁を
折り筋に
合わせて
折る
④
カドとカドを
結ぶ線で折る
⑤
縁のところで
カドを後ろへ折る
⑥
カドをすき間に
差し込んで
立体的にする
⑦
ネームプレートを
差し込む
⑧
できあがり

3
テーブルセット
ナイフ&フォーク フォルダー

用紙
●寸法（写真）
紙
15×15cm
仕上がり
5.3×13.3cm

●素材
折り紙、和紙、洋紙など

◆ワンポイント
簡単に折れるかわいい作品です。子どもたちの好きな色や柄で折ってみて下さい。

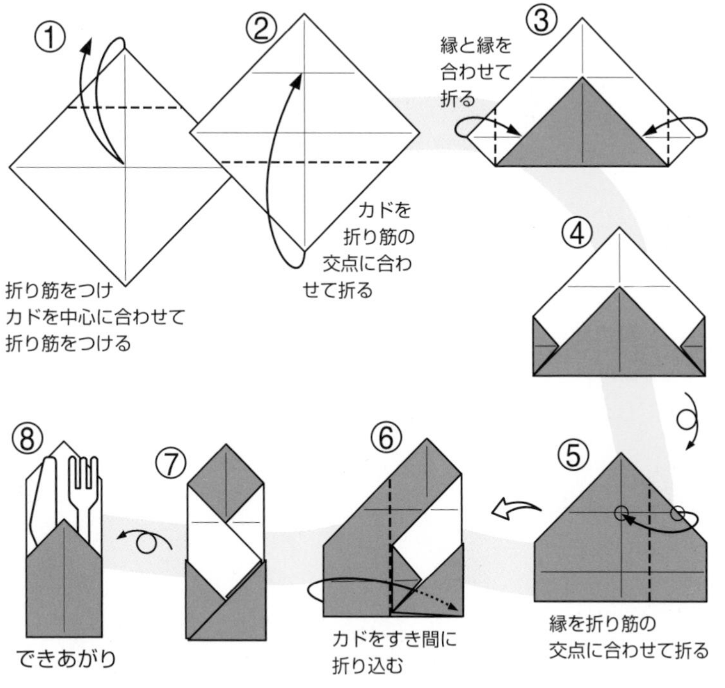

①
折り筋をつけ
カドを中心に合わせて
折り筋をつける
②
カドを
折り筋の
交点に合わ
せて折る
③
縁と縁を
合わせて
折る
④
⑤
縁を折り筋の
交点に合わせて折る
⑥
カドをすき間に
折り込む
⑦
⑧
できあがり

子どものパーティ

誰のボトルかひと目で分かる。
僕のはライオン、私はうさぎ……。

折り図

①はP118参照
②はP119参照
（動物の顔については
P186～188参照）

MELON CREAM SODA
MELON
メロンクリームソーダ
無果汁
炭酸飲料
Ginger
Ale
ジンジャーエール
HAP
BIRTH
C.C. Lemon
Lemon
シーシーレモン
微炭酸・果汁1%

1

子どものパーティ

輪飾り

用紙

●寸法（写真）
紙
8.75×17.5cm
仕上がり
5.3×13.3cm

●素材
折り紙、和紙、洋紙など

◆ワンポイント
ノリどめがいらない輪飾りです。たくさんの色で折って、飾って下さい。

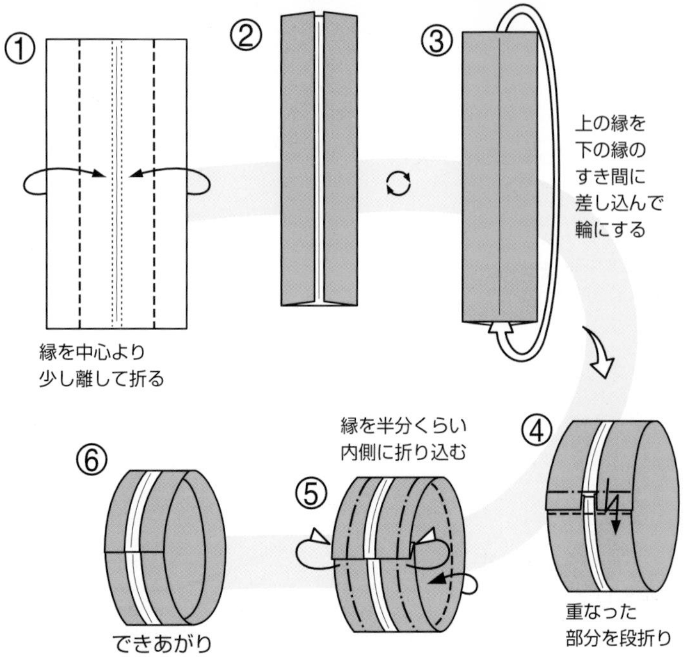

①
縁を中心より
少し離して折る
②
③
上の縁を
下の縁の
すき間に
差し込んで
輪にする
④
重なった
部分を段折り
⑤
縁を半分くらい
内側に折り込む
⑥
できあがり

[組み方]

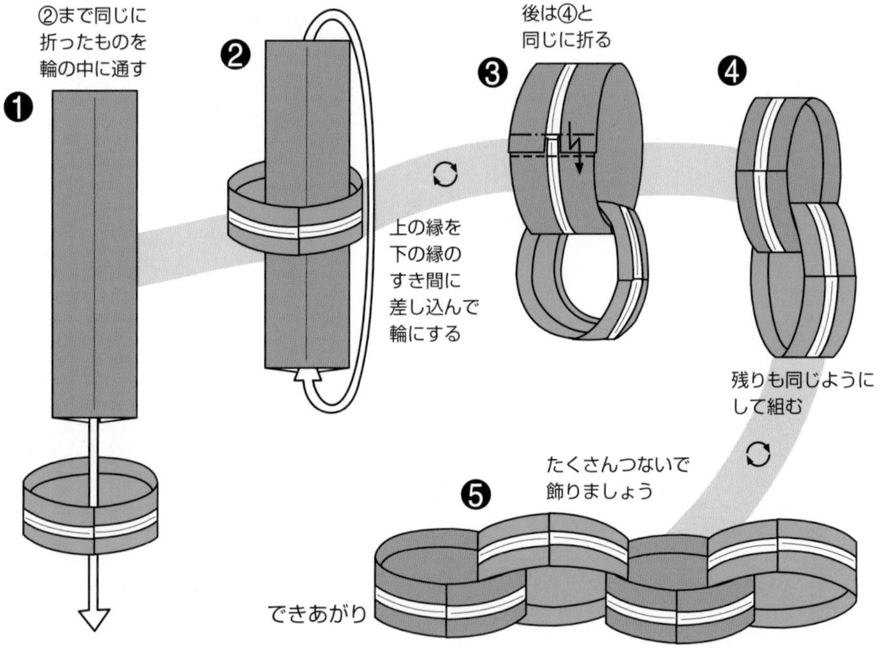

❶
②まで同じに
折ったものを
輪の中に通す
❷
上の縁を
下の縁の
すき間に
差し込んで
輪にする
❸
後は④と
同じに折る
❹
残りも同じように
して組む
❺
たくさんつないで
飾りましょう
できあがり

2
子どものパーティ
ボトルキャップ

用紙
●寸法（写真）
紙
15×15cm
仕上がり
6×7.5×6cm

●素材
折り紙、和紙、洋紙など

◆ワンポイント
ペットボトルを手軽に飾れる作品です。他の作品(動物はP186〜188参照)を小さく折ってワンポイントとして貼ってみましょう。

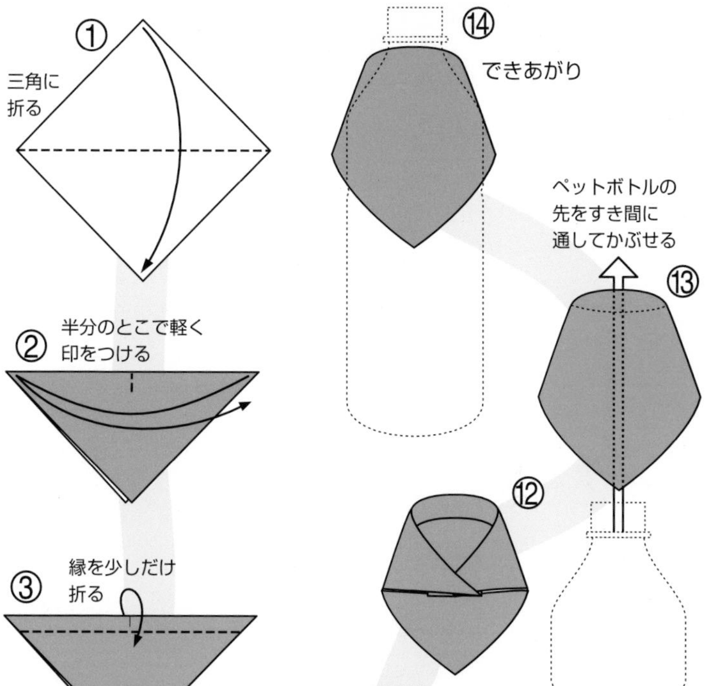
①
三角に折る
②
半分のとこで軽く印をつける
③
縁を少しだけ折る
⑫
⑬
ペットボトルの先をすき間に通してかぶせる
⑭
できあがり

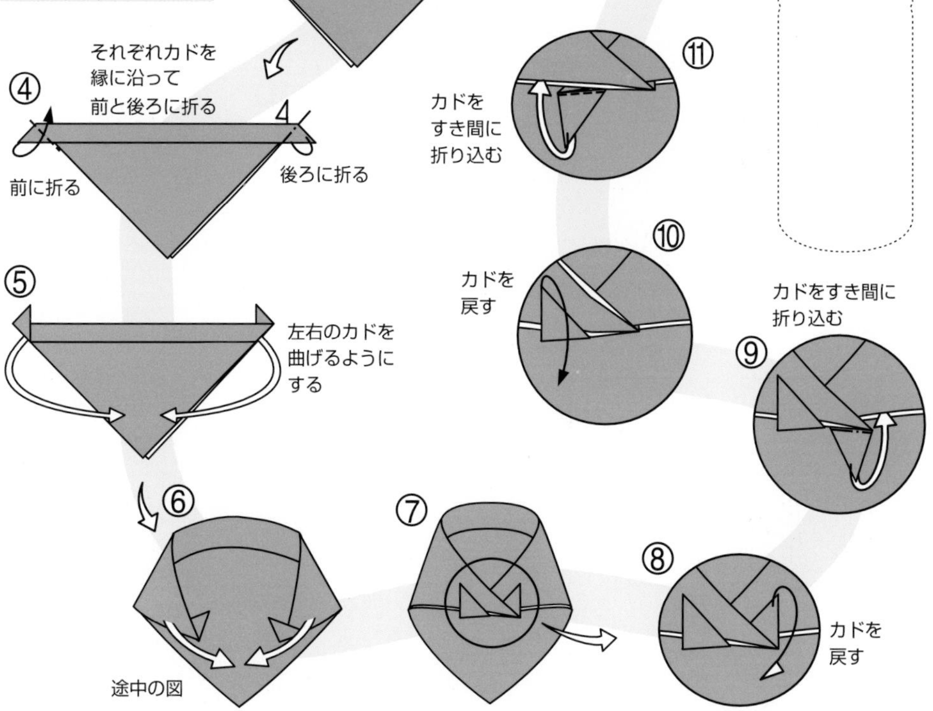
④
それぞれカドを縁に沿って前と後ろに折る
前に折る
後ろに折る
⑤
左右のカドを曲げるようにする
⑥
途中の図
⑦
⑧
カドを戻す
⑨
カドをすき間に折り込む
⑩
カドを戻す
⑪
カドをすき間に折り込む

魚釣りゲーム

魚の中に点数を書いて得点を競い合います。
みんな魚釣りに夢中です。

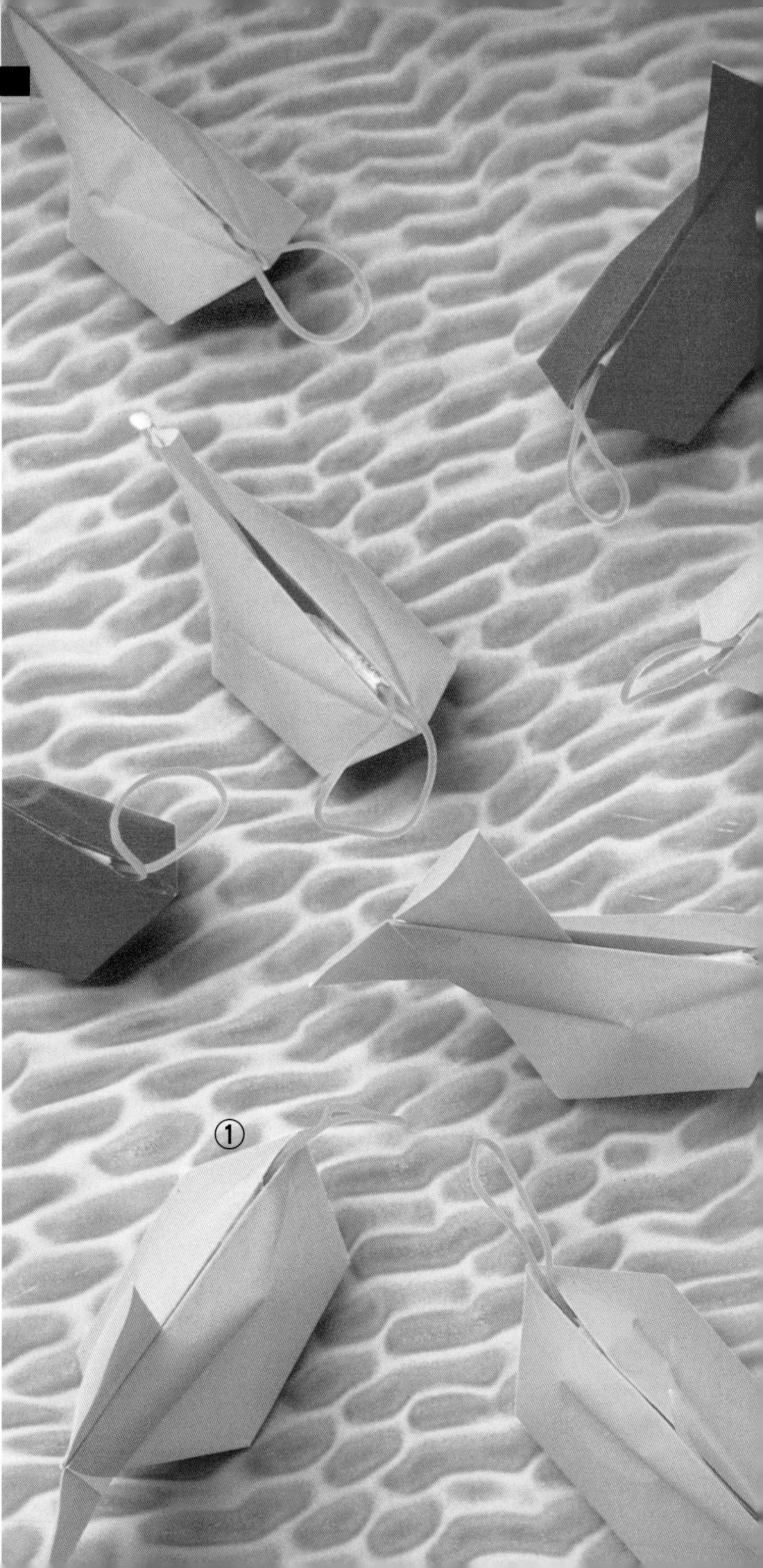

折り図

①はP122～123参照

1

魚釣りゲーム

風船金魚

用紙

●寸法（写真）
紙
15×15cm
仕上がり
10.5×3.7×7.5cm

●素材
折り紙、和紙、洋紙など

◆ワンポイント
和紙などで折って、飾っても良いインテリアになります。遊び方をいろいろ工夫してみましょう。

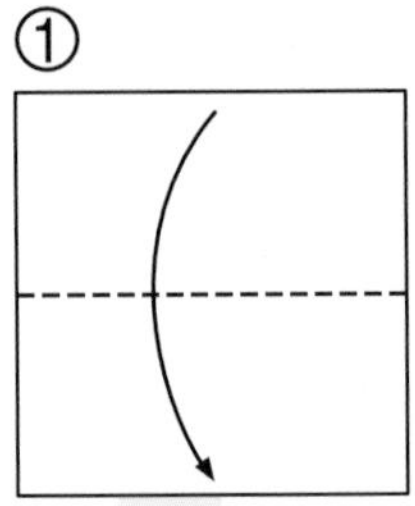

①

半分に折る

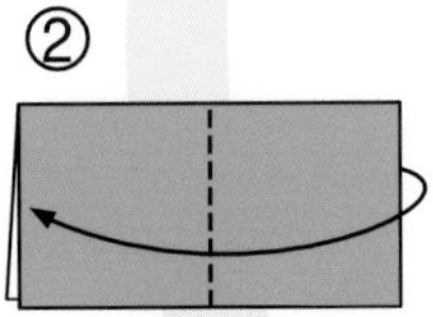

②

半分に折る

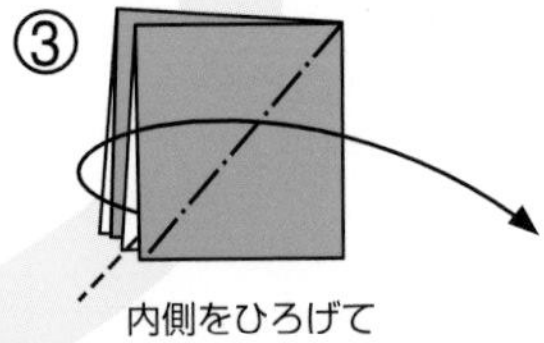

③

内側をひろげて
つぶすように折る

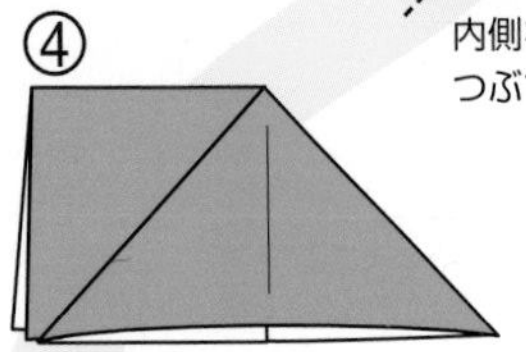

④

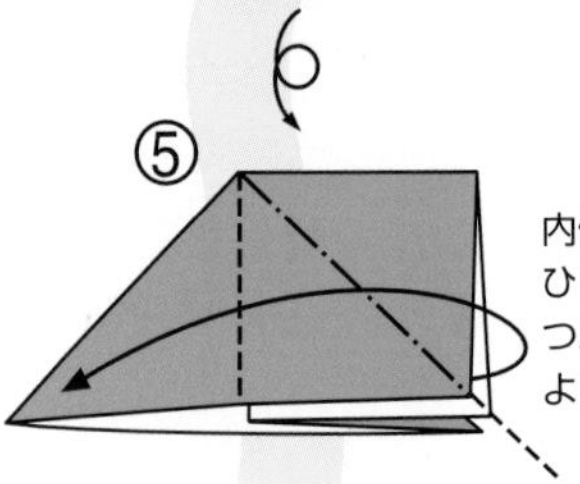

⑤

内側を
ひろげて
つぶす
ように折る

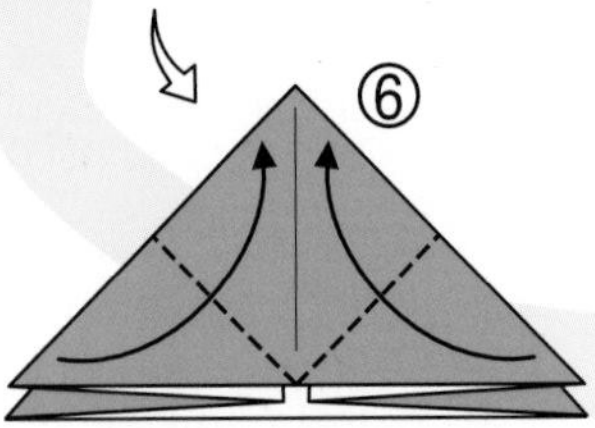

⑥

カドとカドを合わせて折る

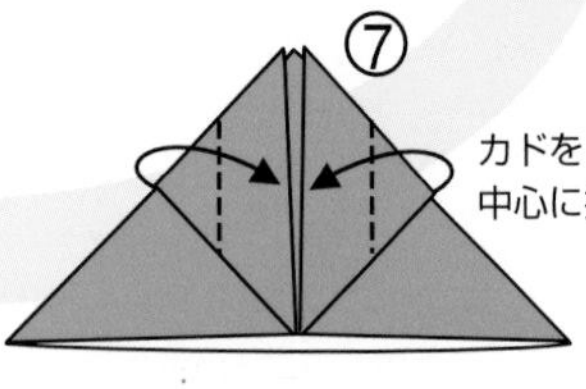

⑦

カドを
中心に折る

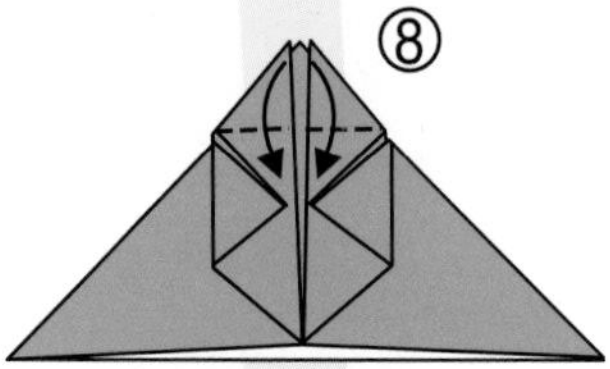

⑧

カドとカドを
合わせて折る

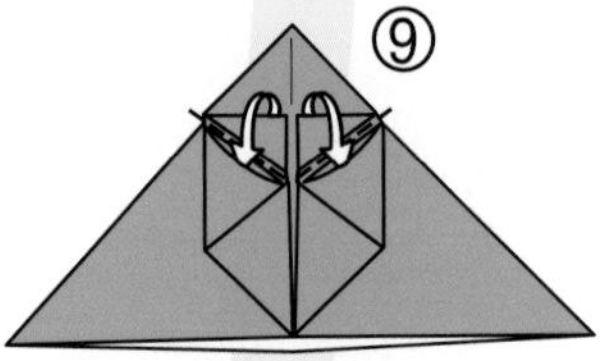

⑨

カドをすき間に
差し込むように折る

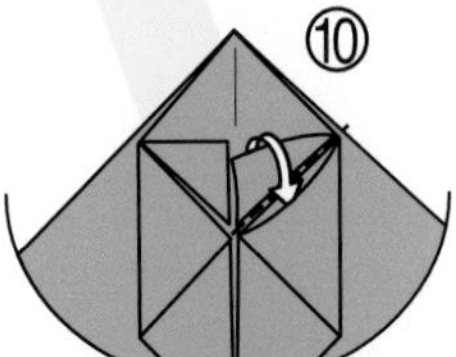

⑩

途中の図

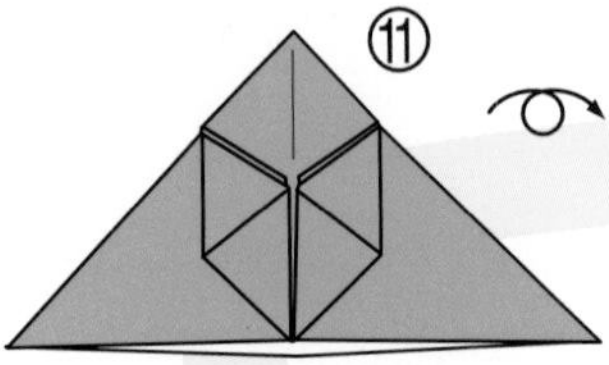

⑪

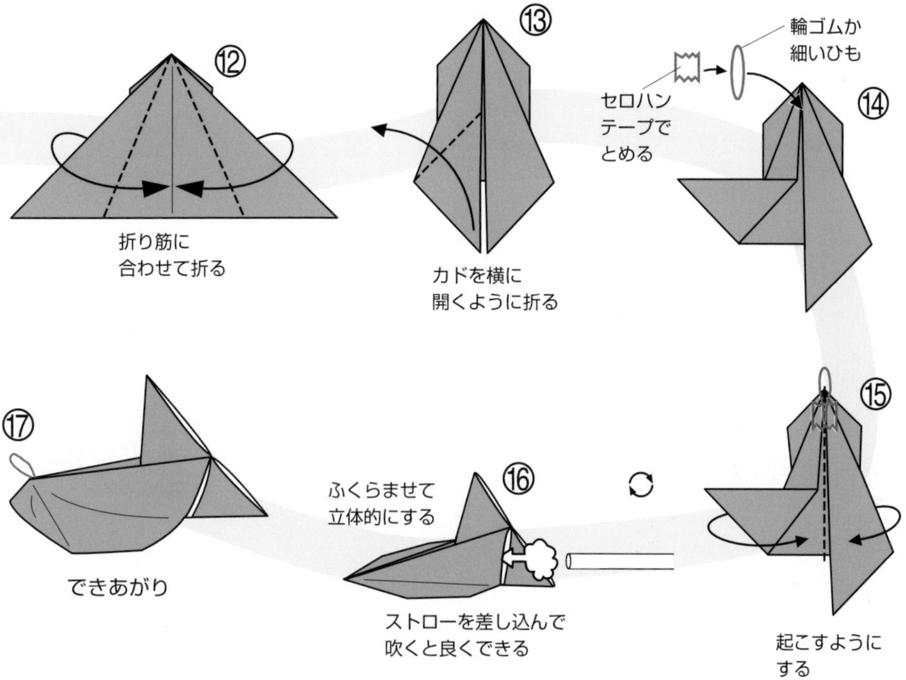
⑫
折り筋に
合わせて折る
⑬
カドを横に
開くように折る
輪ゴムか
細いひも
セロハン
テープで
とめる
⑭
⑮
起こすように
する
⑯
ふくらませて
立体的にする
ストローを差し込んで
吹くと良くできる
⑰
できあがり

[遊び方]

●クリップで
針を作る

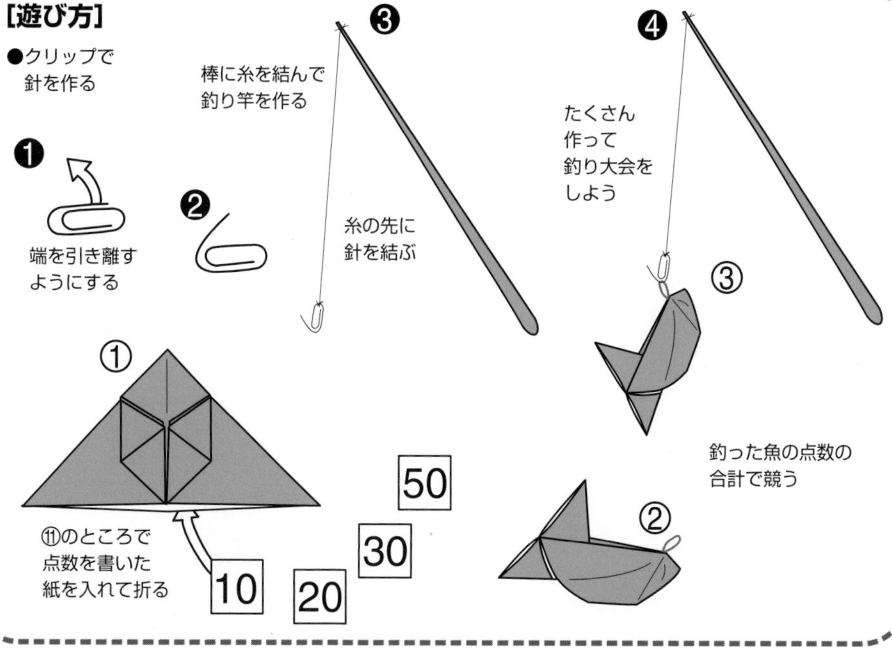
❶
端を引き離す
ようにする
❷
❸
棒に糸を結んで
釣り竿を作る
糸の先に
針を結ぶ
❹
たくさん
作って
釣り大会を
しよう
①
⑪のところで
点数を書いた
紙を入れて折る
10
20
30
50
②
③
釣った魚の点数の
合計で競う

パーティゲーム

ひっくり返しゲームはオセロゲームと同じルール。
からすの豆つまみは、早く豆を移動した人の勝ち。

折り図

①はP126参照
②はP127参照

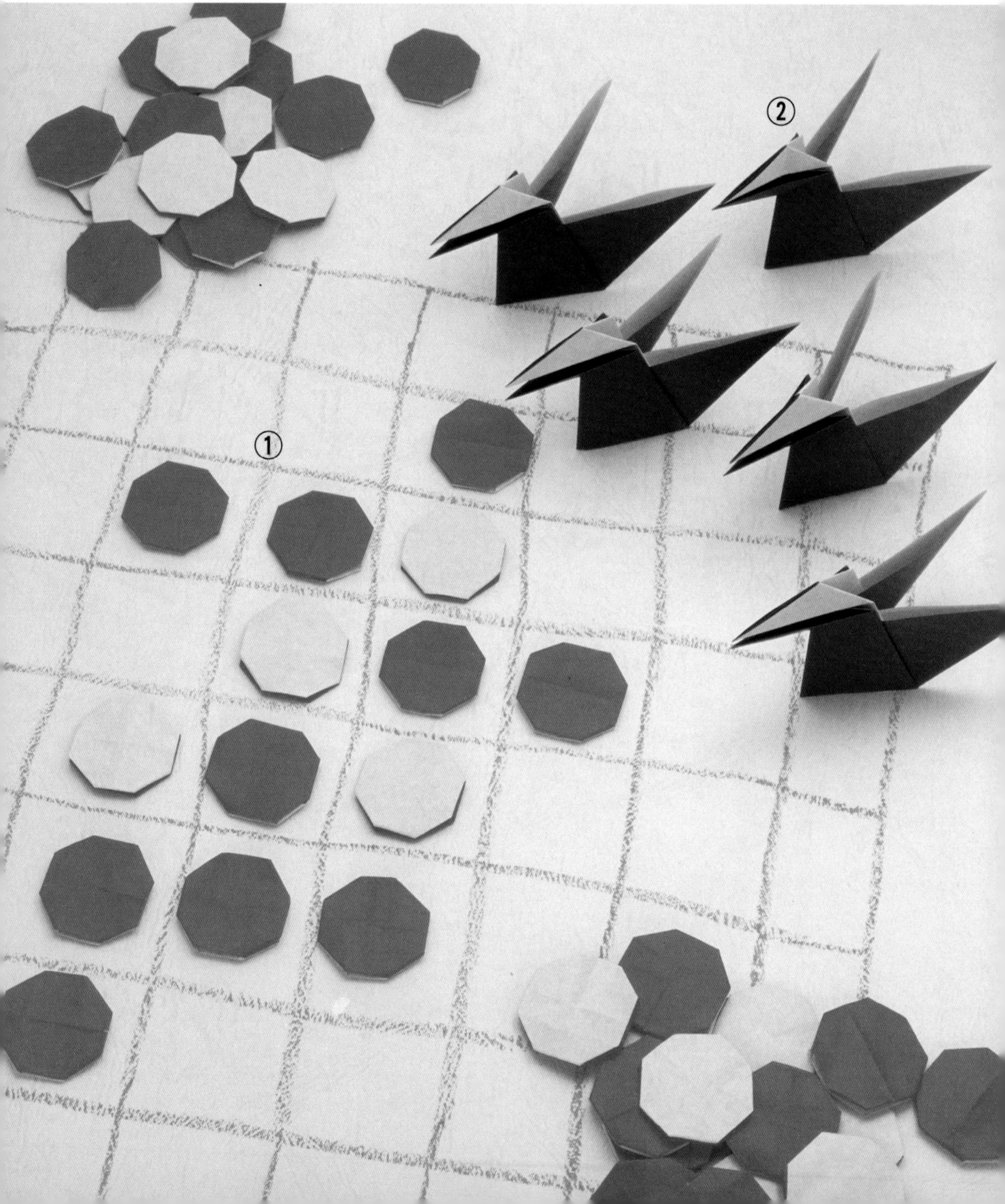

②

②

1

パーティゲーム

ひっくり返しゲーム

用紙

●寸法（写真）
紙
7.5×15cm
仕上がり
3.75×3.75cm

●素材
両面の折り紙用紙

◆ワンポイント
手作りの駒でおなじみのゲームを遊んでみましょう。

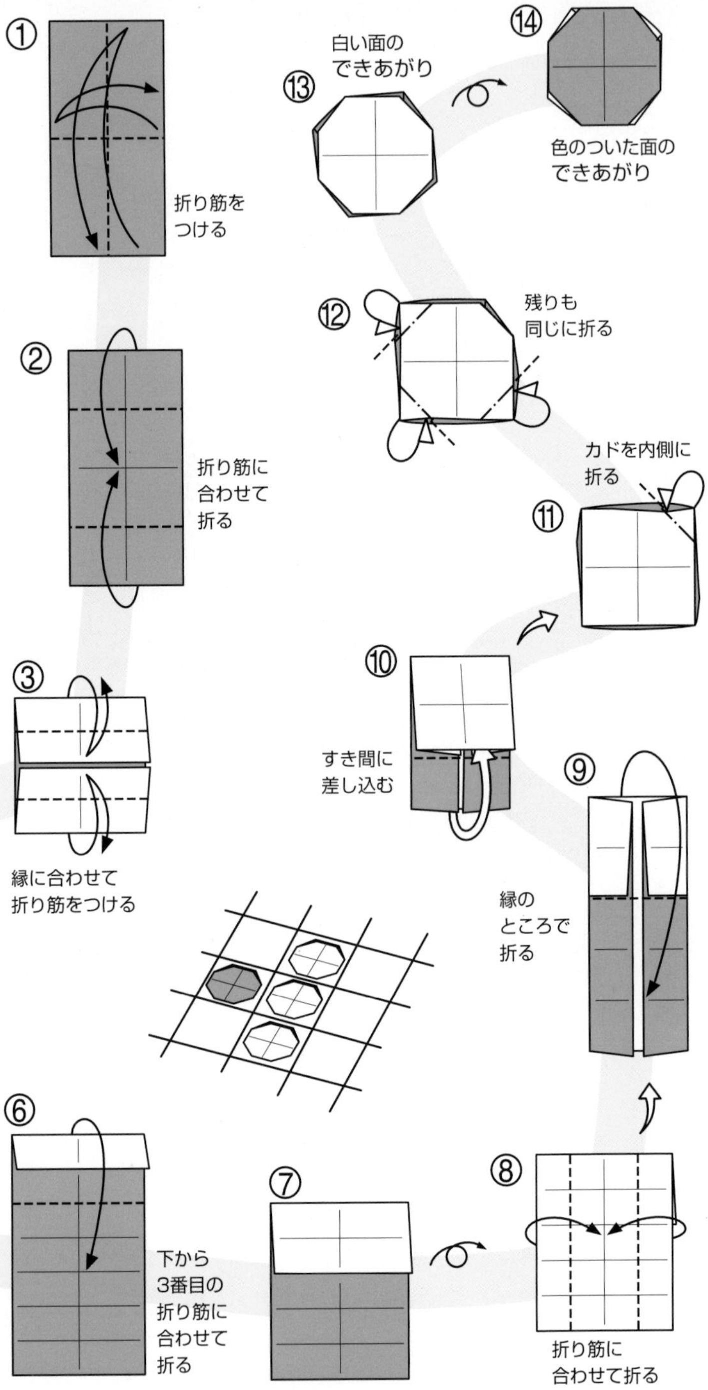
①
折り筋を
つける
②
折り筋に
合わせて
折る
③
縁に合わせて
折り筋をつける
⑥
下から
3番目の
折り筋に
合わせて
折る
⑦
⑧
折り筋に
合わせて折る
⑨
縁の
ところで
折る
⑩
すき間に
差し込む
⑪
カドを内側に
折る
⑫
残りも
同じに折る
⑬
白い面の
できあがり
⑭
色のついた面の
できあがり

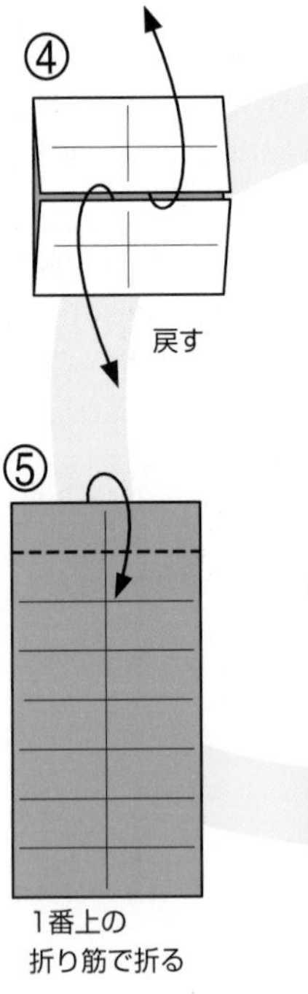
④
戻す
⑤
1番上の
折り筋で折る

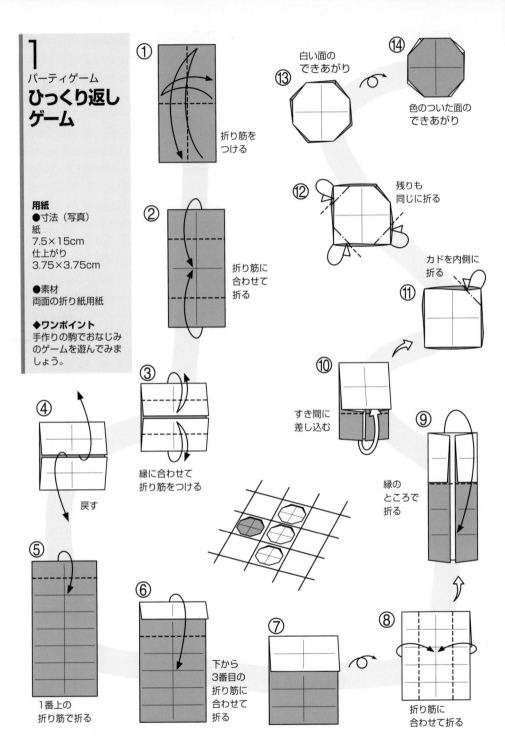

2

パーティゲーム

おしゃべりがらす

用紙

●寸法（写真）
紙
15×15cm
仕上がり
11.5×9.5×7cm

●素材
折り紙、和紙、洋紙など

◆ワンポイント
くちばしをぱくぱくさせるかわいいからすです。いろんなものをつまんで遊びましょう。

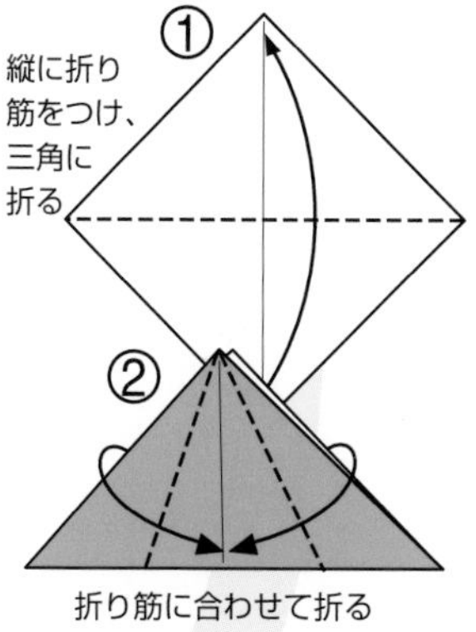

①
縦に折り筋をつけ、三角に折る
②
折り筋に合わせて折る

[遊び方] 豆などをたくさん用意して誰が一番早く、たくさん運べるか競争しよう

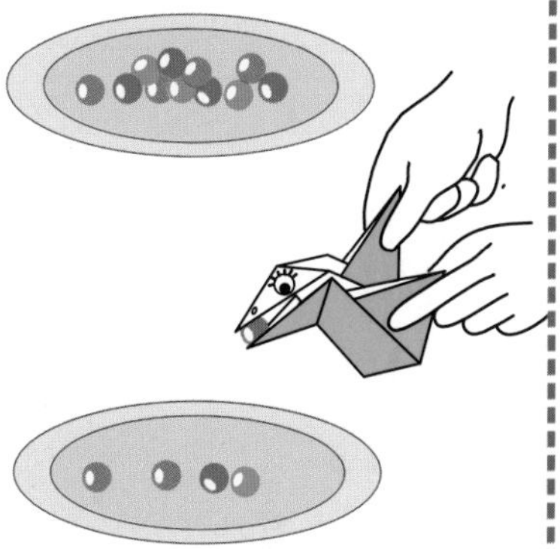

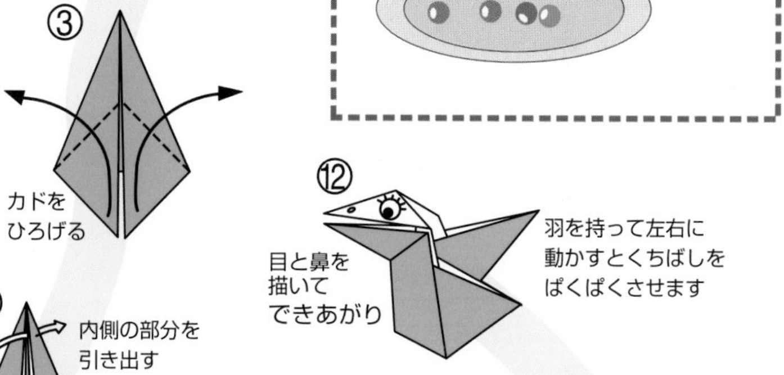

③
カドをひろげる
⑫
目と鼻を描いてできあがり
羽を持って左右に動かすとくちばしをぱくぱくさせます

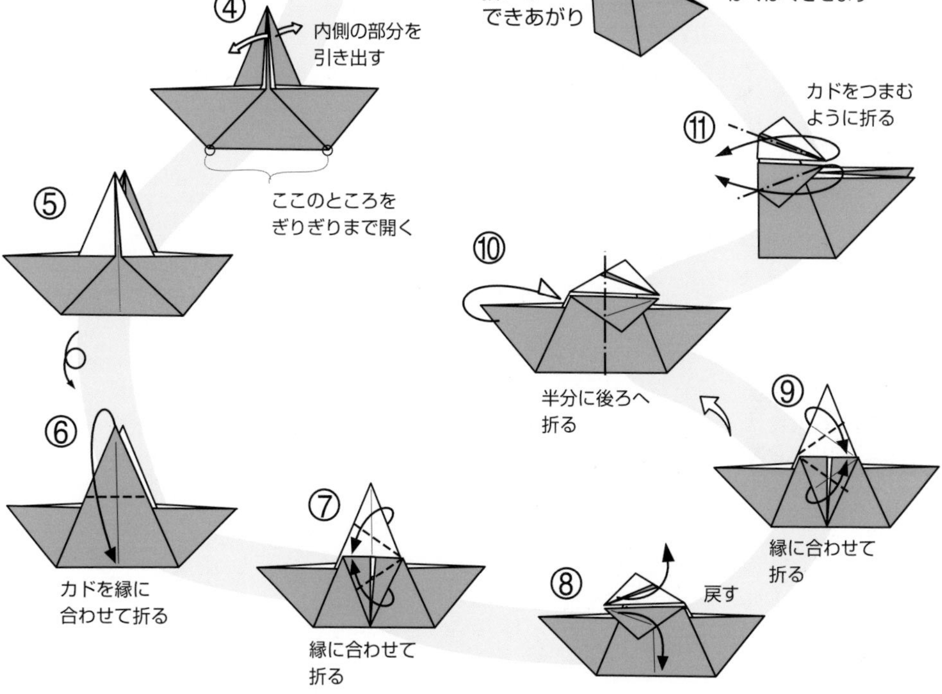

④
内側の部分を引き出す
ここのところをぎりぎりまで開く
⑤
⑥
カドを縁に合わせて折る
⑦
縁に合わせて折る
⑧
戻す
⑨
縁に合わせて折る
⑩
半分に後ろへ折る
⑪
カドをつまむように折る

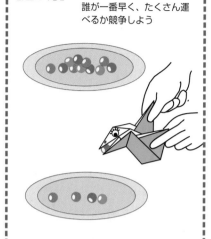

お正月飾り

場所のとらないお正月飾り。ドアにはミニ門松。
見た目に豪華なお正月飾りができました。

折り図

①はP130参照
②はP131参照

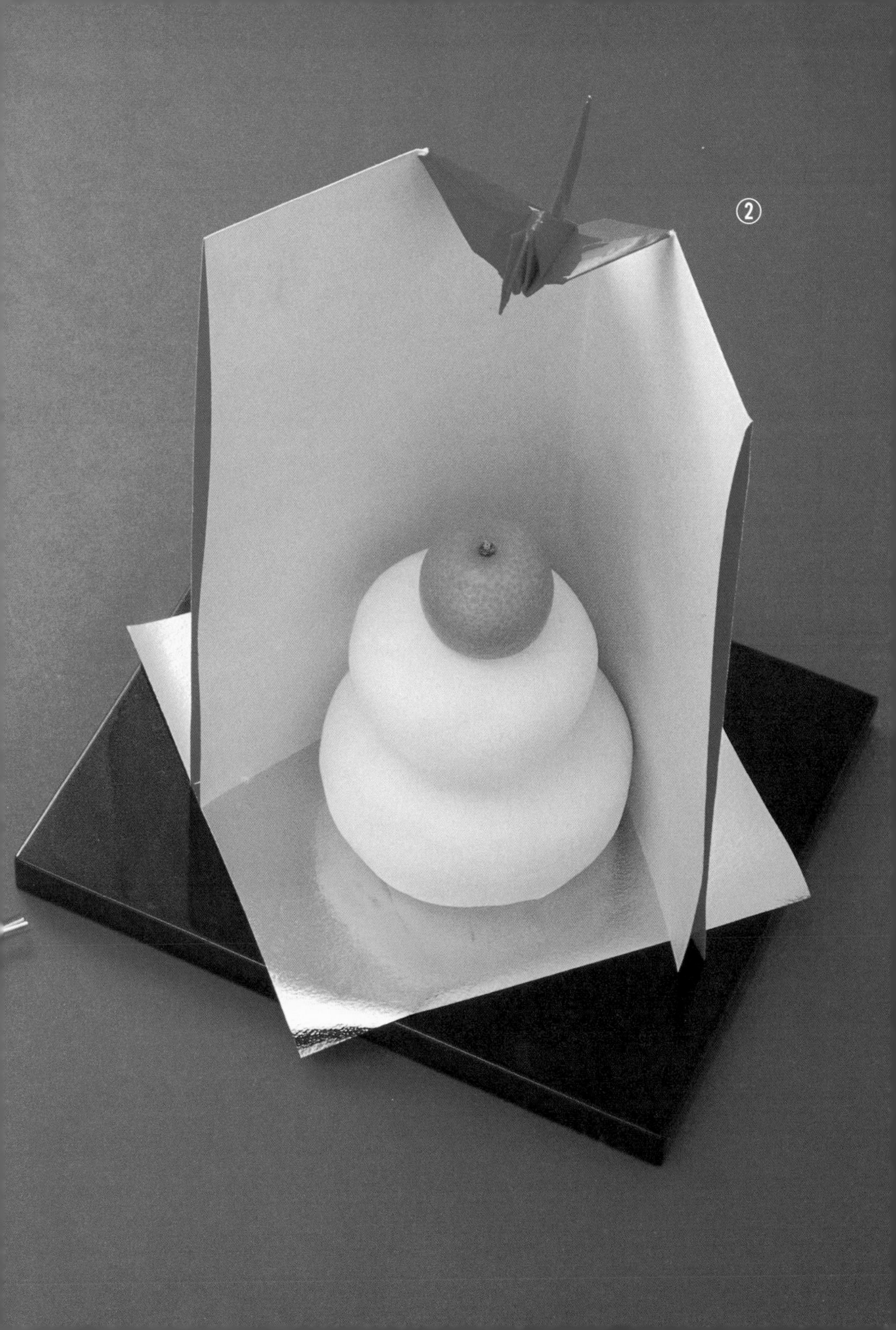

②

1

お正月飾り

門松飾り

用紙
●寸法（写真）
紙
(赤)22×22cm
(白)21.4×21.4cm
仕上がり
15.7×10.8cm

●素材
和紙、千代折り紙

◆ワンポイント
気軽にできるお正月飾りです。箸袋にしても良いでしょう。中に差す松などはデパートの手芸コーナーなどにあります。

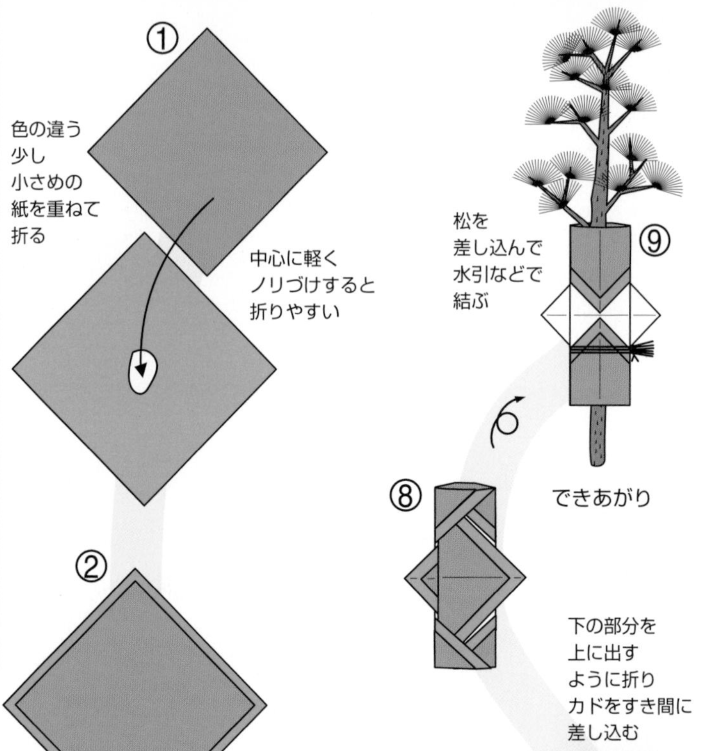
①
色の違う
少し
小さめの
紙を重ねて
折る
中心に軽く
ノリづけすると
折りやすい
②
⑨
松を
差し込んで
水引などで
結ぶ
できあがり
⑧
下の部分を
上に出す
ように折り
カドをすき間に
差し込む

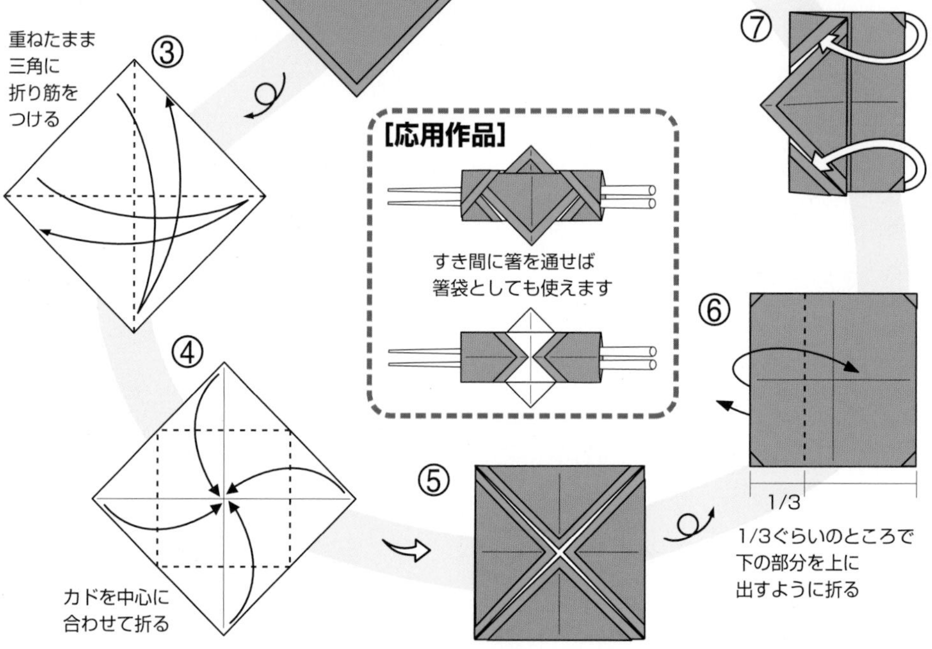
⑦
重ねたまま
三角に
折り筋を
つける
③
[応用作品]
すき間に箸を通せば
箸袋としても使えます
⑥
1/3
1/3ぐらいのところで
下の部分を上に
出すように折る
④
カドを中心に
合わせて折る
⑤

2

お正月飾り

鶴のモニュメント

用紙

●寸法（写真）
紙
32×54cm
仕上がり
12×16×27cm

●素材
和紙

◆ワンポイント
基本的にはP106［鶴のランプシェード1］と折り方は同じですが鶴の向きを変えるとまた雰囲気が変わります。

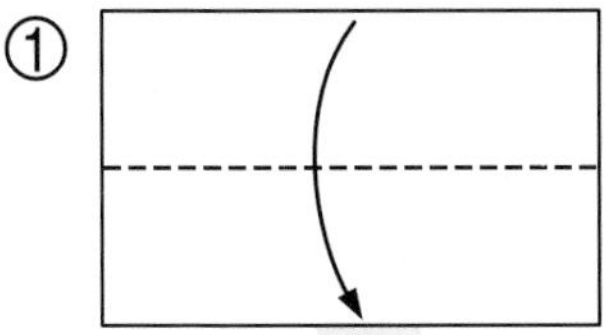
①
半分に折る

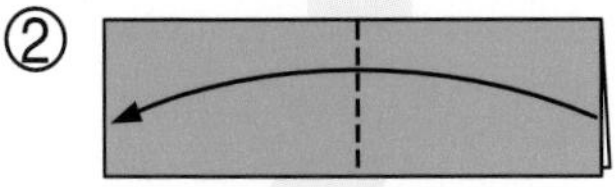
②
半分に折る

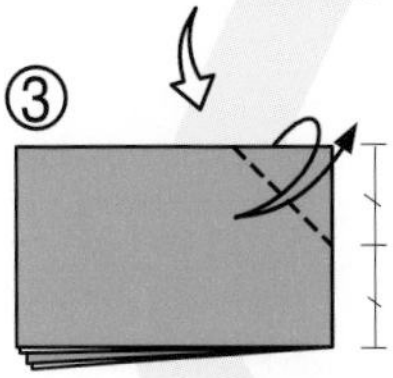
③
斜めに
折り筋を
つける

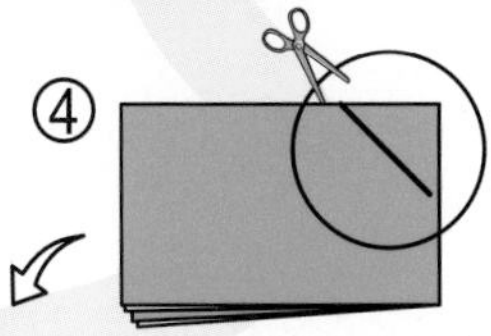
④
P106［鶴のランプ
シェード1］の
⑤～⑭と同じに折る

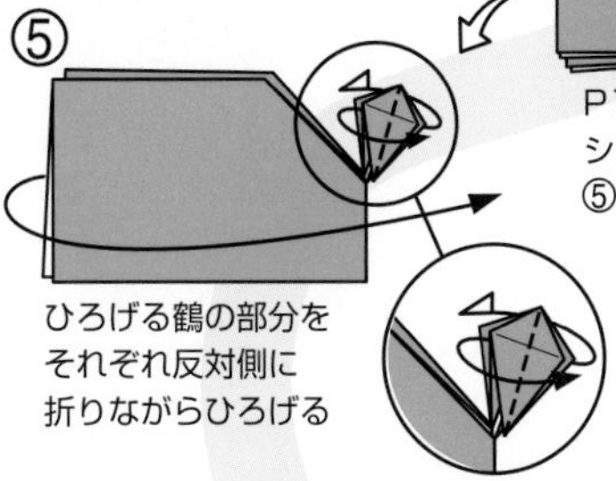
⑤
ひろげる鶴の部分を
それぞれ反対側に
折りながらひろげる

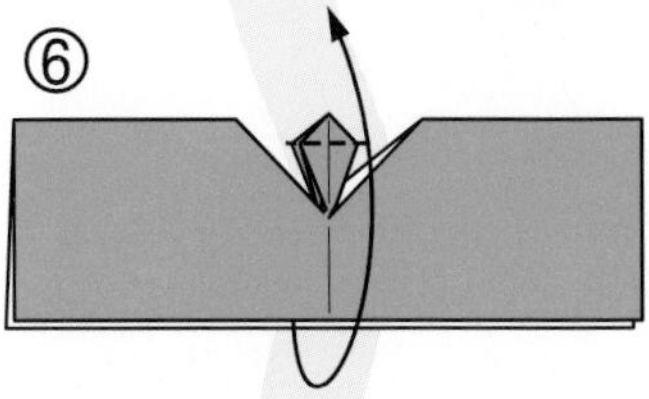
⑥
上の１枚を
開くように
折る

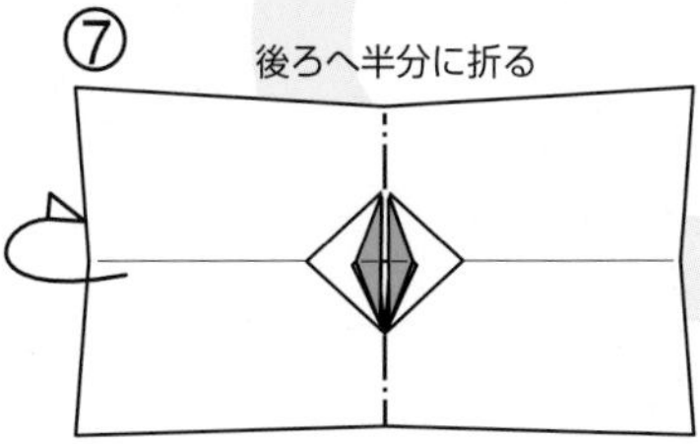
⑦
後ろへ半分に折る

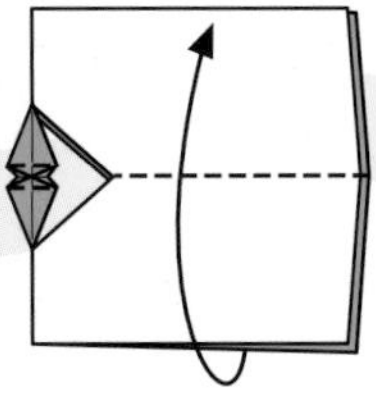
⑧
縁と縁を
合わせて折る

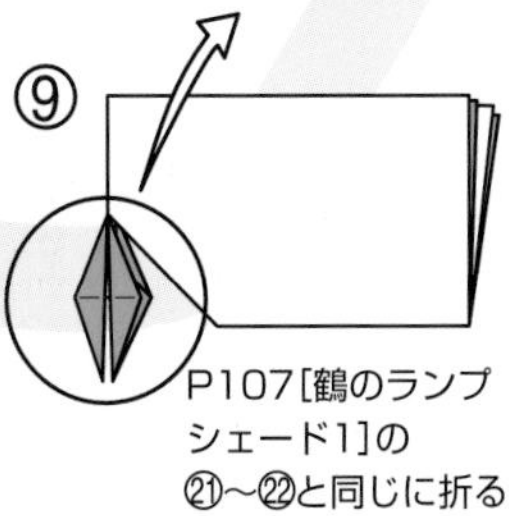
⑨
P107［鶴のランプ
シェード1］の
㉑～㉒と同じに折る

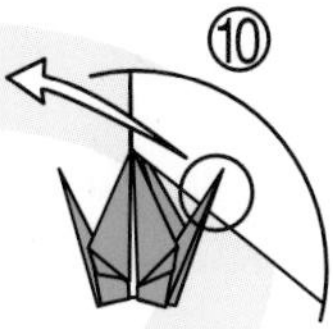
⑩

⑪
中わり
折り

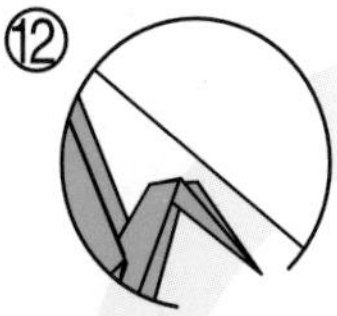
⑫

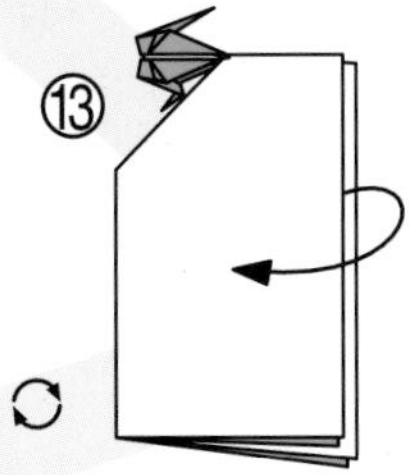
⑬
軽くひらく

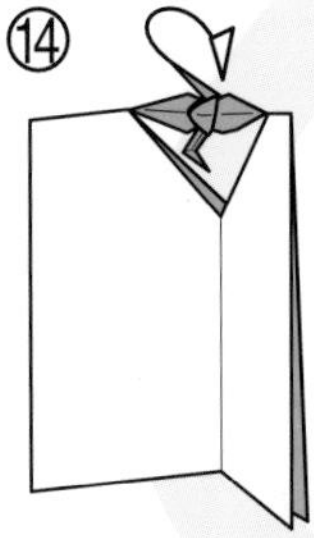
⑭
鶴を
かたむける

⑮
できあがり

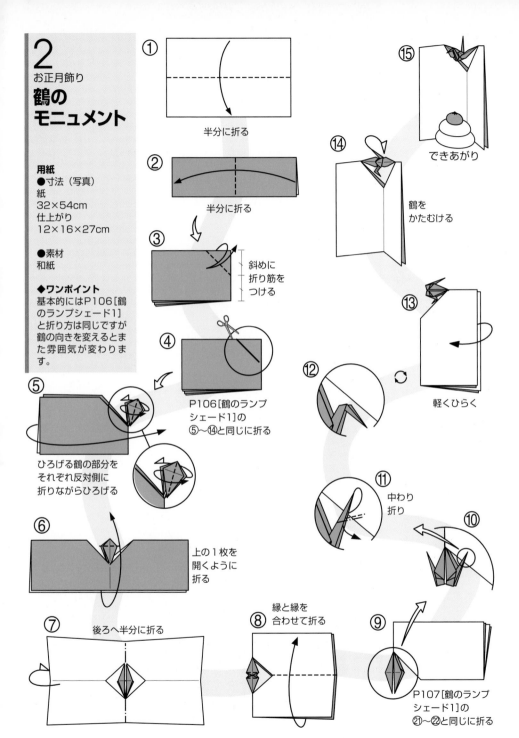

連獅子

お正月の他に、普段でも飾っておけます。見栄えもいいのでプレゼントにも。

折り図

①はP134～135参照

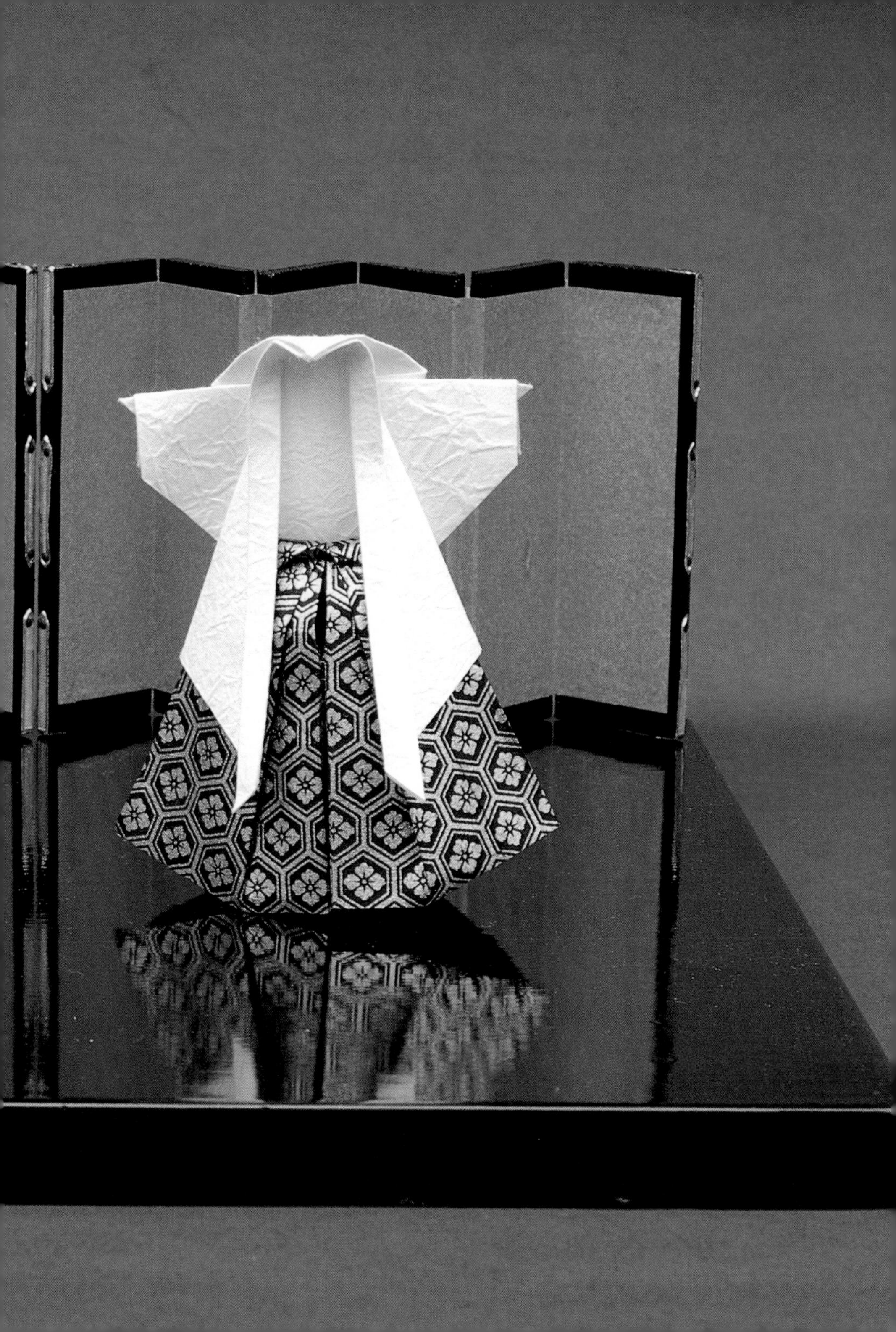

1
連獅子

用紙
●寸法（写真）
紙
(上・下)15×15cm
仕上がり
3.2×9.5×11cm

●素材
両面同色和紙、江戸千代紙

◆ワンポイント
完成したら袴の内側にティッシュなどをまるめてつめて、立体的に形を整えるようにすると良いでしょう。

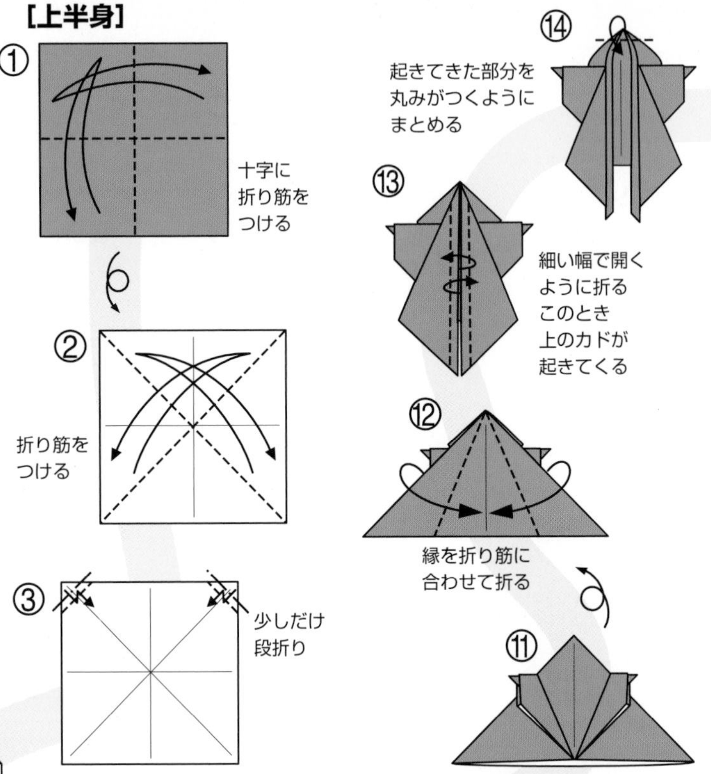
[上半身]
①
十字に
折り筋を
つける
②
折り筋を
つける
③
少しだけ
段折り
⑪
縁を折り筋に
合わせて折る
⑫
細い幅で開く
ように折る
このとき
上のカドが
起きてくる
⑬
起きてきた部分を
丸みがつくように
まとめる
⑭

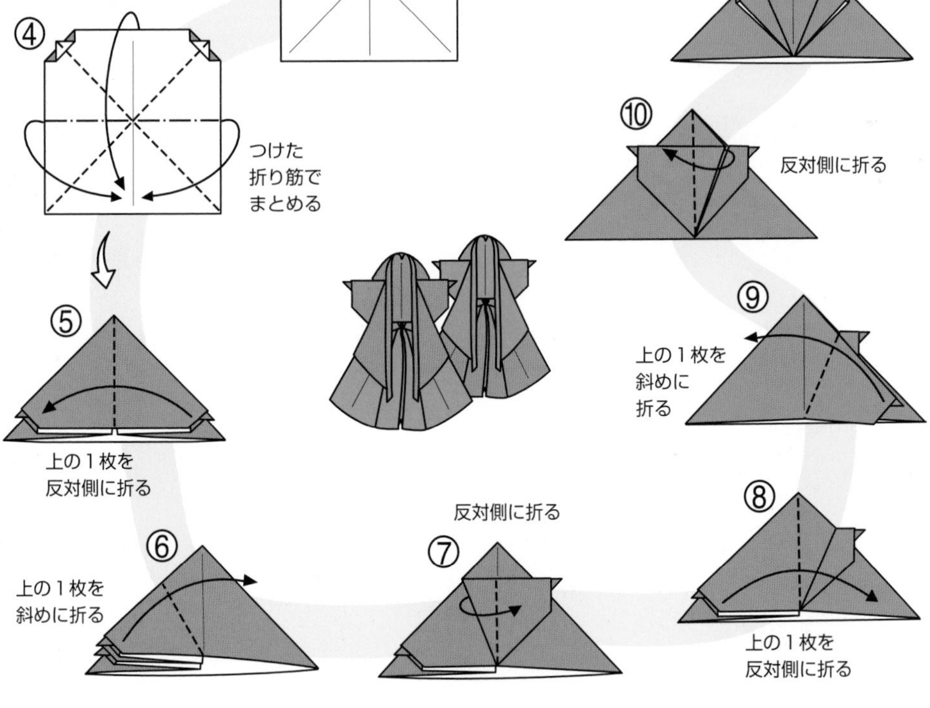
④
つけた
折り筋で
まとめる
⑤
上の１枚を
反対側に折る
⑥
上の１枚を
斜めに折る
⑦
反対側に折る
⑧
上の１枚を
反対側に折る
⑨
上の１枚を
斜めに
折る
⑩
反対側に折る

[下半身]

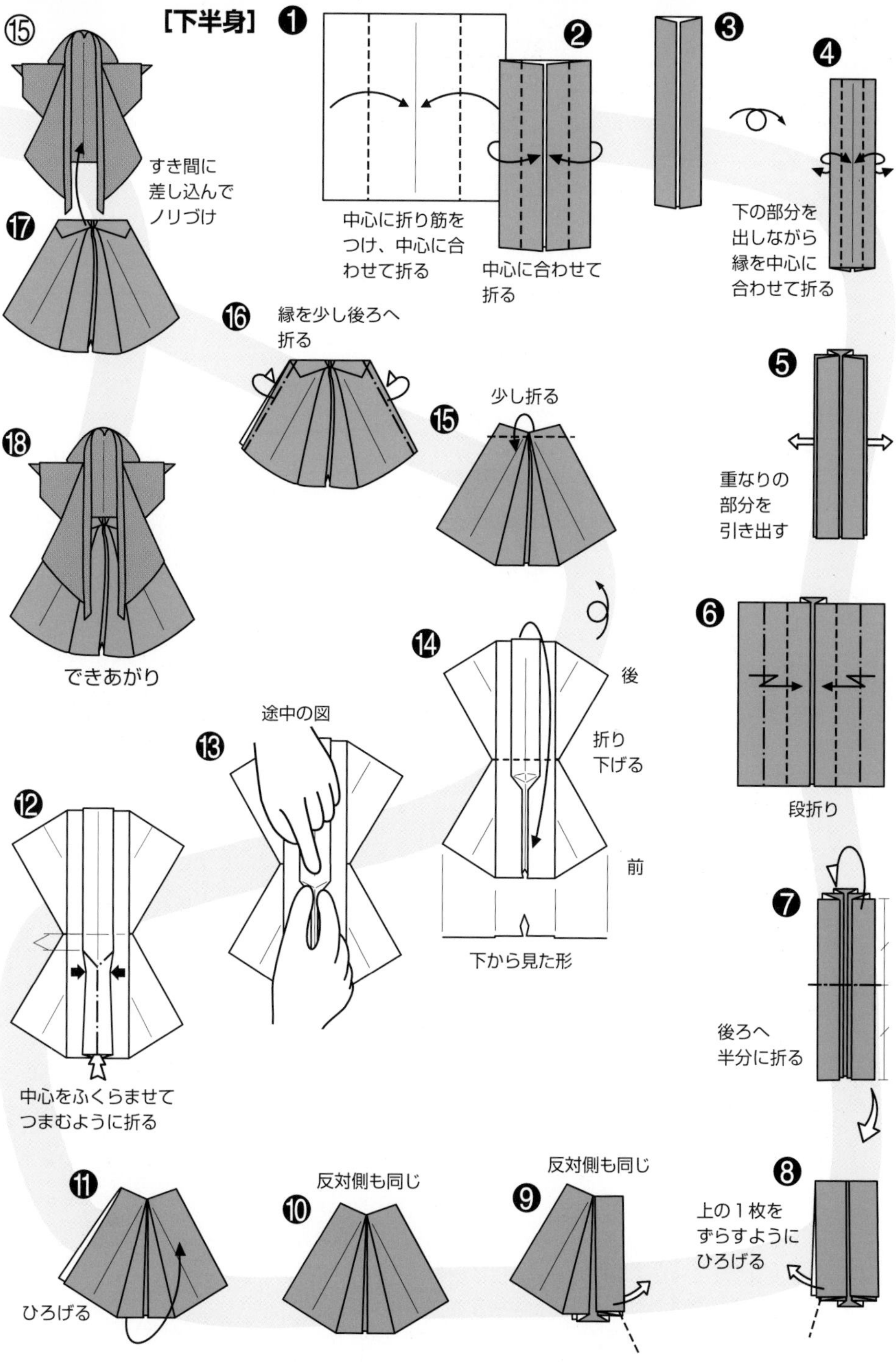

1
中心に折り筋をつけ、中心に合わせて折る
2
中心に合わせて折る
3
4
下の部分を出しながら縁を中心に合わせて折る
5
重なりの部分を引き出す
6
段折り
7
後ろへ半分に折る
8
上の1枚をずらすようにひろげる
9
反対側も同じ
10
反対側も同じ
11
ひろげる
12
中心をふくらませてつまむように折る
13
途中の図
14
後
折り下げる
前
下から見た形
15
少し折る
16
縁を少し後ろへ折る
15
すき間に差し込んでノリづけ
17
18
できあがり

雛祭り

折り紙を重ねて折るのでちょっと難しいですが、でき上がりはとても豪華です。

折り図

①はP138～139、P189～193参照
②はP193～196参照

②

1~2
雛祭り
男雛
女雛

用紙
●寸法（写真）
紙
15×15cm
仕上がり
4×9cm

●素材
厚手の洋紙または和紙

◆ワンポイント
重ねて折る際にずれないように気をつけましょう。切り込みの位置や量を間違えないように注意して下さい。

[男雛]

①
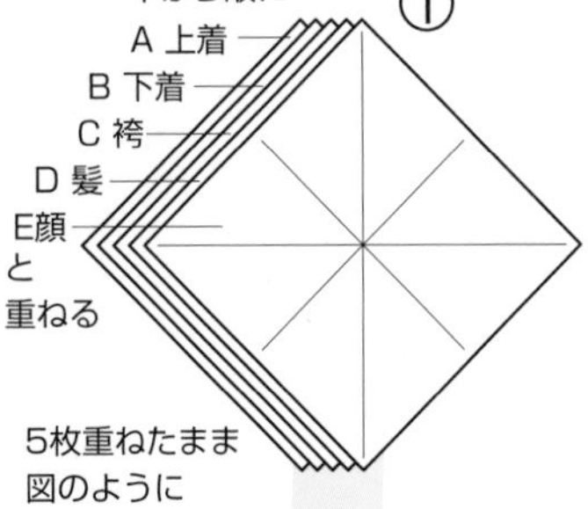
下から順に
A 上着
B 下着
C 袴
D 髪
E顔
と
重ねる

5枚重ねたまま
図のように
縦、横、斜めに折り筋を
つけてからはじめる
●注＝5枚とも裏を向けて
ずれないようにきちんと
重ねて折るようにする

②
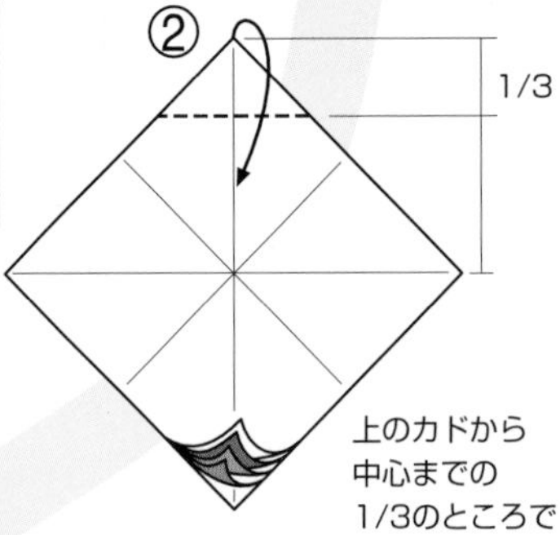
1/3

上のカドから
中心までの
1/3のところで
折る

③
縁を中心に
合わせて折って
肩の線とする

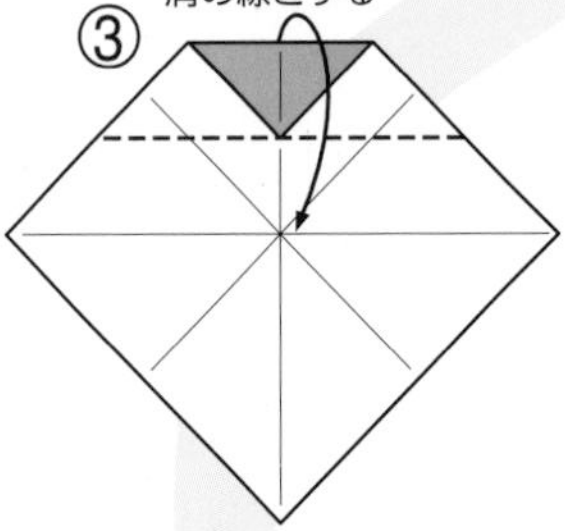

④
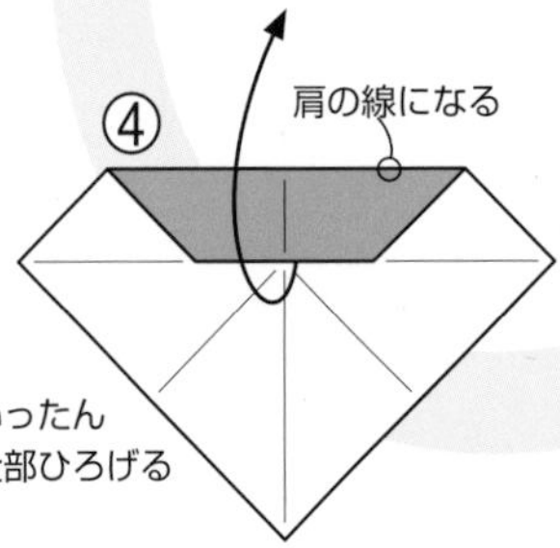
肩の線になる

いったん
全部ひろげる

⑤
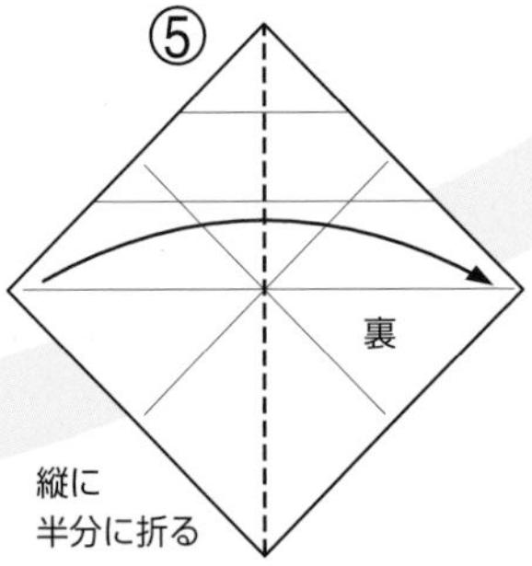
裏

縦に
半分に折る

⑥
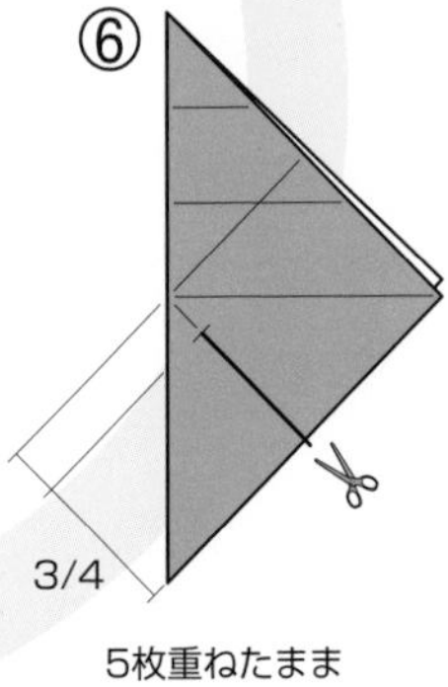
3/4

5枚重ねたまま
図のように
3/4くらいまで
袖の切り込みを
入れる

⑦
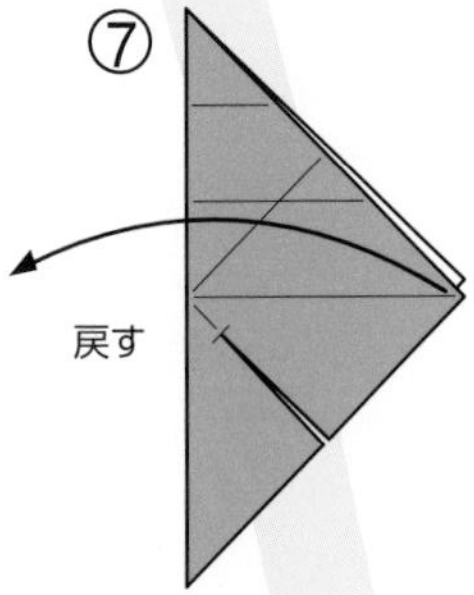
戻す

[基本形]

男雛も女雛もはじめに
ここまでは同じように折る

⑧
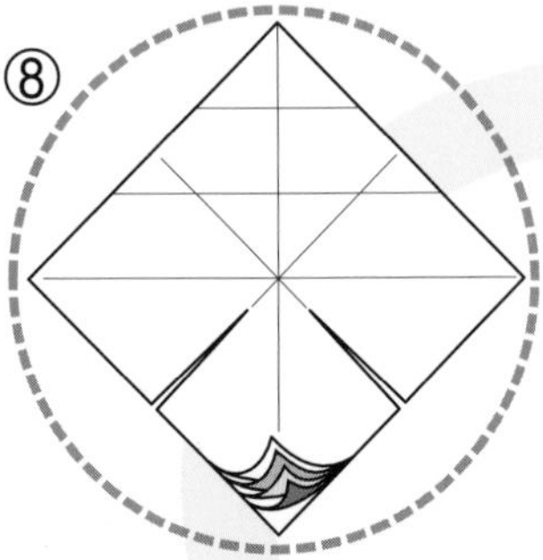

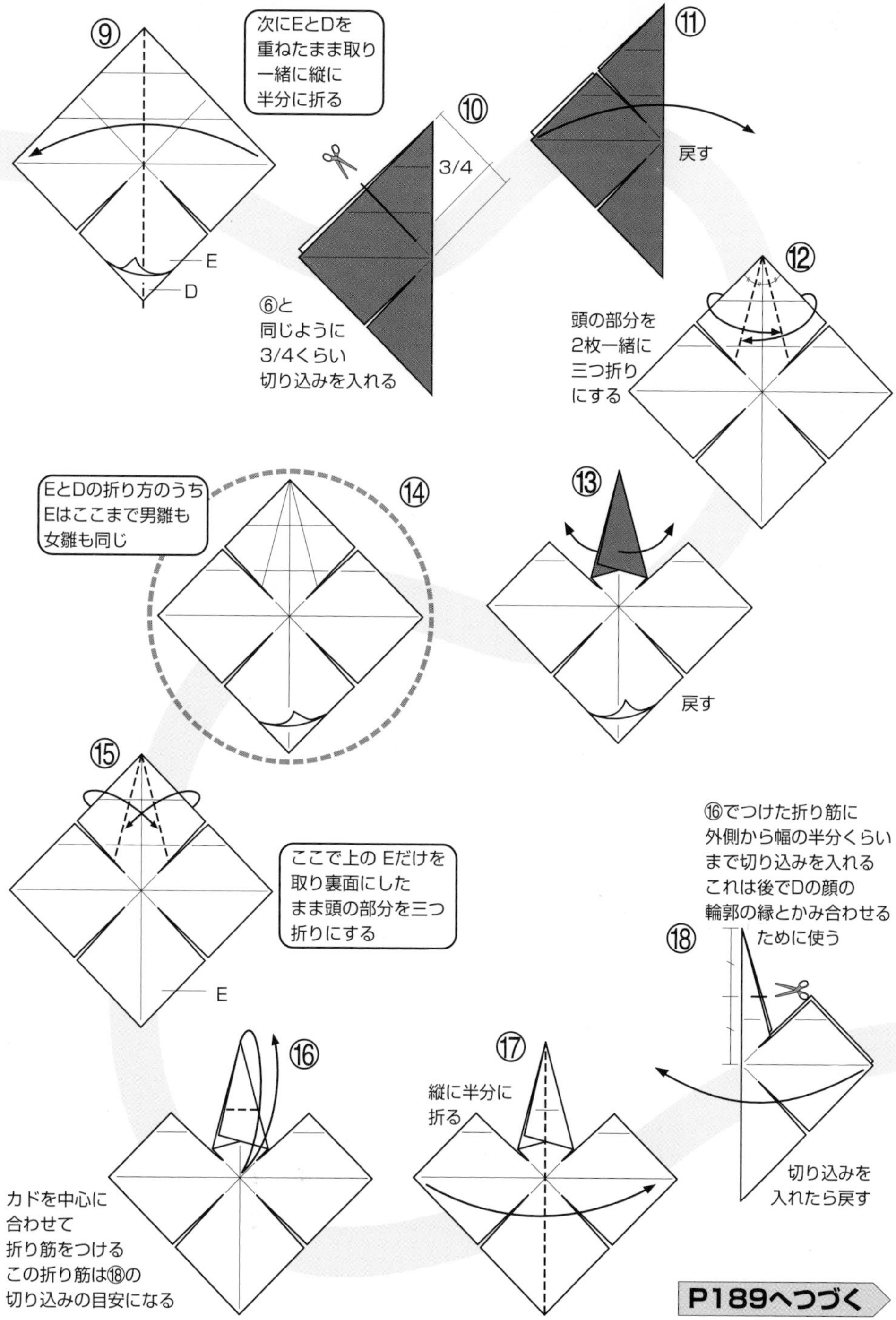
⑨
次にEとDを
重ねたまま取り
一緒に縦に
半分に折る
E
D
⑩
3/4
⑥と
同じように
3/4くらい
切り込みを入れる
⑪
戻す
⑫
頭の部分を
2枚一緒に
三つ折り
にする
⑬
戻す
⑭
EとDの折り方のうち
Eはここまで男雛も
女雛も同じ
⑮
ここで上の Eだけを
取り裏面にした
まま頭の部分を三つ
折りにする
E
⑯
カドを中心に
合わせて
折り筋をつける
この折り筋は⑱の
切り込みの目安になる
⑰
縦に半分に
折る
⑱
⑯でつけた折り筋に
外側から幅の半分くらい
まで切り込みを入れる
これは後でDの顔の
輪郭の縁とかみ合わせる
ために使う
切り込みを
入れたら戻す

P189へつづく

子どもの日

かわいらしい金太郎とクマさん。
塗り物の台や板の上に置くと見栄えがします。

折り図

①はP142～143参照
②はP184～185参照

①

1
子どもの日
金太郎

用紙
●寸法（写真）
紙
(体)
12×12cm
(腕、まさかり)
12×4cm
(顔)
6×12cm
仕上がり
10×11.5cm

●素材
両面の折り紙用紙

◆ワンポイント
いろいろな大きさの紙を使いますが、間違えないようにして下さい。

[体]

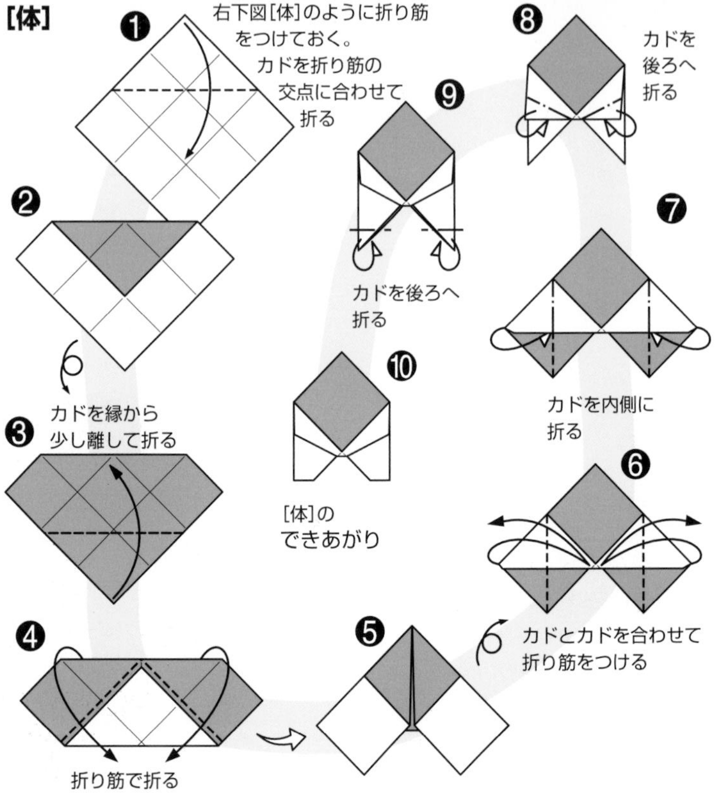

右下図[体]のように折り筋をつけておく。
カドを折り筋の交点に合わせて折る
カドを縁から少し離して折る
折り筋で折る
カドとカドを合わせて折り筋をつける
カドを内側に折る
カドを後ろへ折る
カドを後ろへ折る
[体]のできあがり

[まさかり]

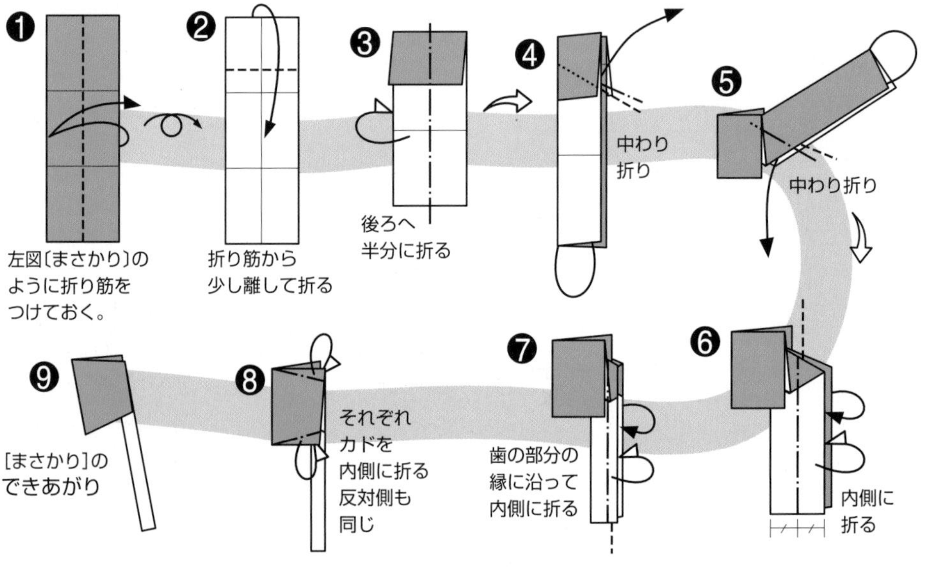

左図〔まさかり〕のように折り筋をつけておく。
折り筋から少し離して折る
後ろへ半分に折る
中わり折り
中わり折り
内側に折る
歯の部分の縁に沿って内側に折る
それぞれカドを内側に折る反対側も同じ
[まさかり]のできあがり

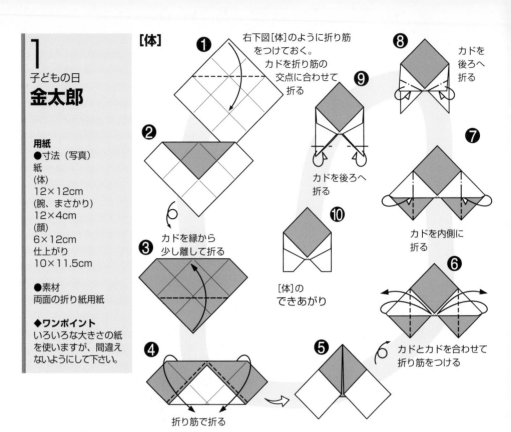

[腕]

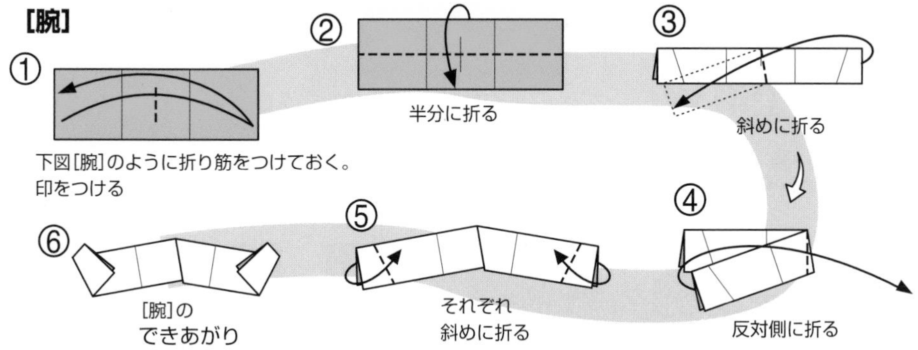
①
下図[腕]のように折り筋をつけておく。
印をつける
②
半分に折る
③
斜めに折る
④
反対側に折る
⑤
それぞれ
斜めに折る
⑥
[腕]の
できあがり

[顔]

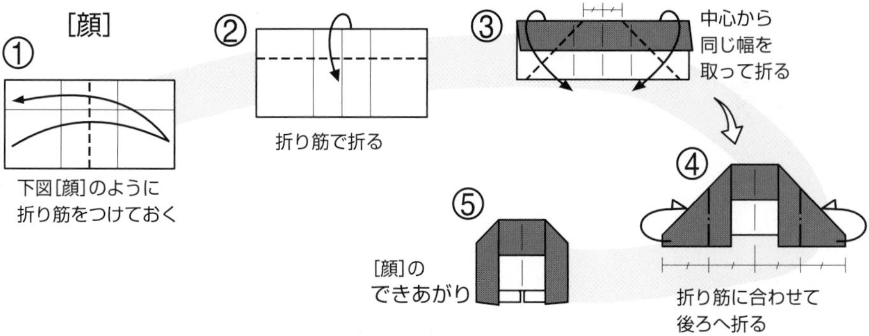
①
下図[顔]のように
折り筋をつけておく
②
折り筋で折る
③
中心から
同じ幅を
取って折る
④
折り筋に合わせて
後ろへ折る
⑤
[顔]の
できあがり

[組み立て]

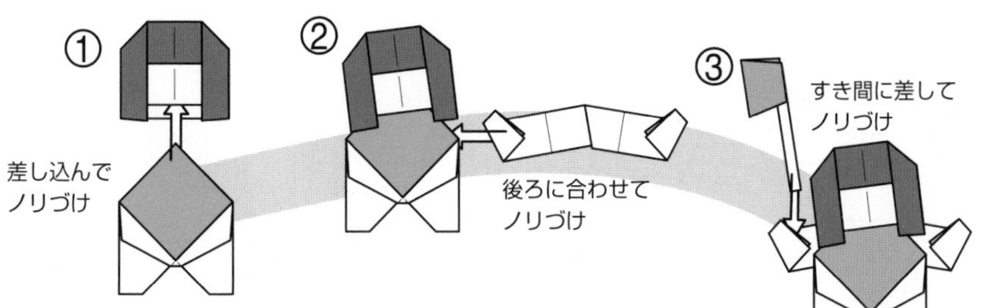
①
差し込んで
ノリづけ
②
後ろに合わせて
ノリづけ
③
すき間に差して
ノリづけ

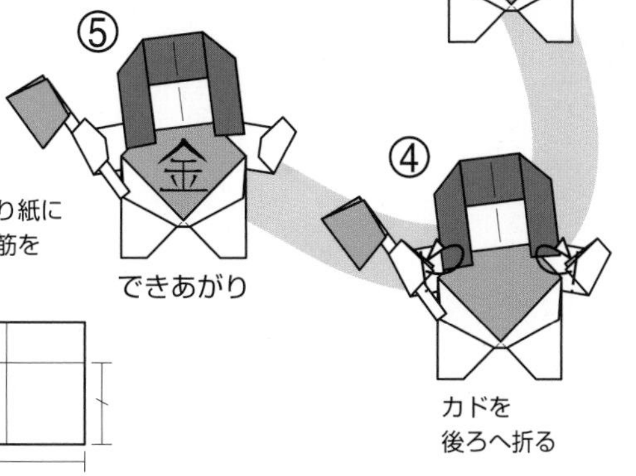
④
カドを
後ろへ折る
⑤
金
できあがり

[紙の比率]

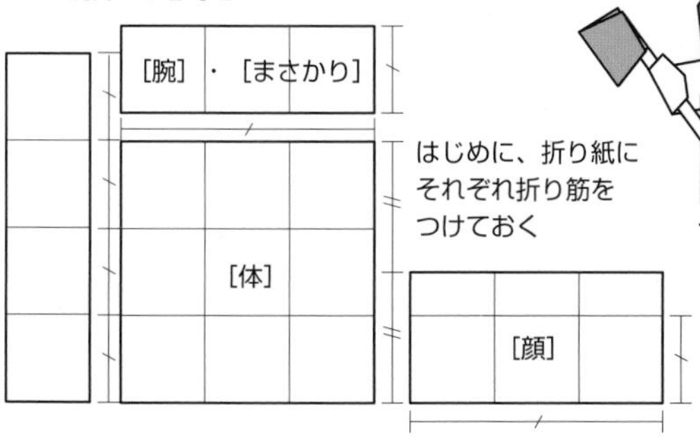
[腕]・[まさかり]
[体]
[顔]
はじめに、折り紙に
それぞれ折り筋を
つけておく

七夕飾り

願い事を書いて笹の葉に。
さくさん折って賑やかに飾りましょう。

折り図

①②はP146参照
③はP147参照

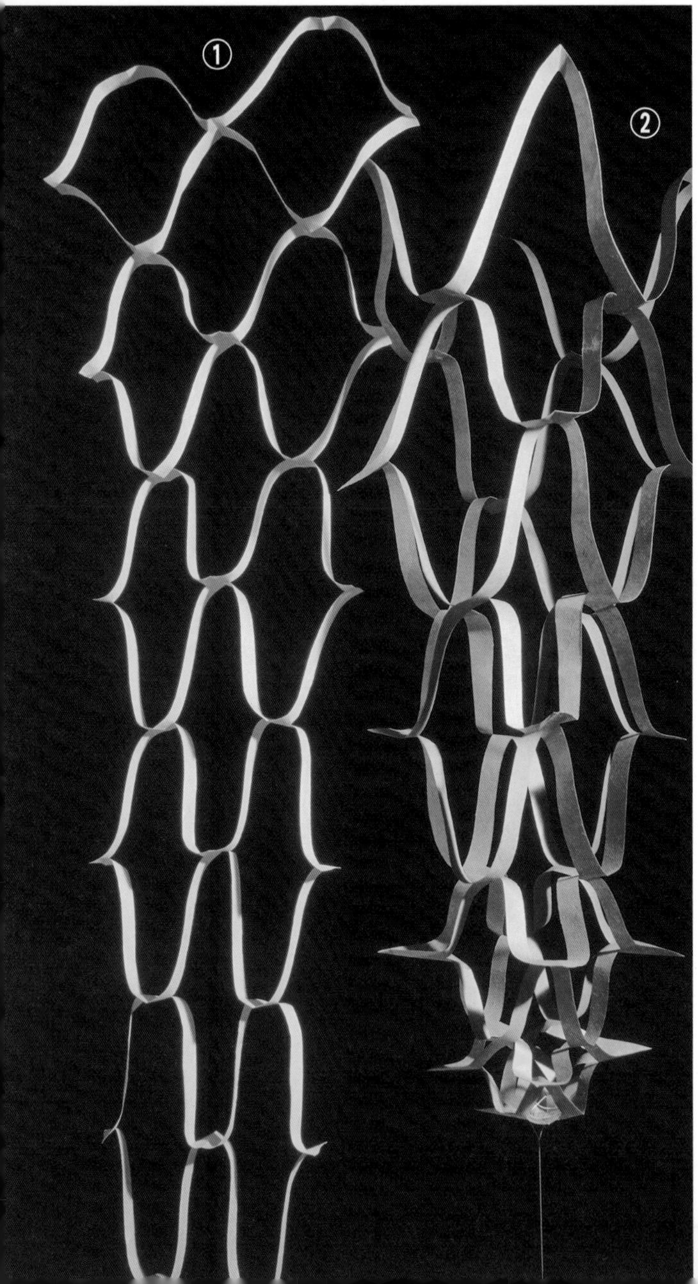

③
天の川

1~2

七夕飾り

網飾り

用紙

●寸法（写真）
紙
47×47cm
仕上がり
(A)20×100cm
(B)30×70cm

●素材
和紙

◆ワンポイント
ひろげてみると意外なほど大きくなります。切り込みの数を工夫して作って下さい。

[網飾りA]

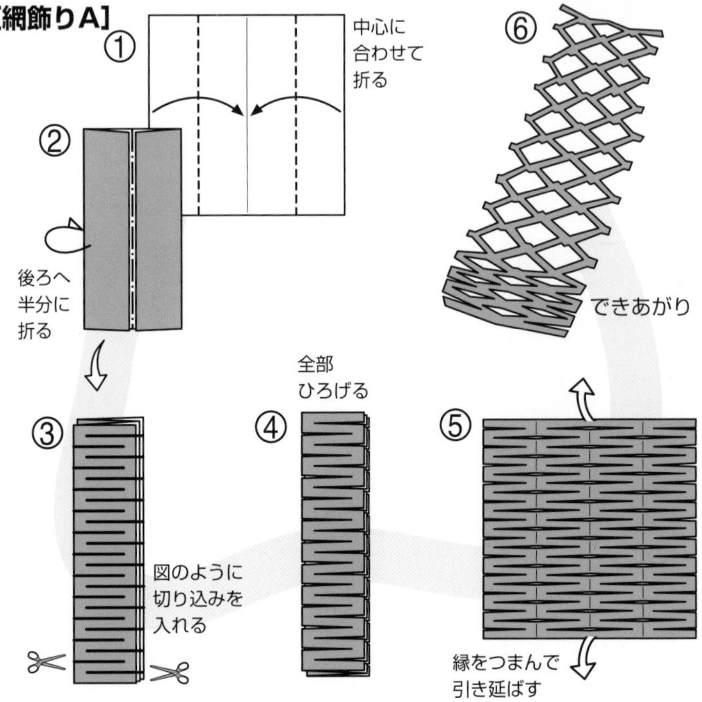
①
中心に合わせて折る
②
後ろへ半分に折る
③
図のように切り込みを入れる
④
全部ひろげる
⑤
縁をつまんで引き延ばす
⑥
できあがり

[網飾りB]

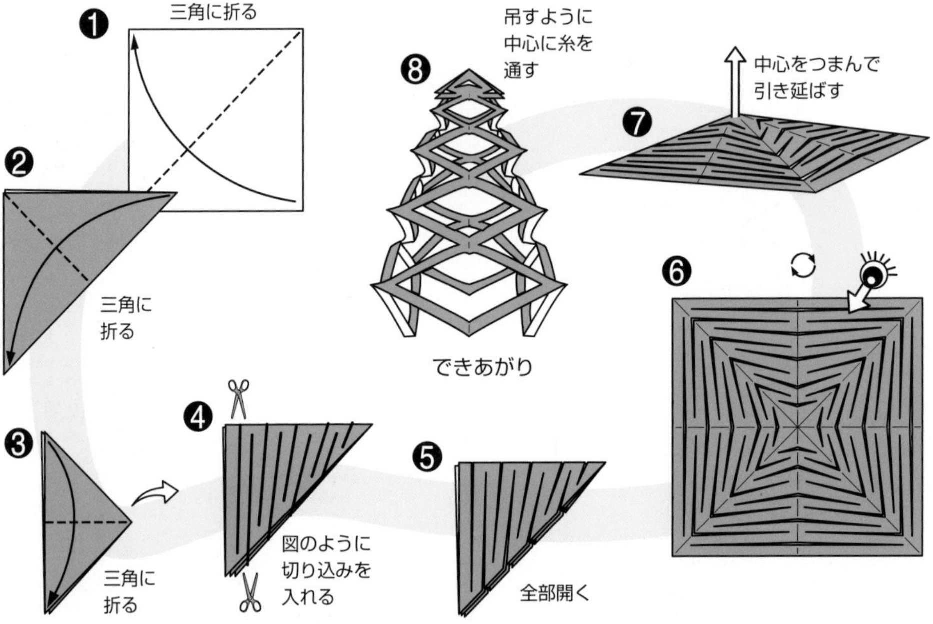
❶
三角に折る
❷
三角に折る
❸
三角に折る
❹
図のように切り込みを入れる
❺
全部開く
❻
❼
中心をつまんで引き延ばす
❽
吊すように中心に糸を通す
できあがり

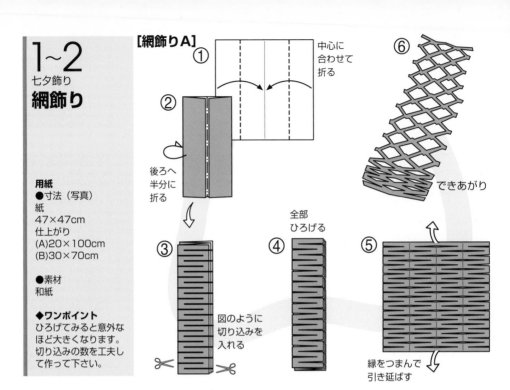

3
七夕飾り
星

用紙
●寸法（写真）
紙
(星)6.8×6.8cm×3枚
(短冊)4.5×13.2cm
仕上がり
(星)9.6×9cm

●素材
折り紙、和紙、洋紙

◆ワンポイント
簡単にできるかわいい星です。内側にメッセージを書けば、タグカードにもなります。

※P64～65[メッセージカード]の⑤、P152[クリスマスツリー]の③もこの折り図を参照

[星]

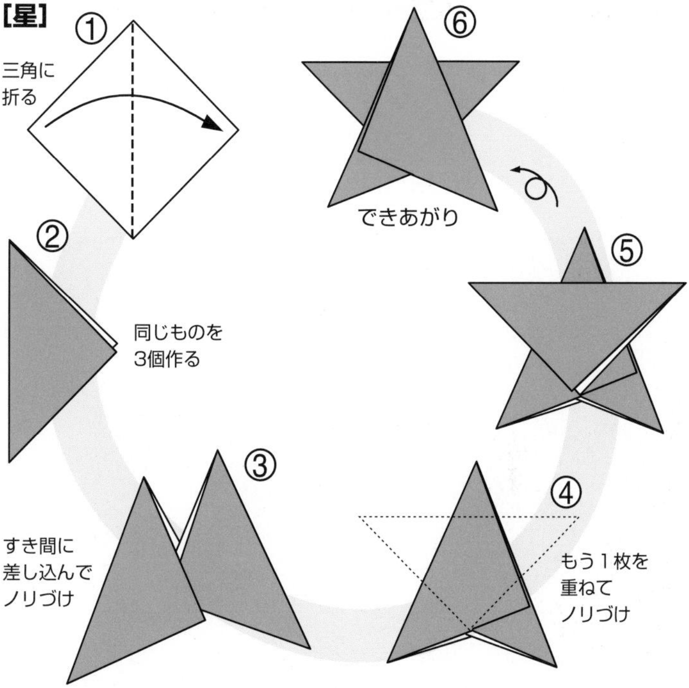

①
三角に
折る
②
同じものを
3個作る
③
すき間に
差し込んで
ノリづけ
④
もう1枚を
重ねて
ノリづけ
⑤
⑥
できあがり

[星の短冊]

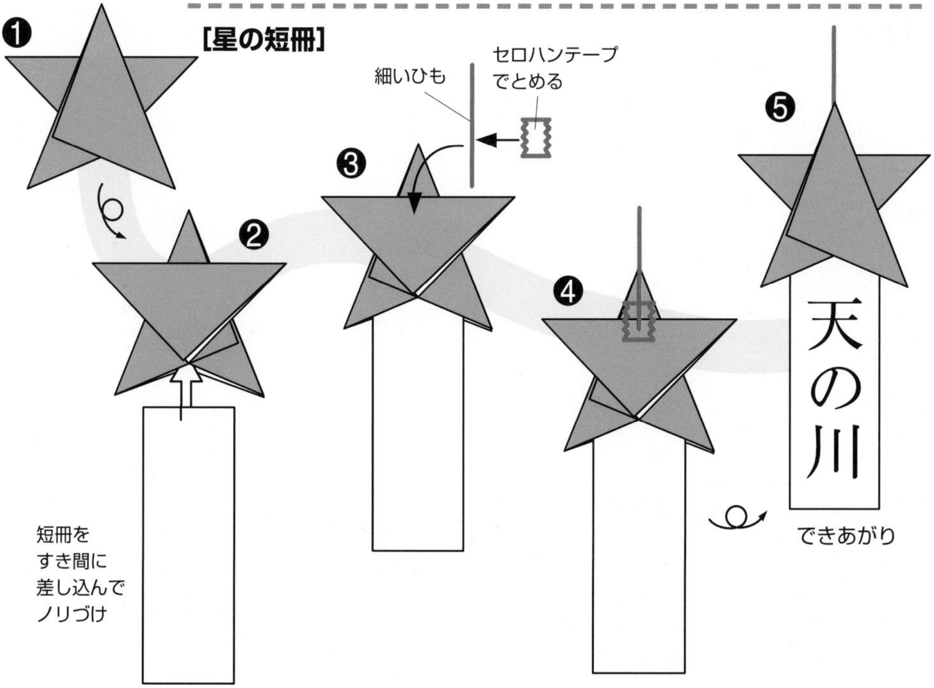

❶
❷
短冊を
すき間に
差し込んで
ノリづけ
❸
細いひも
セロハンテープ
でとめる
❹
❺
天の川
できあがり

クリスマスのオーナメント

折り紙作品が一番役立つのがクリスマス。
自由な発想でいろんな作品を飾りましょう。

折り図

①はP150～151参照
②はP197参照
③はP166参照
④はP154～155参照

①

②

③

④

1

クリスマスのオーナメント

ギフトBOX

用紙
●寸法（写真）
紙
15×15cm×8枚
仕上がり
4.5×4.5×5.7cm

●素材
折り紙、和紙、洋紙

◆ワンポイント
ツリーによく合うギフトBOXです。大きさを変えて、いろいろなプレゼントを入れて下さい。

[中身]

①
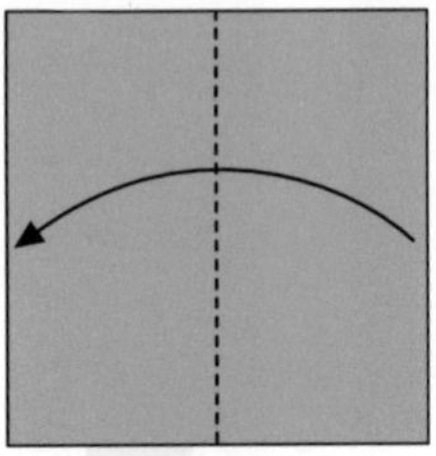
半分に折る

②
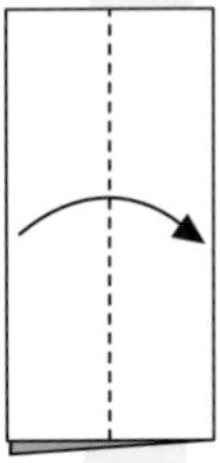
縁に合わせて折る

③
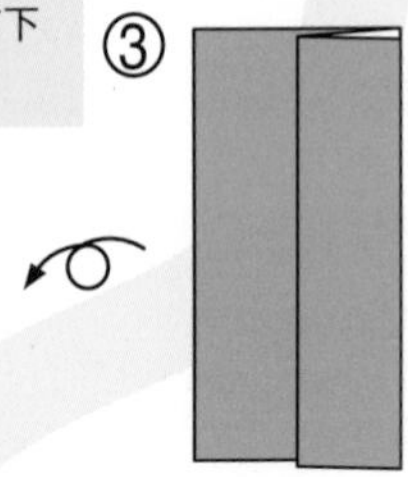

④
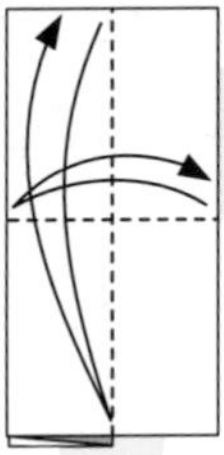
折り筋をつける

⑤
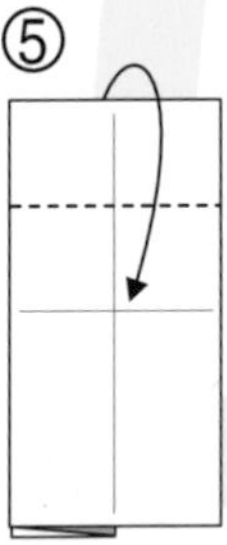
折り筋に合わせて折る

⑥
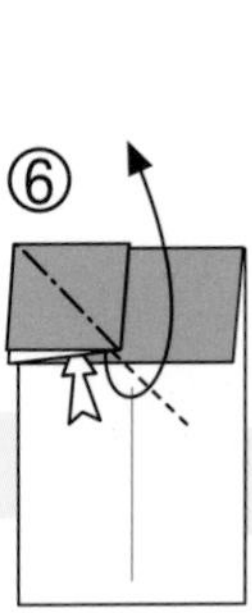
内側をひろげてつぶすように折る

⑦
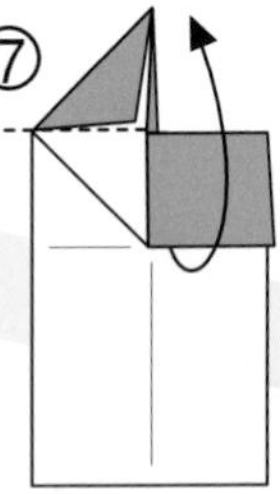
ひろげる

⑧
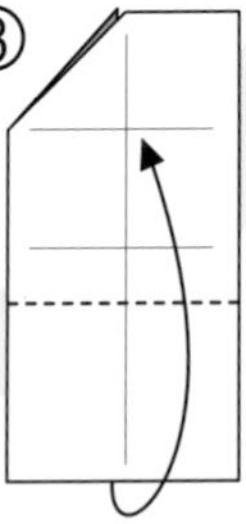
折り筋に合わせて折る

⑨
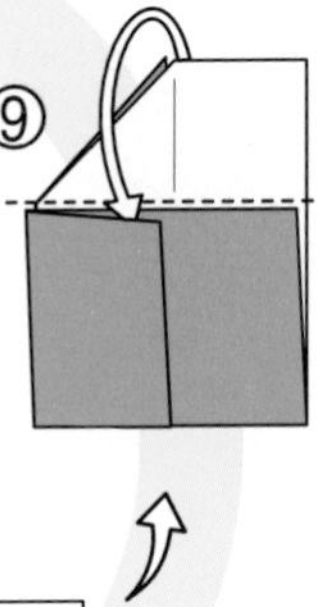
上の1枚をすき間に差し込む

⑩
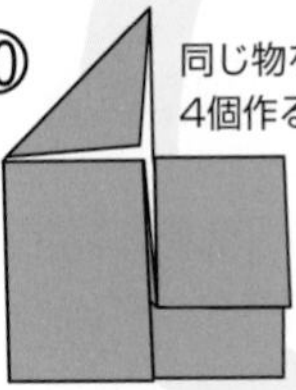
同じ物を4個作る

⑪
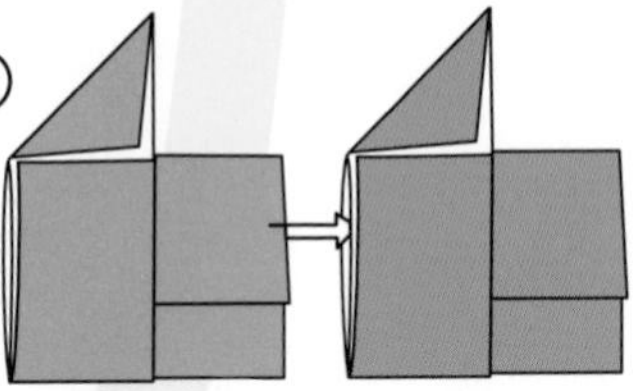
真ん中のすき間に差し込む

⑫
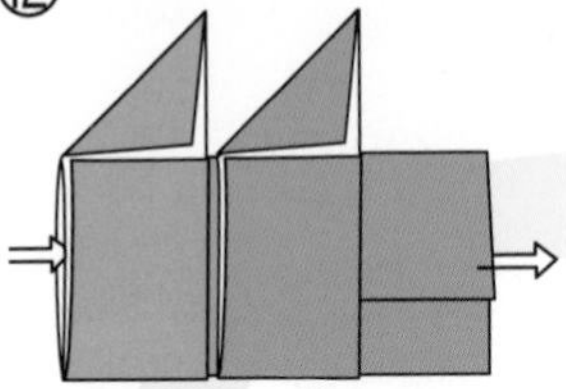
残りも同じに組む

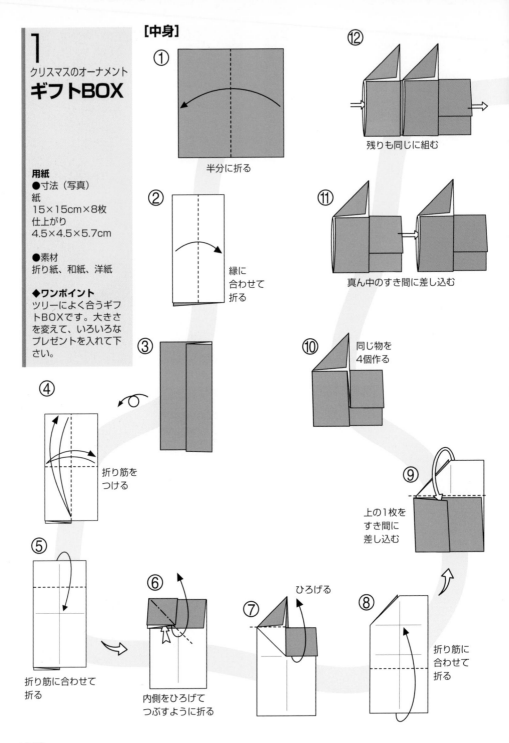

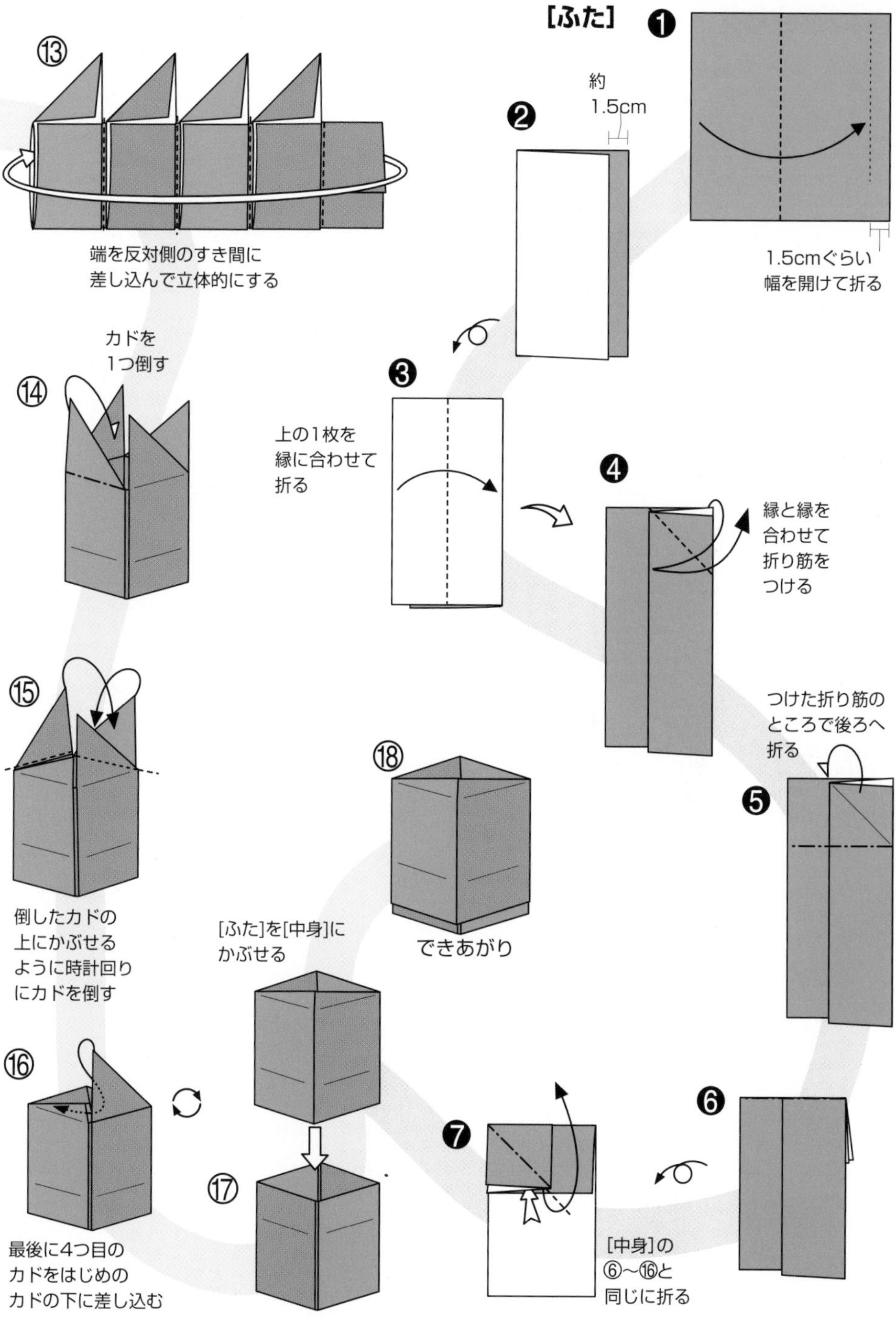
⑬
端を反対側のすき間に
差し込んで立体的にする
カドを
1つ倒す
⑭
⑮
倒したカドの
上にかぶせる
ように時計回り
にカドを倒す
⑯
最後に4つ目の
カドをはじめの
カドの下に差し込む
[ふた]
❶
1.5cmぐらい
幅を開けて折る
❷
約
1.5cm
❸
上の1枚を
縁に合わせて
折る
❹
縁と縁を
合わせて
折り筋を
つける
つけた折り筋の
ところで後ろへ
折る
❺
❻
❼
[中身]の
⑥〜⑯と
同じに折る
[ふた]を[中身]に
かぶせる
⑰
⑱
できあがり

クリスマスツリー

クリスマスになるとよく見かける折り紙です。
テーブル用にぴったりの大きさ

折り図

①はP153参照
②はP154～155参照
③はP147参照
④はP198参照
⑤はP66
⑥はP67参照
⑦はP156参照

1

クリスマスツリー

星の子

用紙

●寸法（写真）
紙
(ぼうし・顔)2×2cm
仕上がり
3.7×2.8cm

●素材
折り紙、和紙、洋紙

◆ワンポイント
前にでてきた作品の応用です。手足のポーズを少し変えるだけで表情豊かになります。

※P96［モービル］の④もこの折り図を参照

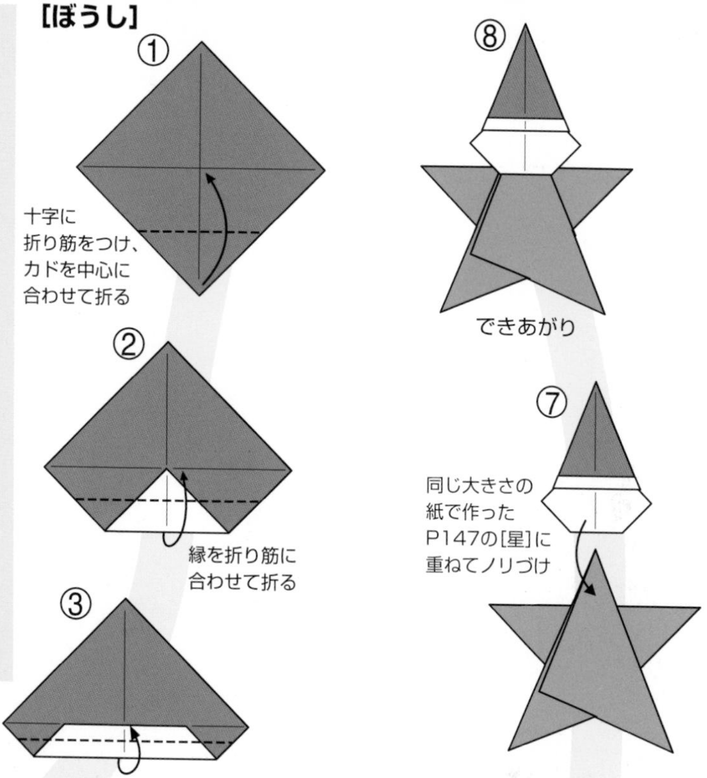

[ぼうし]
①
十字に
折り筋をつけ、
カドを中心に
合わせて折る
②
縁を折り筋に
合わせて折る
③
⑧
できあがり
⑦
同じ大きさの
紙で作った
P147の[星]に
重ねてノリづけ

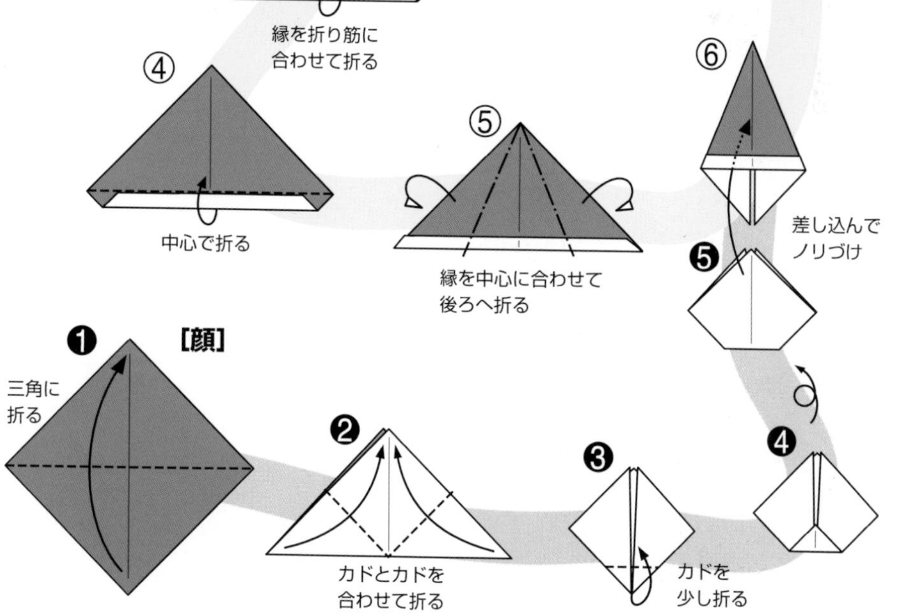

縁を折り筋に
合わせて折る
④
中心で折る
⑤
縁を中心に合わせて
後ろへ折る
⑥
差し込んで
ノリづけ
❺
[顔]
❶
三角に
折る
❷
カドとカドを
合わせて折る
❸
カドを
少し折る
❹

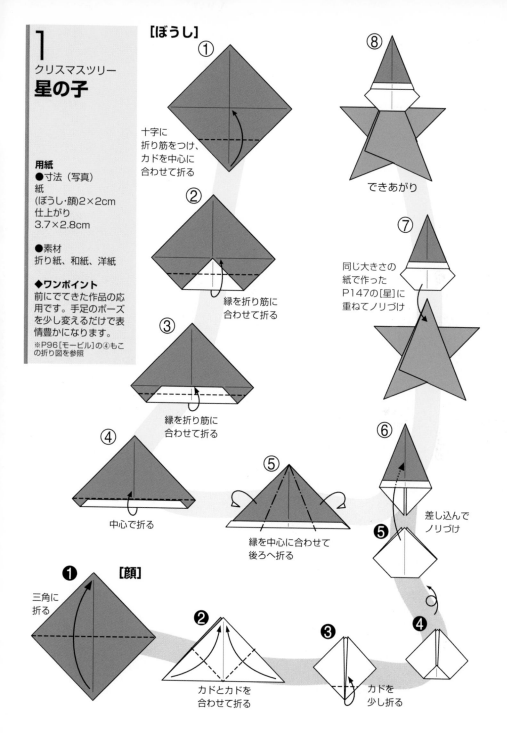

2 クリスマスツリー

用紙
●寸法（写真）
紙
(葉)11×11cm、
13.5×13.5cm、
15×15cm、
17.5×17.5cm、
20×20cm
(幹)15×15cm
仕上がり
10×10×20cm

●素材
厚手の両面同色洋紙

◆ワンポイント
厚手の紙で折ると丈夫なツリーができます。小物を置いてきれいに飾りましょう。

※P148～149［クリスマスのオーナメント］の④もこの折り図を参照

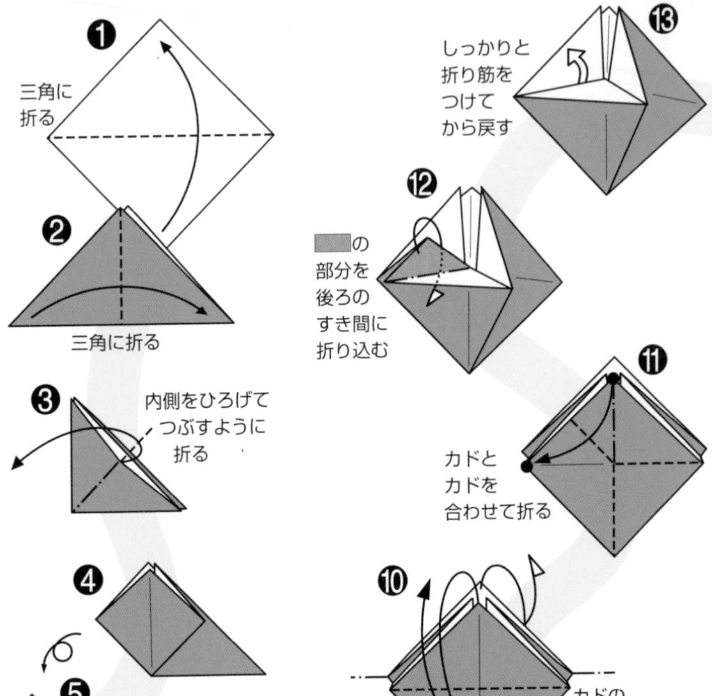
1
三角に
折る
2
三角に折る
3
内側をひろげて
つぶすように
折る
4
13
しっかりと
折り筋を
つけて
から戻す
12
の
部分を
後ろの
すき間に
折り込む
11
カドと
カドを
合わせて折る
10
カドの
ところで
折り筋をつける

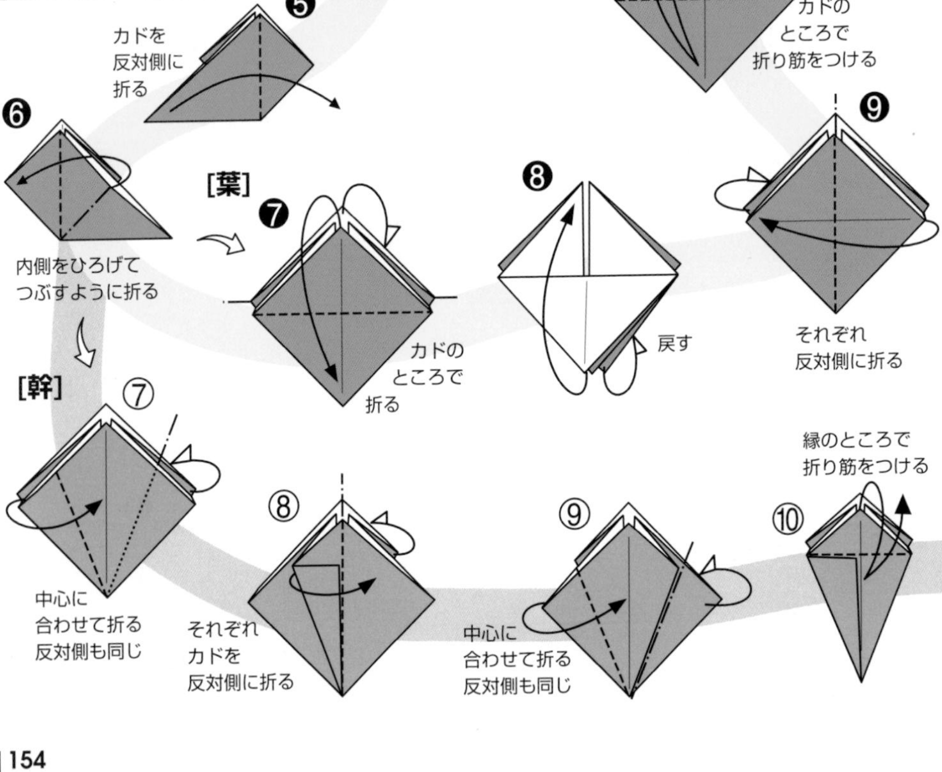
5
カドを
反対側に
折る
6
内側をひろげて
つぶすように折る
[葉]
7
カドの
ところで
折る
8
戻す
9
それぞれ
反対側に折る
[幹]
⑦
中心に
合わせて折る
反対側も同じ
⑧
それぞれ
カドを
反対側に折る
⑨
中心に
合わせて折る
反対側も同じ
⑩
縁のところで
折り筋をつける

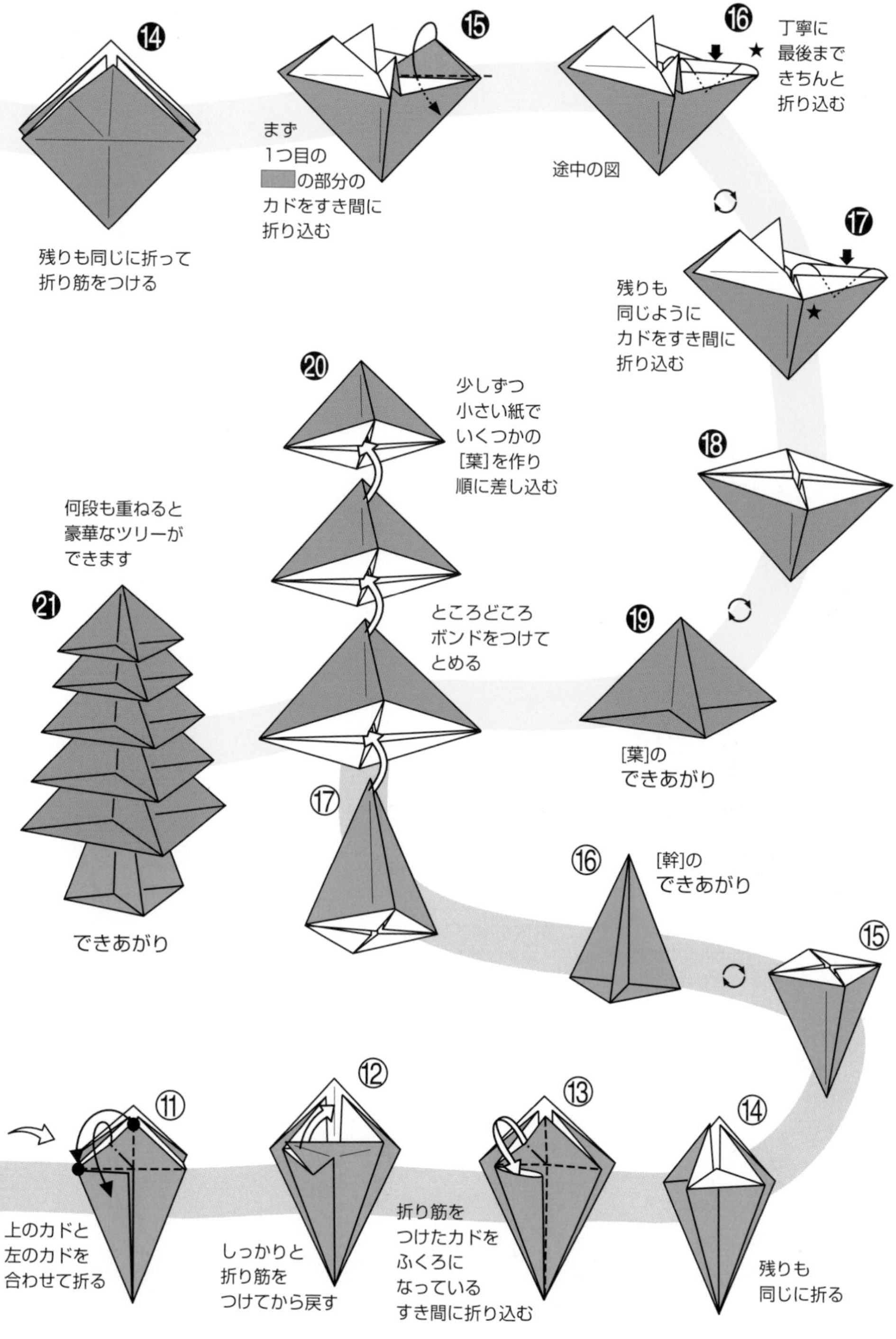
14
残りも同じに折って
折り筋をつける
15
まず
1つ目の
の部分の
カドをすき間に
折り込む
16
丁寧に
最後まで
きちんと
折り込む
途中の図
17
残りも
同じように
カドをすき間に
折り込む
18
19
[葉]の
できあがり
20
少しずつ
小さい紙で
いくつかの
[葉]を作り
順に差し込む
ところどころ
ボンドをつけて
とめる
21
何段も重ねると
豪華なツリーが
できます
できあがり
11
上のカドと
左のカドを
合わせて折る
12
しっかりと
折り筋を
つけてから戻す
13
折り筋を
つけたカドを
ふくろに
なっている
すき間に折り込む
14
残りも
同じに折る
15
16
[幹]の
できあがり
17

P152（写真）

7
クリスマスツリー
キャンドル

用紙
●寸法（写真）
紙
5×2.5cm
仕上がり
2.6×2.5cm

●素材
折り紙、和紙、洋紙

◆ワンポイント
小さい紙で折る際には、折りが細かくなりますが丁寧に折って下さい。大きさを変えてカードにも貼って見て下さい。
※P96［モービル］の①もこの折り図を参照

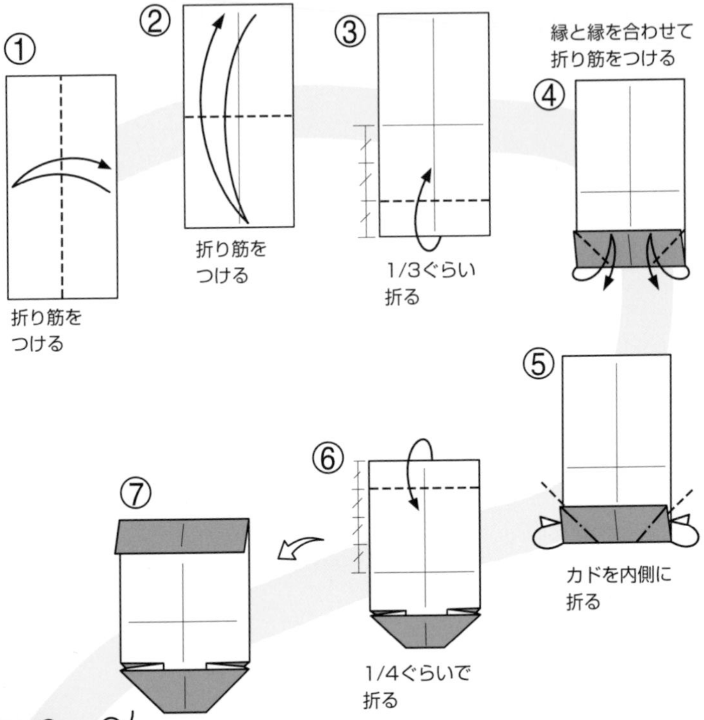
①
折り筋をつける
②
折り筋をつける
③
1/3ぐらい折る
④
縁と縁を合わせて折り筋をつける
⑤
カドを内側に折る
⑥
1/4ぐらいで折る
⑦

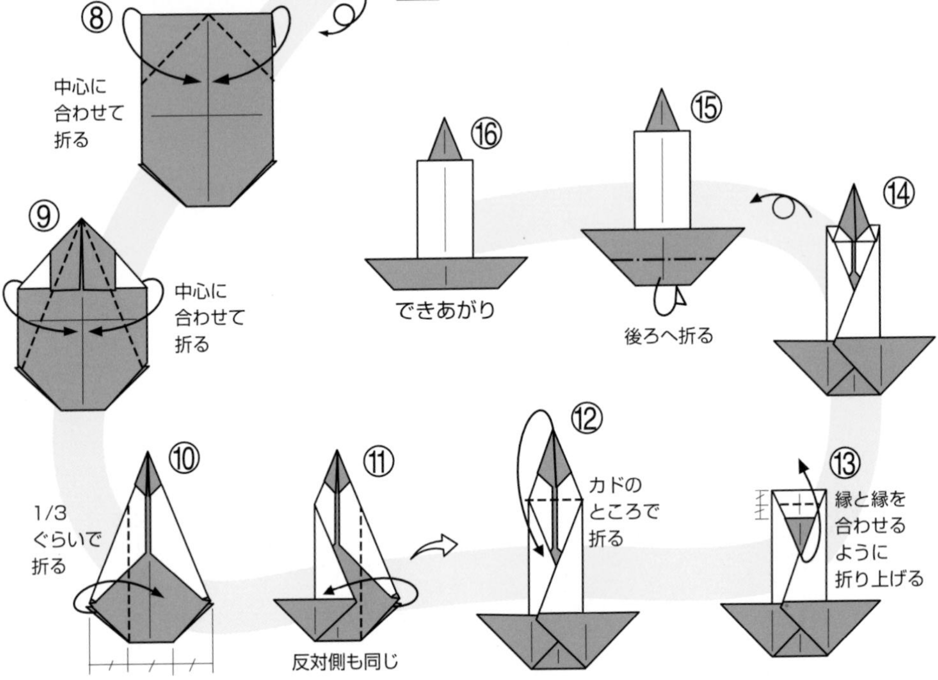
⑧
中心に合わせて折る
⑨
中心に合わせて折る
⑩
1/3ぐらいで折る
⑪
反対側も同じ
⑫
カドのところで折る
⑬
縁と縁を合わせるように折り上げる
⑭
⑮
後ろへ折る
⑯
できあがり

2

ボトルキャップ

甲冑（かっちゅう）

作・御手洗　伸

用紙

●寸法（写真）
紙
(兜)20×20cm、
(鎧)／35×35cm
仕上がり
(兜)5.5×4.5×9.5cm、
(鎧)10.5×17×7cm

●素材
厚手の洋紙で折ると丈夫に仕上がります。

◆ワンポイント
厚手の紙で折るときは湿らせた雑巾のようなもので紙を濡らしてから折ると折りやすい、乾いた後も形が保てます。

※P96[モービル]の①もこの折り図を参照

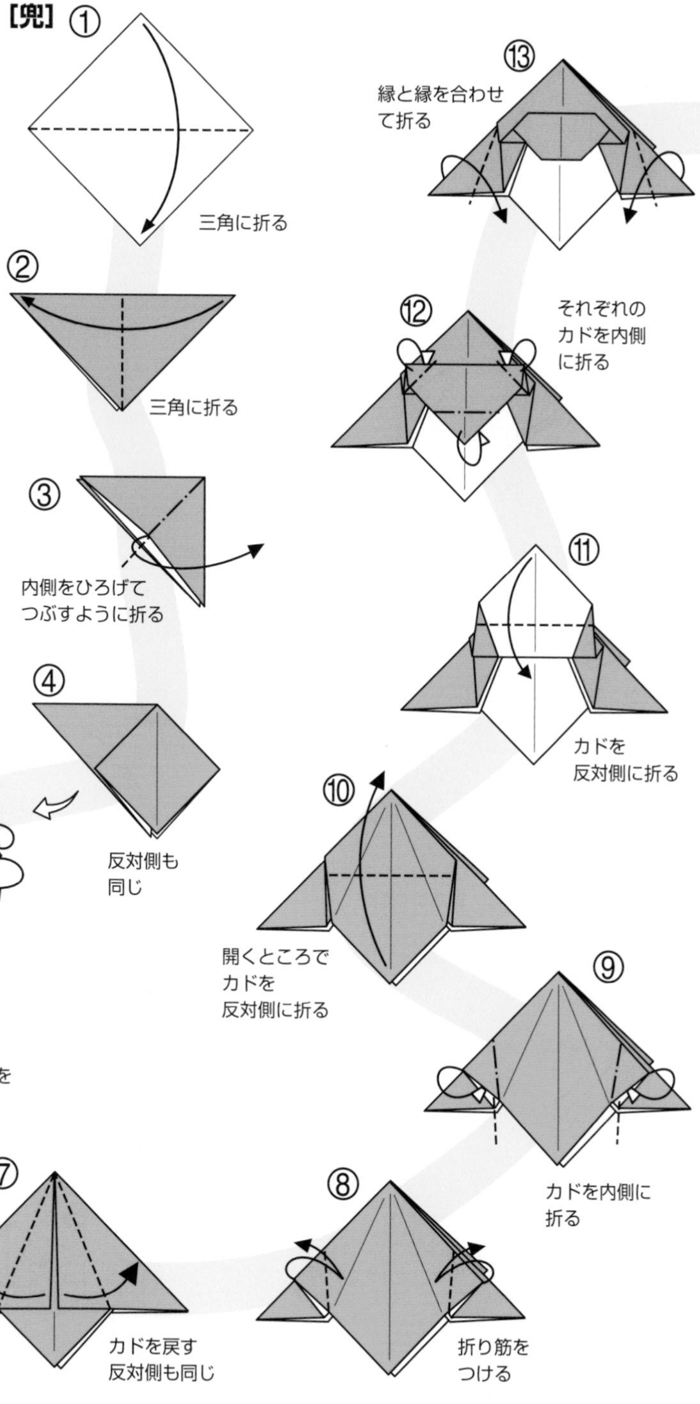

[兜] ①
三角に折る
②
三角に折る
③
内側をひろげてつぶすように折る
④
反対側も同じ
⑧
折り筋をつける
⑨
カドを内側に折る
⑩
開くところでカドを反対側に折る
⑪
カドを反対側に折る
⑫
それぞれのカドを内側に折る
⑬
縁と縁を合わせて折る

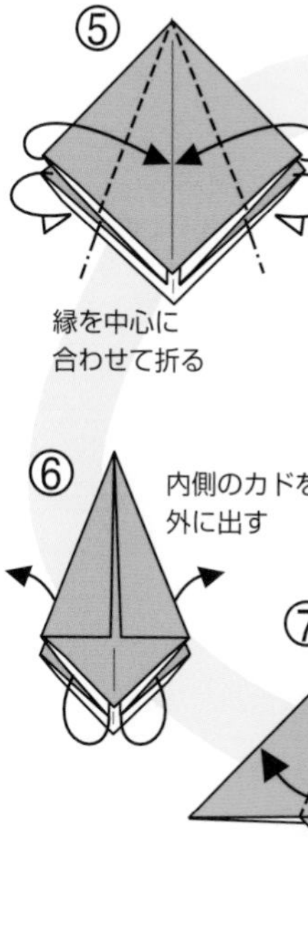

⑤
縁を中心に合わせて折る
⑥
内側のカドを外に出す
⑦
カドを戻す
反対側も同じ

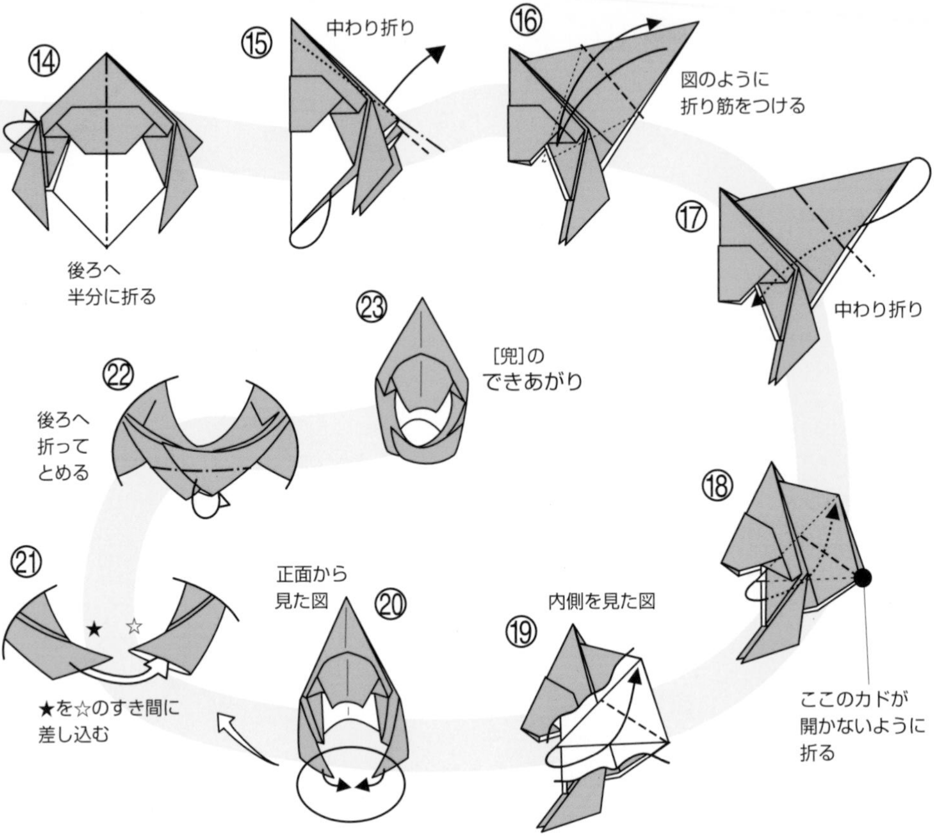
⑭
後ろへ
半分に折る
⑮
中わり折り
⑯
図のように
折り筋をつける
⑰
中わり折り
⑱
ここのカドが
開かないように
折る
⑲
内側を見た図
⑳
正面から
見た図
㉑
★を☆のすき間に
差し込む
㉒
後ろへ
折って
とめる
㉓
[兜]の
できあがり

[鎧]

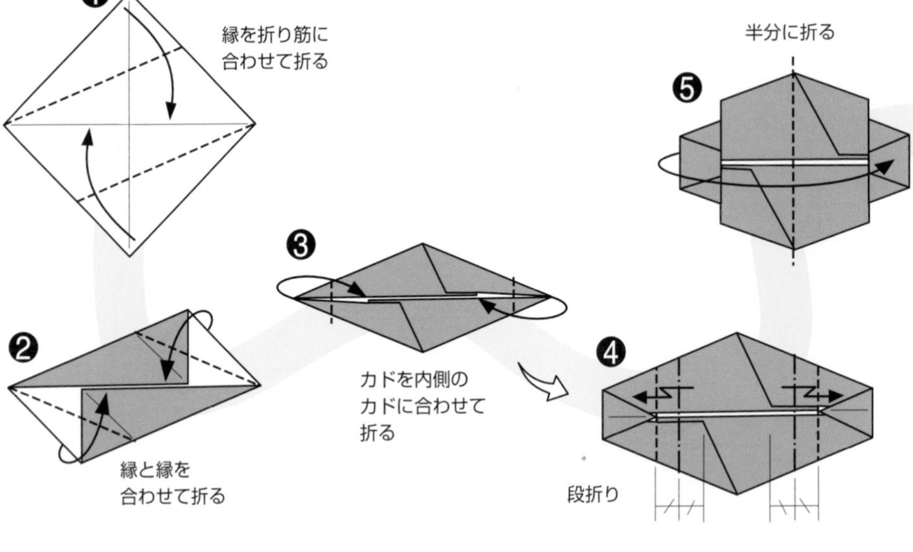
❶
縁を折り筋に
合わせて折る
❷
縁と縁を
合わせて折る
❸
カドを内側の
カドに合わせて
折る
❹
段折り
❺
半分に折る

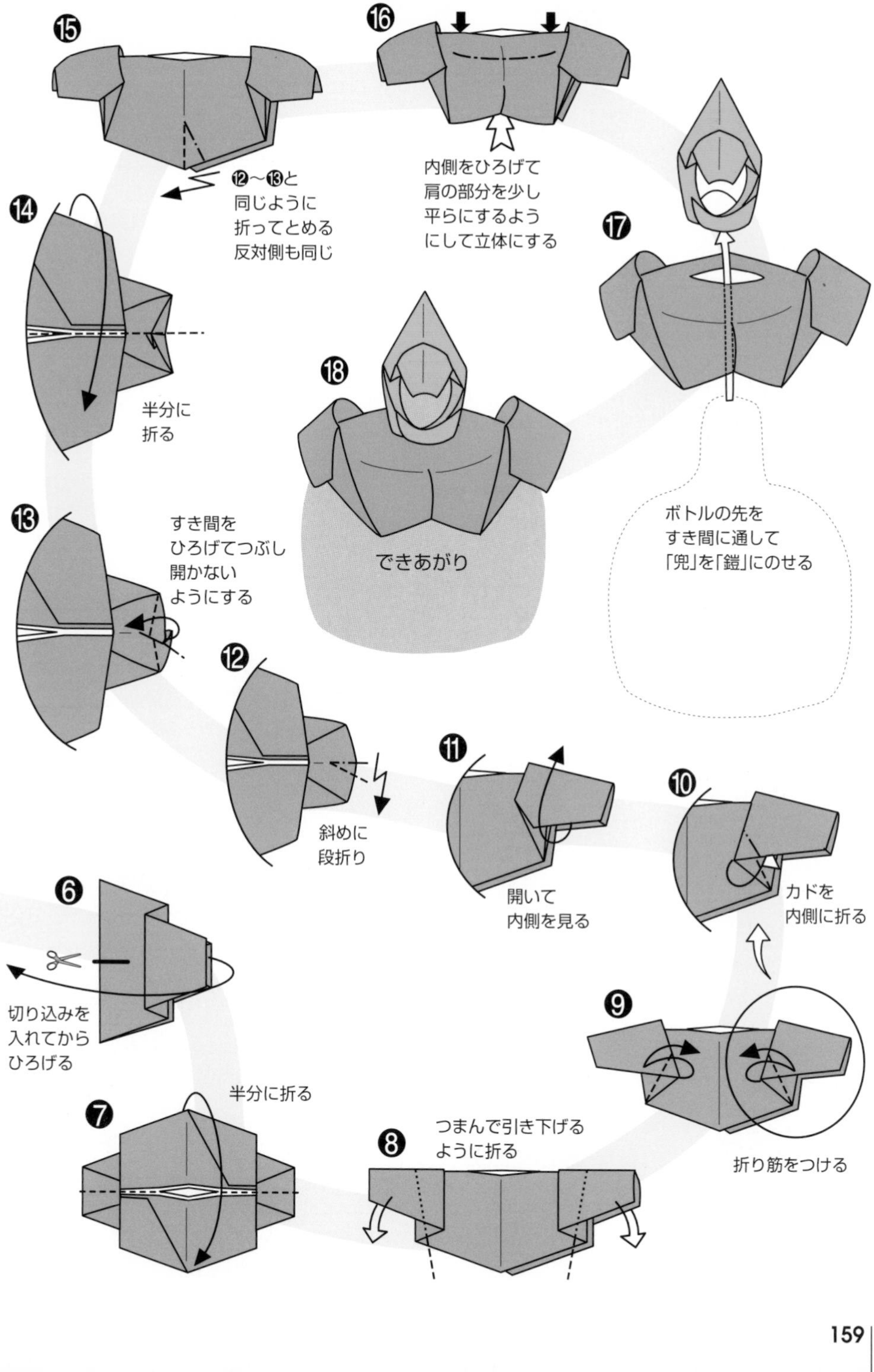

⓯
⓬〜⓭と
同じように
折ってとめる
反対側も同じ
⓰
内側をひろげて
肩の部分を少し
平らにするよう
にして立体にする
⓮
半分に
折る
⓱
ボトルの先を
すき間に通して
「兜」を「鎧」にのせる
⓲
できあがり
⓭
すき間を
ひろげてつぶし
開かない
ようにする
⓬
斜めに
段折り
⓫
開いて
内側を見る
❿
カドを
内側に折る
❻
切り込みを
入れてから
ひろげる
❾
折り筋をつける
❼
半分に折る
❽
つまんで引き下げる
ように折る

2
六角箱
バリエーション

用紙
●寸法(写真)
紙
(全種類)30×15cm
仕上がり
(飾り・中)6.9×8×4.9cm
(飾り・大)6.9×8×4.4cm
(飾り・小)6.9×8×5.8cm
(飾り無し)7.6×8.4×5.7cm

●素材
厚手の洋紙または和紙

◆ワンポイント
ねじるところが少し難しいですが、折り筋をしっかりとつけて折る

[応用例]
[飾り・中](写真)

①
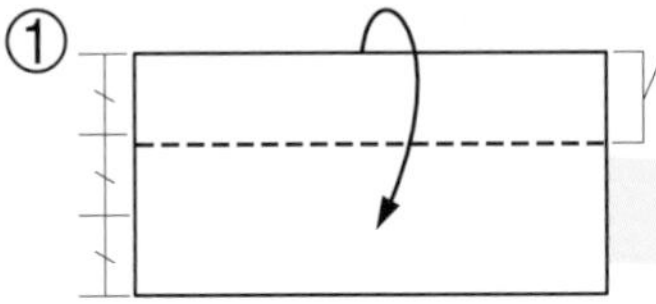
1/3の幅より大きく折れば飾りの部分が大きくなります

縁を反対側に折る

②
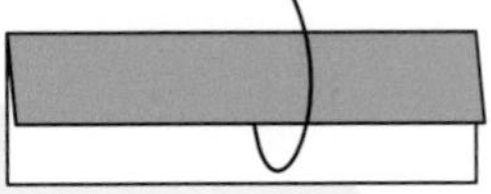
しっかりと折り筋をつけてから戻す

③
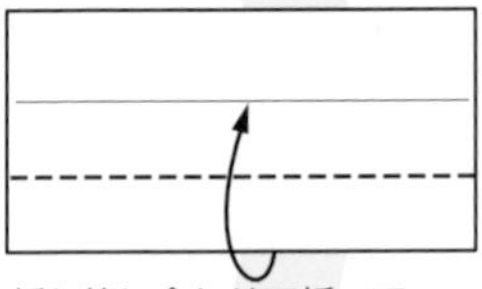
折り筋に合わせて折ってP22[標準]の③～⑥と同じに折る

④
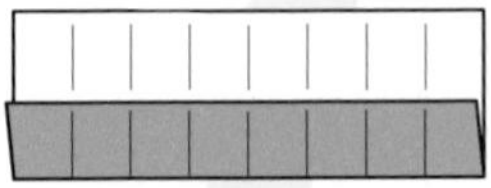

⑤
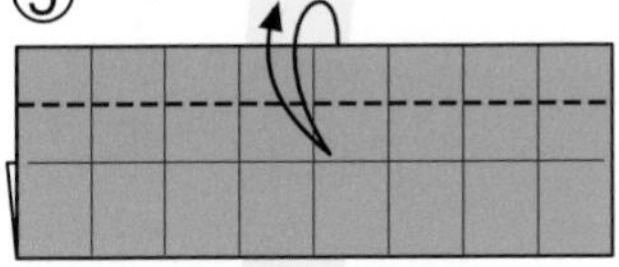
折り筋に合わせて折り筋をつける

⑥
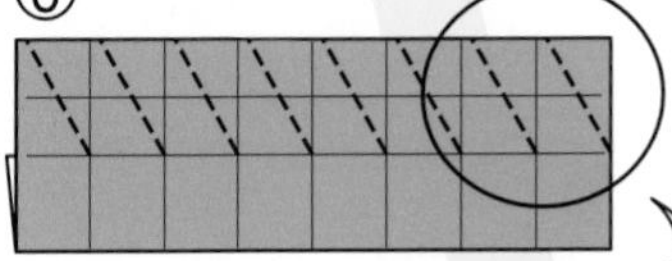

⑦
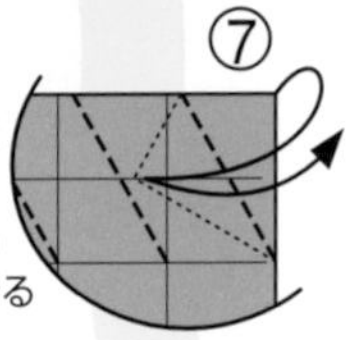
カドを折り筋に合わせて折り筋をつける
残りも同じに折る

⑧
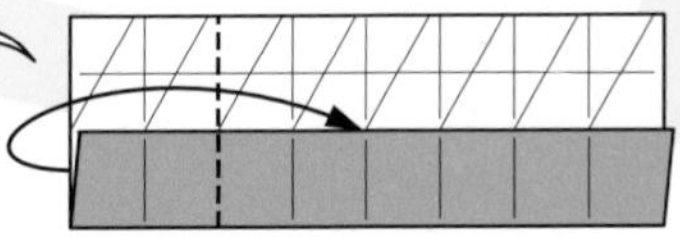
P22[標準]の⑪～⑬と同じに折る

⑨
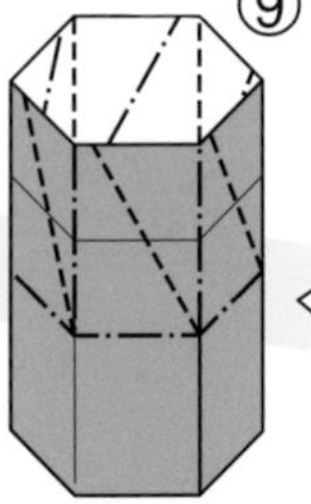
ついている折り筋でねじるように折る

⑩
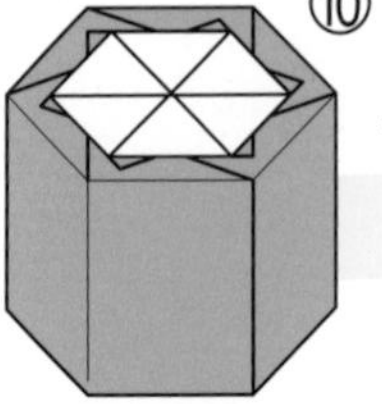
できあがり

[応用例]
[飾り・小](写真)

❶
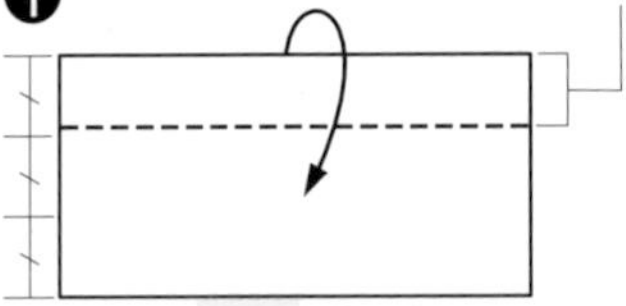
1/3の幅より小さく折れば飾りの部分が小さくなります

[飾り・中]の❶～❻と同じに折る

❷
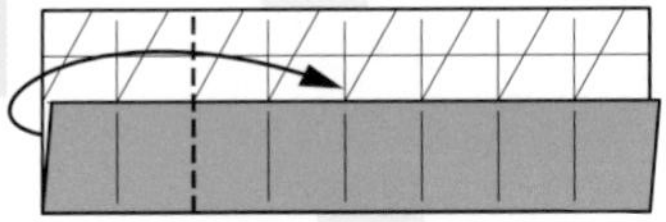
P22[標準]の⑩～⑫と同じに折る

❸
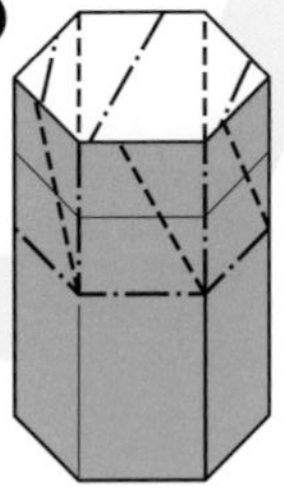
ついている折り筋でねじるように折る

❹
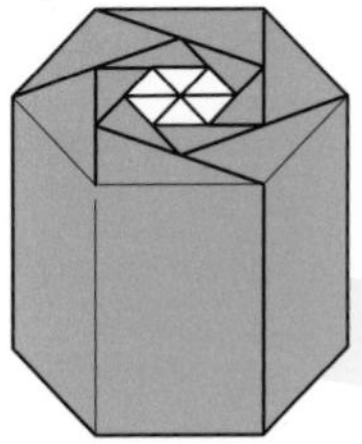
できあがり

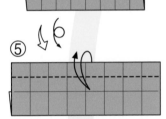

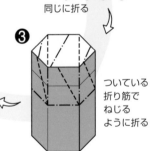

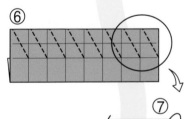

[応用例]

[飾り・大](写真)

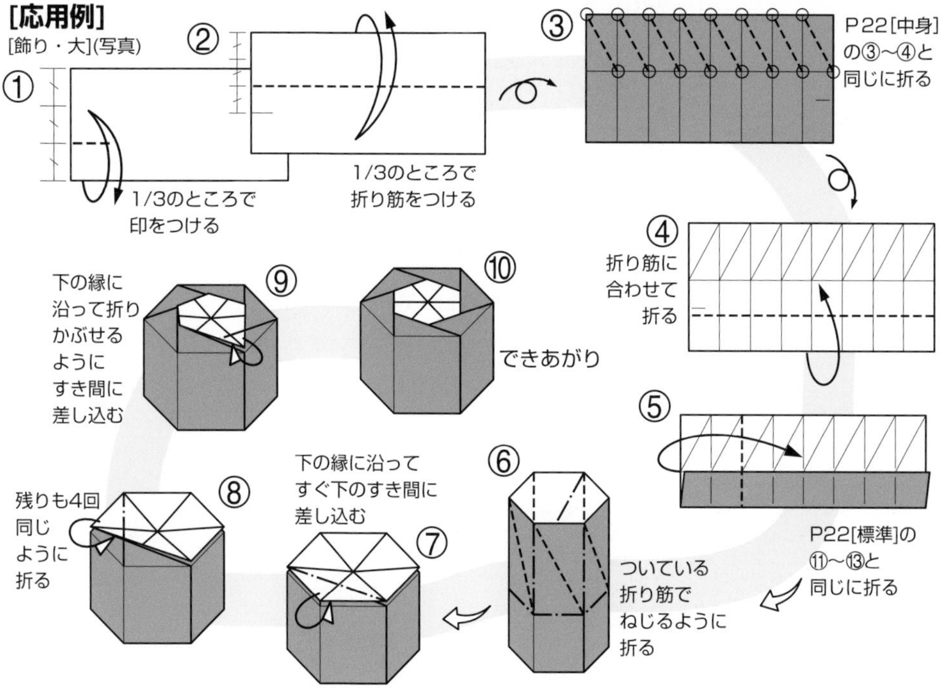
①
1/3のところで
印をつける
②
1/3のところで
折り筋をつける
③
P22[中身]
の③〜④と
同じに折る
④
折り筋に
合わせて
折る
⑤
P22[標準]の
⑪〜⑬と
同じに折る
⑥
ついている
折り筋で
ねじるように
折る
⑦
下の縁に沿って
すぐ下のすき間に
差し込む
⑧
残りも4回
同じ
ように
折る
⑨
下の縁に
沿って折り
かぶせる
ように
すき間に
差し込む
⑩
できあがり

[応用例]

[飾り無し](写真)

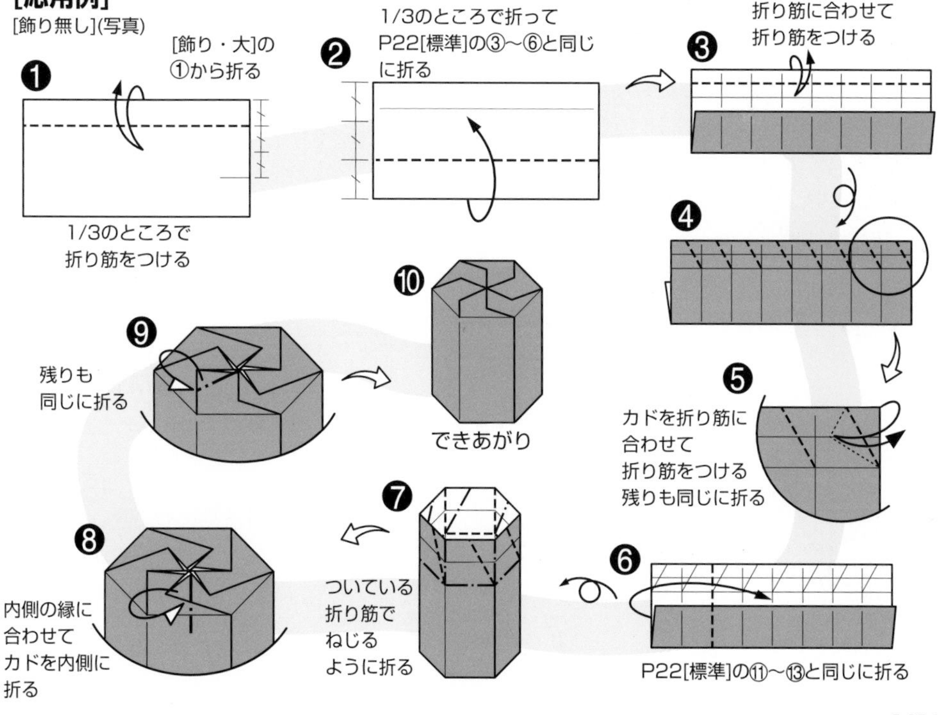
[飾り・大]の
①から折る
❶
1/3のところで
折り筋をつける
❷
1/3のところで折って
P22[標準]の③〜⑥と同じ
に折る
❸
折り筋に合わせて
折り筋をつける
❹
❺
カドを折り筋に
合わせて
折り筋をつける
残りも同じに折る
❻
P22[標準]の⑪〜⑬と同じに折る
❼
ついている
折り筋で
ねじる
ように折る
❽
内側の縁に
合わせて
カドを内側に
折る
❾
残りも
同じに折る
❿
できあがり

4
箸袋と箸置き
お雛様の箸袋

用紙
●寸法（写真）
紙
9.8×9.8cm
仕上がり
4×7.7cm

●素材
江戸千代折り紙（写真）
ほか、和紙、友禅紙、
楮もみ紙など

◆ワンポイント
箸袋に合わせた大きさでは折りが細かくなりますが、丁寧に折ってノリを使って開くのを防ぎます。

[お雛様]

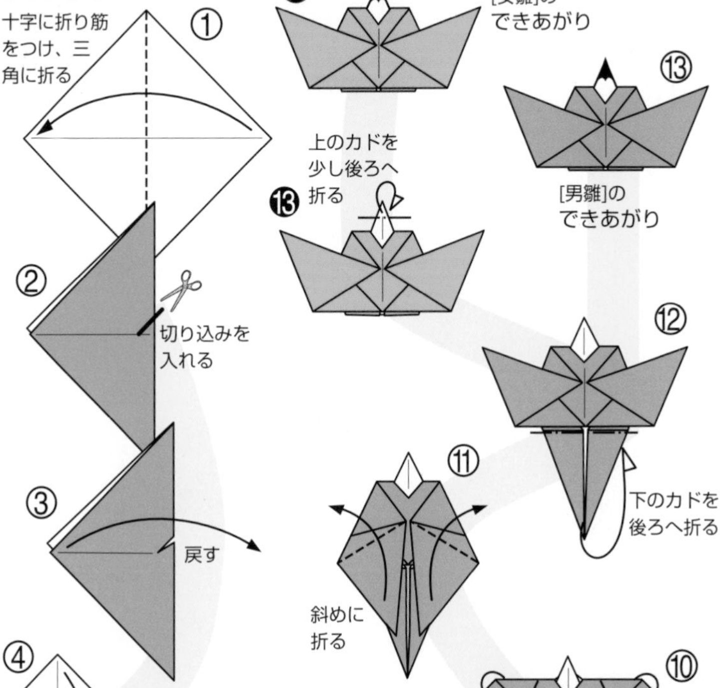

①
十字に折り筋をつけ、三角に折る
②
切り込みを入れる
③
戻す
⑪
斜めに折る
⑫
下のカドを後ろへ折る
⑬
上のカドを少し後ろへ折る
⑬
[男雛]の
できあがり
⑭
[女雛]の
できあがり

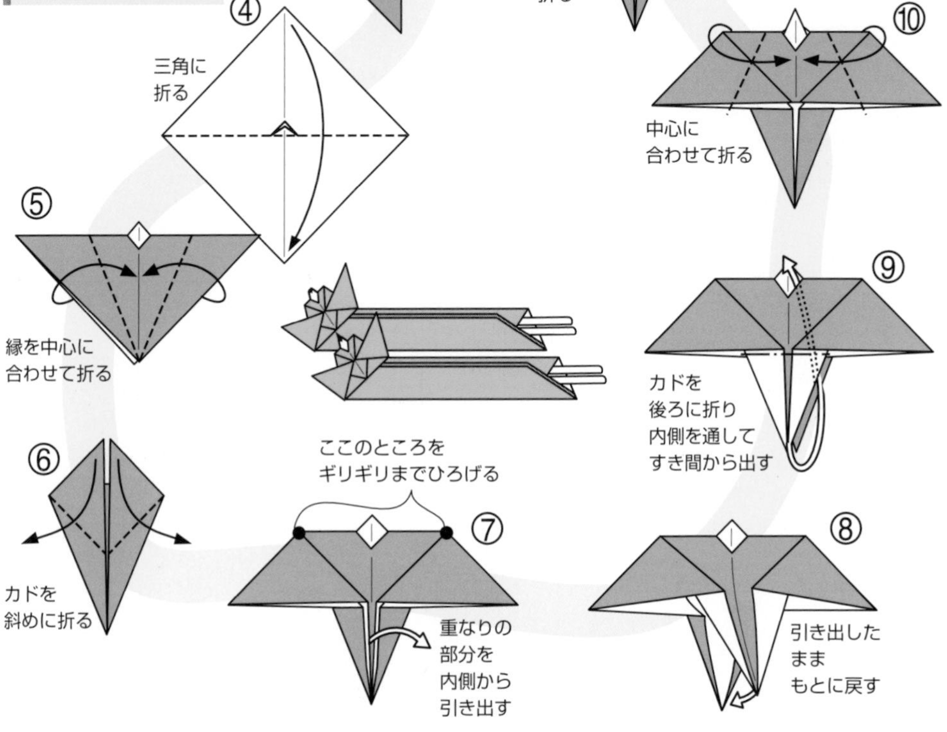

④
三角に折る
⑤
縁を中心に合わせて折る
⑥
カドを斜めに折る
⑦
ここのところをギリギリまでひろげる
重なりの部分を内側から引き出す
⑧
引き出したままもとに戻す
⑨
カドを後ろに折り内側を通してすき間から出す
⑩
中心に合わせて折る

5

箸袋と箸置き

兜の箸袋

用紙

●寸法（写真）

紙

(兜)8.8×8.8cm

(箸袋)11.8×19.6cm

仕上がり

(兜)3.2×6.1cm

(箸袋)4.3×19.6cm

●素材

両面折り紙（写真）ほか、和紙、友禅紙、楮もみ紙、洋紙など

◆ワンポイント

箸袋に使うアクセントの紙との色の組み合わせをいろいろと変えてみましょう。

[兜]

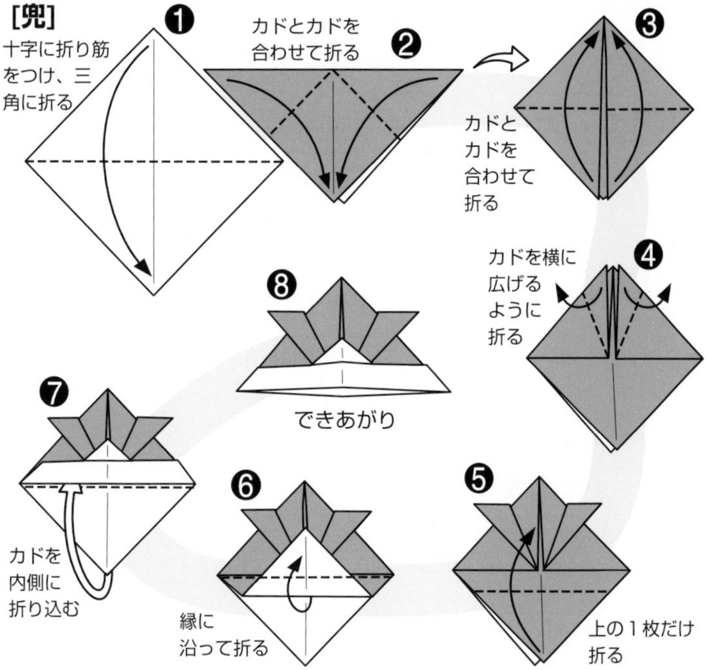

[箸袋]

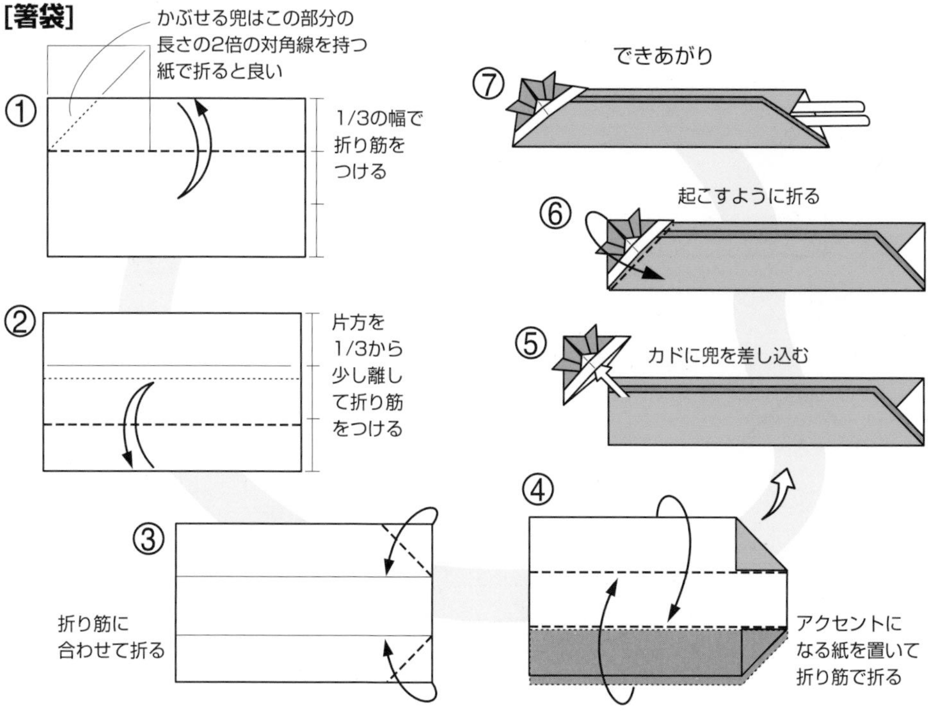

P40～41（写真）

2
ギフトBOX
バリエーション

用紙
●寸法（写真）
紙
27×27cm
仕上がり
11.2×11.2×7cm

●素材
厚手の洋紙で折ると丈夫に仕上がります。

◆ワンポイント
折り筋をしっかりとつけることが重要。ひろげたときに堅くて細いもので折り筋をなぞると良いでしょう。

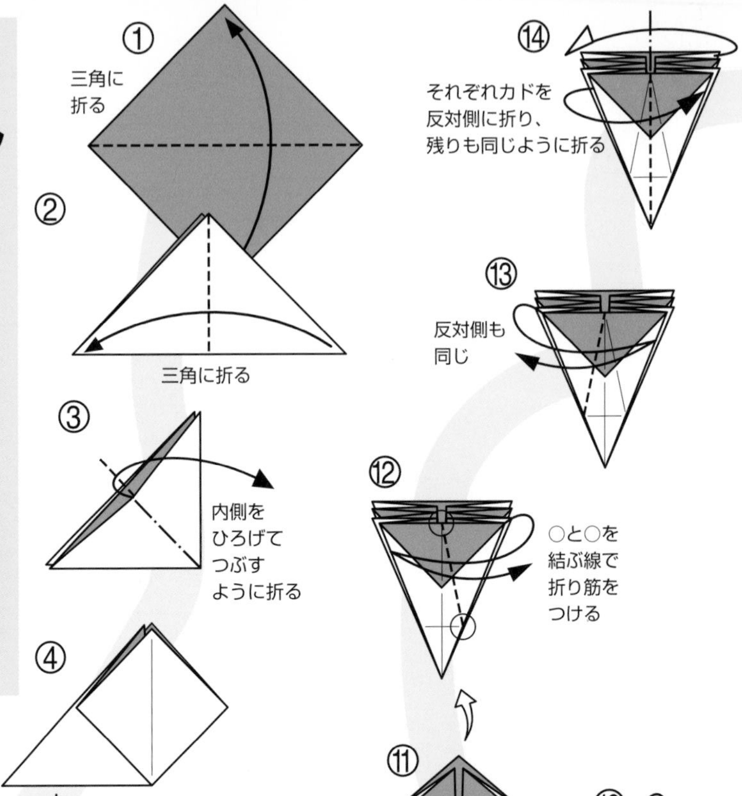
①
三角に
折る
②
三角に折る
③
内側を
ひろげて
つぶす
ように折る
④
⑫
○と○を
結ぶ線で
折り筋を
つける
⑬
反対側も
同じ
⑭
それぞれカドを
反対側に折り、
残りも同じように折る

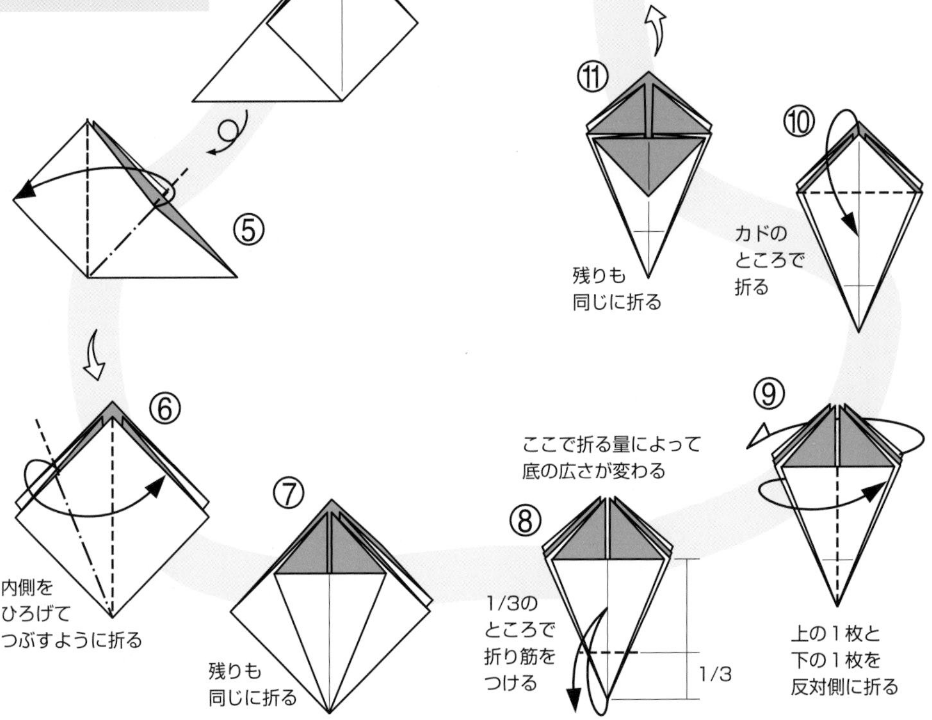
⑤
⑥
内側を
ひろげて
つぶすように折る
⑦
残りも
同じに折る
⑧
ここで折る量によって
底の広さが変わる
1/3の
ところで
折り筋を
つける
1/3
⑨
上の１枚と
下の１枚を
反対側に折る
⑩
カドの
ところで
折る
⑪
残りも
同じに折る

⑮

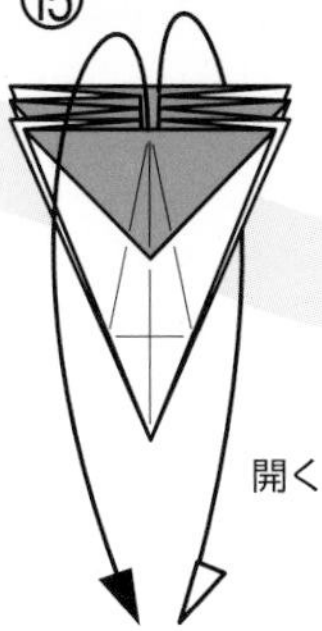
開く

⑯

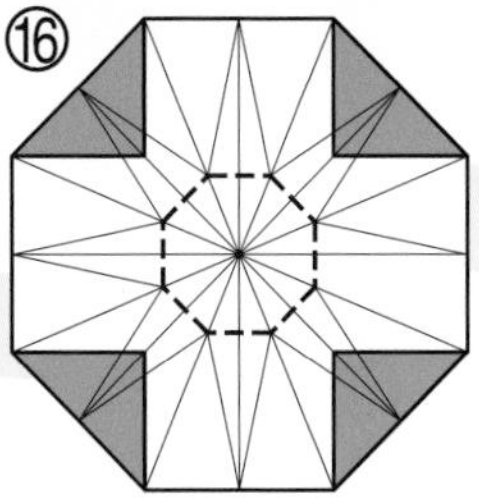

点線部分の折り筋を
つけ直す

⑰

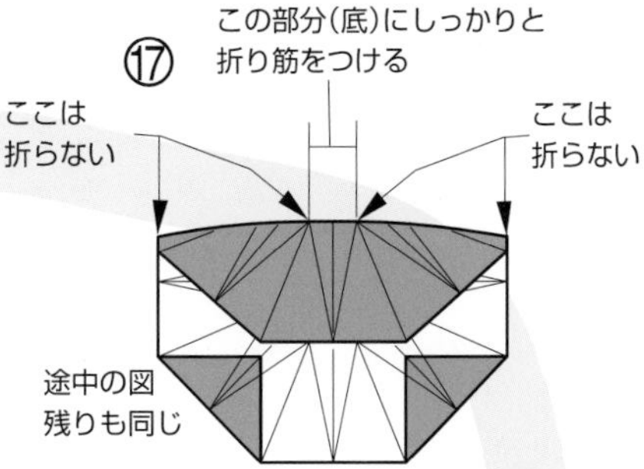
この部分(底)にしっかりと
折り筋をつける
ここは
折らない
ここは
折らない
途中の図
残りも同じ

⑱

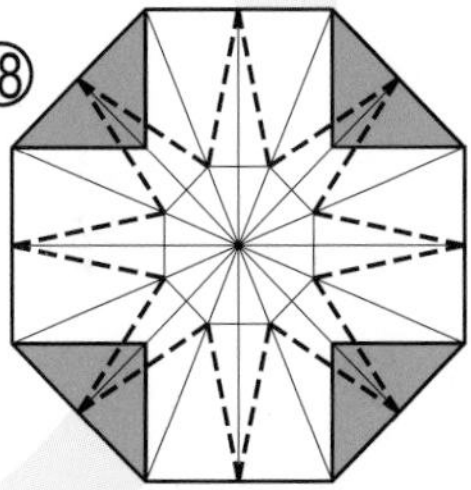

点線部分の折り筋を
つけ直す

⑲

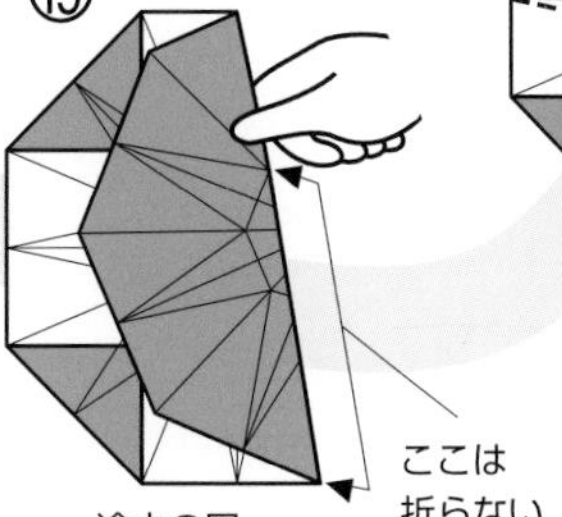
ここは
折らない

途中の図
残りも同じ

⑳

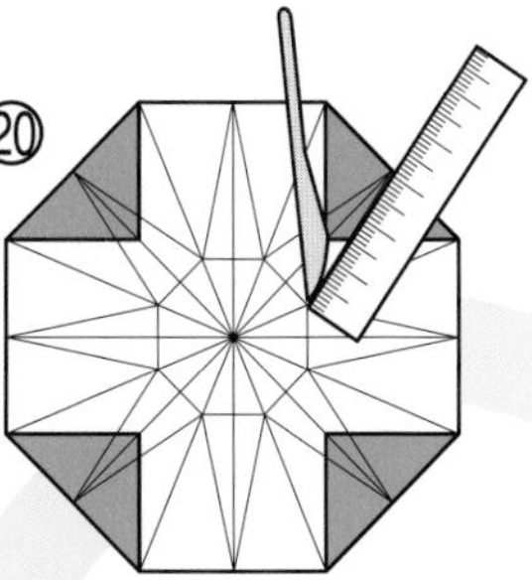

厚手の紙を
使うときは
細くて堅い物で
しっかりと
折り筋をつける

㉑

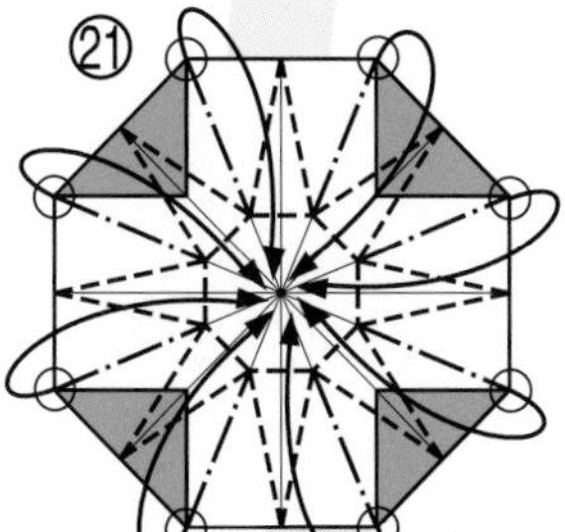

ついている折り筋で
○の部分をカドにして
中央によせるように折る

㉒

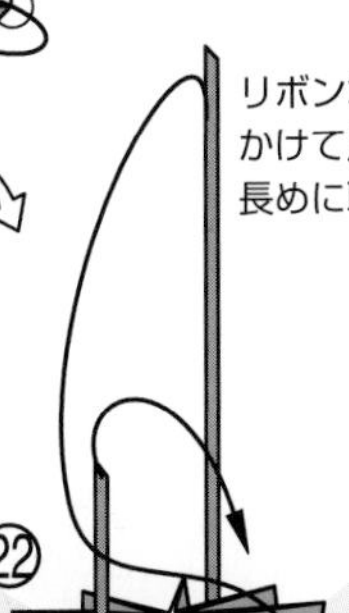

リボンなどを
かけて片方を
長めに取る

短い方の先を倒し
長い方をひっかける
ようにして横に倒す

㉓

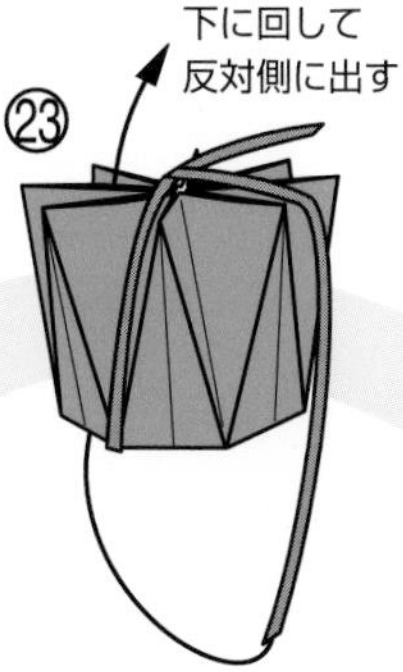

長いほうを
下に回して
反対側に出す

㉔

それぞれの
先を結ぶ

㉕

できあがり

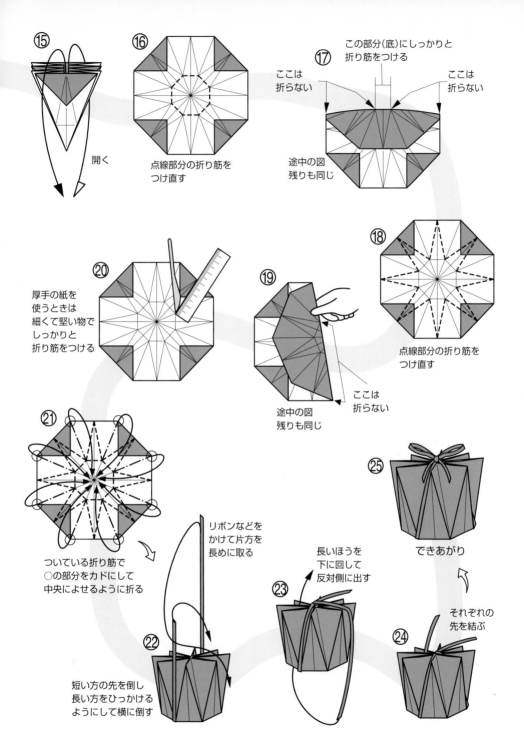

P44～45（写真）

2
ベビーシューズ

用紙
●寸法（写真）
紙
27.3×27.3cm
仕上がり
11.5×6.3×8cm

●素材
厚手の洋紙で折ると丈夫に仕上がります。

◆ワンポイント
かわいい赤ちゃんの靴です。プレゼントに合わせて大きさを変えると良いでしょう。

※P148～P149［クリスマスのオーナメント］の③もこの折り図を参照

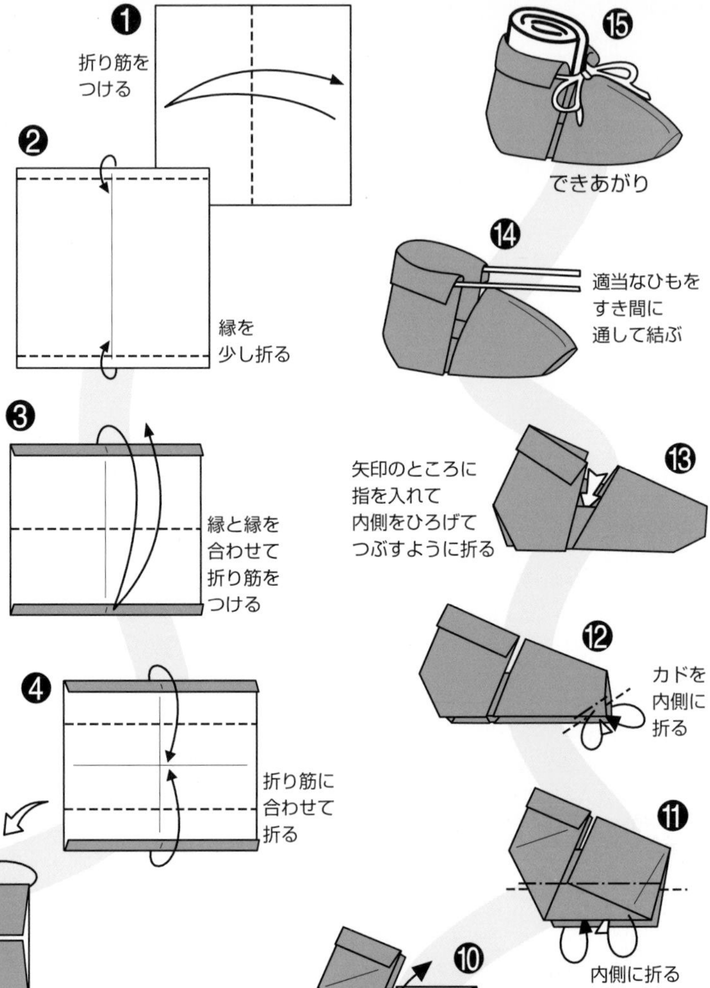

折り筋をつける
縁を少し折る
縁と縁を合わせて折り筋をつける
折り筋に合わせて折る
できあがり
適当なひもをすき間に通して結ぶ
矢印のところに指を入れて内側をひろげてつぶすように折る
カドを内側に折る
内側に折る

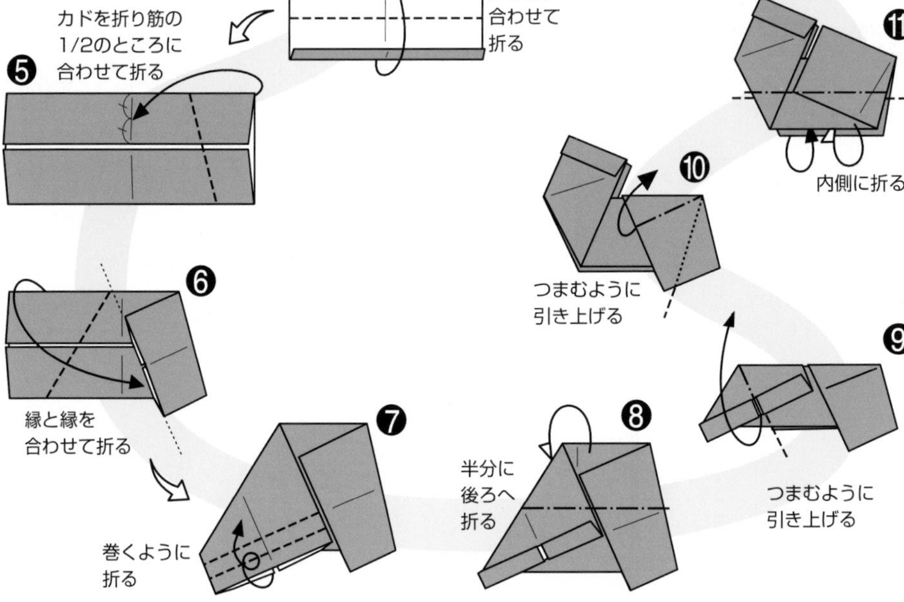

カドを折り筋の1/2のところに合わせて折る
縁と縁を合わせて折る
巻くように折る
半分に後ろへ折る
つまむように引き上げる
つまむように引き上げる

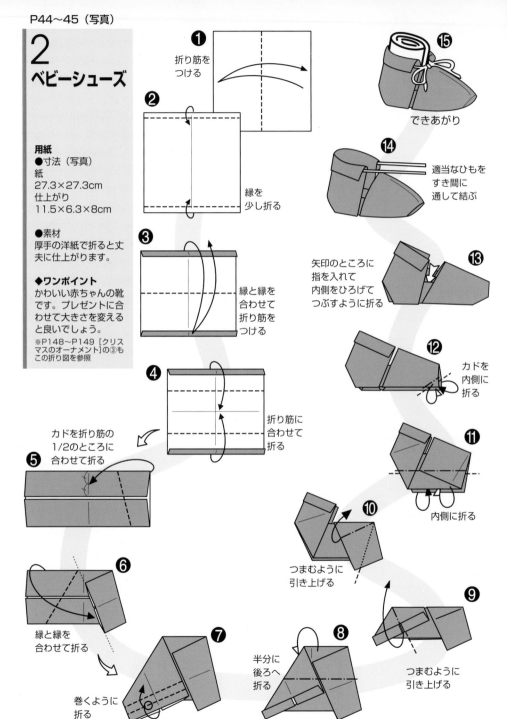

P48～49（写真）

2
ワイシャツとネクタイ

用紙

●寸法（写真）
紙
(ワイシャツ)17×22cm
(ネクタイ)15.5×15.5cm
仕上がり
(ワイシャツ)17×22cm
(ネクタイ)5.5×17cm

●素材
折り紙、和紙、洋紙など

◆ワンポイント
袋とネクタイの大きさのバランスを良く考えて折りましょう。

※P64～P65［メッセージカード］の④もこの折り図を参照

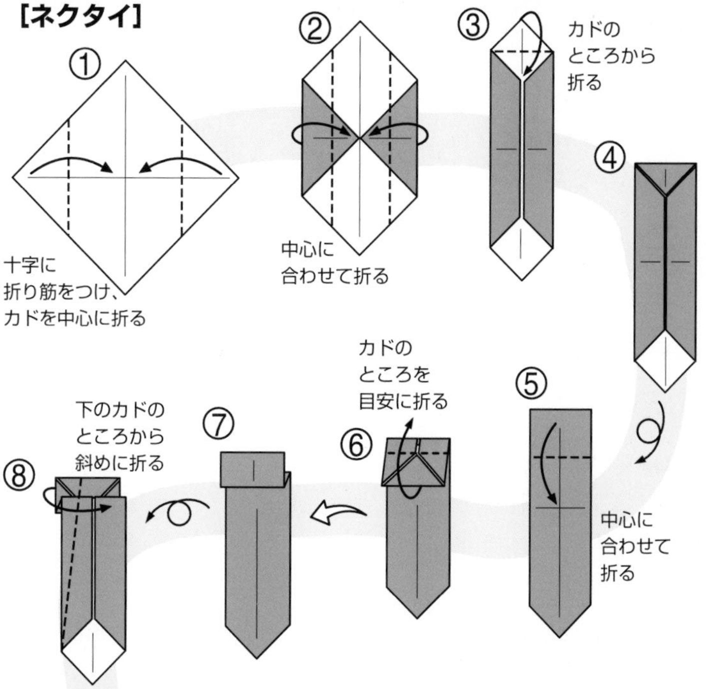
[ネクタイ]
①
十字に
折り筋をつけ、
カドを中心に折る
②
中心に
合わせて折る
③
カドの
ところから
折る
④
⑤
中心に
合わせて
折る
⑥
カドの
ところを
目安に折る
⑦
⑧
下のカドの
ところから
斜めに折る

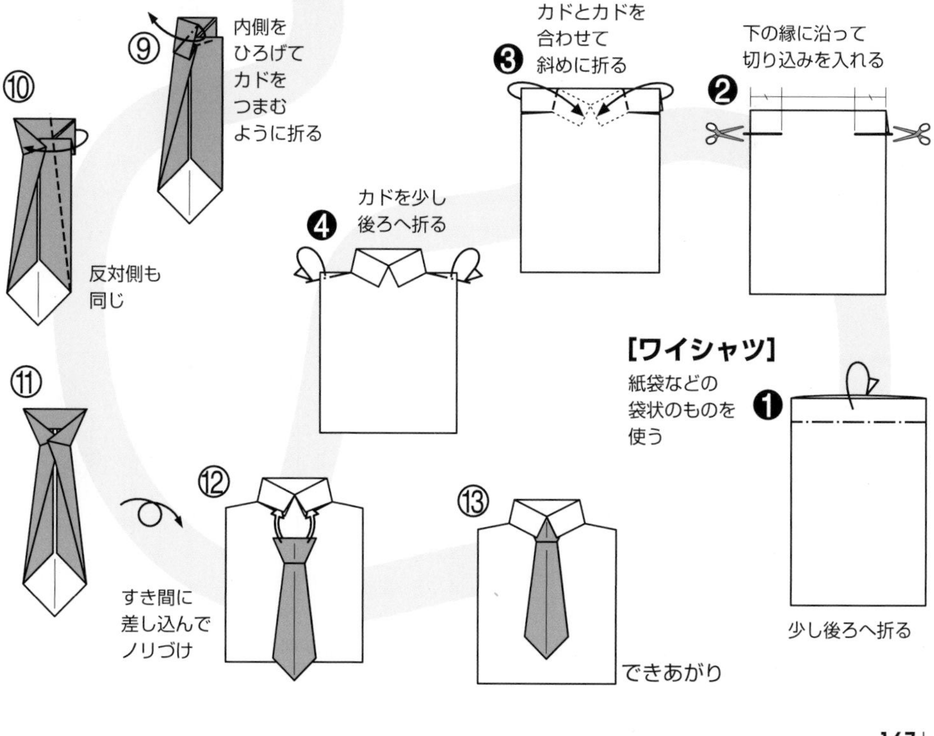
⑨
内側を
ひろげて
カドを
つまむ
ように折る
⑩
反対側も
同じ
⑪
⑫
すき間に
差し込んで
ノリづけ
⑬
できあがり
[ワイシャツ]
紙袋などの
袋状のものを
使う
❶
少し後ろへ折る
❷
下の縁に沿って
切り込みを入れる
❸
カドとカドを
合わせて
斜めに折る
❹
カドを少し
後ろへ折る

2

のし袋と内祝い包み

鶴ののし袋 バリエーション

用紙

●寸法（写真）

紙

(本体)29.5×29.5cm

(飾り)

(白+金)10 .4×10.4cm

(ピンク)11.5×11.5cm

仕上がり

18×8.8 cm

●素材

紅白の両面和紙（写真）

ほか、和紙、洋紙など

◆ワンポイント

鶴ののし袋に飾りをつけたものです。色の組み合わせをいろいろ試してみて下さい。

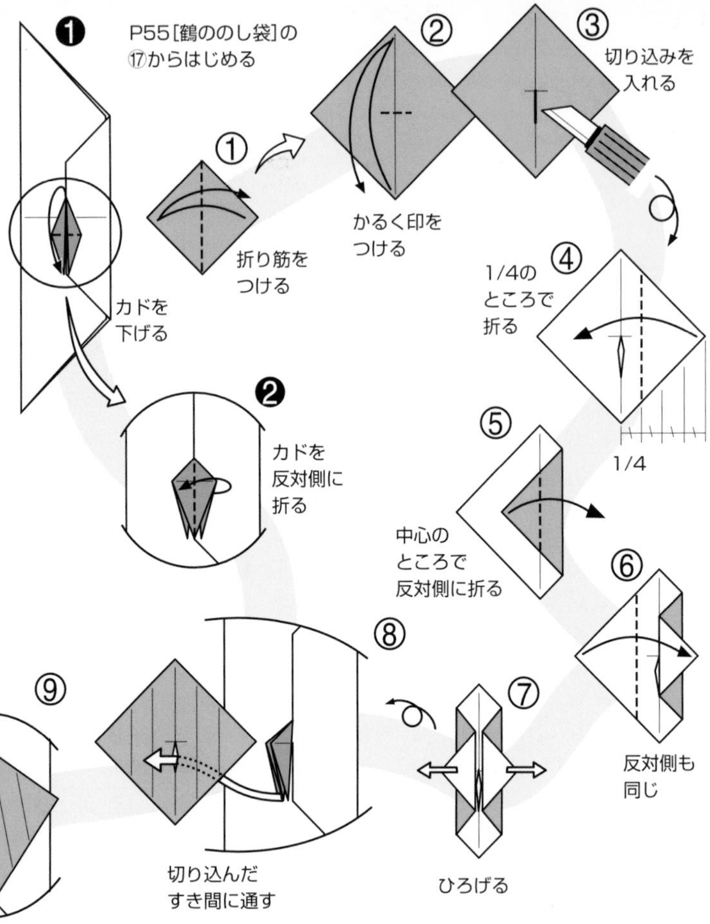
❶
カドを下げる
P55［鶴ののし袋］の⑰からはじめる
①
折り筋をつける
②
かるく印をつける
③
切り込みを入れる
④
1/4のところで折る
1/4
❷
カドを反対側に折る
⑤
中心のところで反対側に折る
⑥
反対側も同じ
⑦
ひろげる
⑧
切り込んだすき間に通す

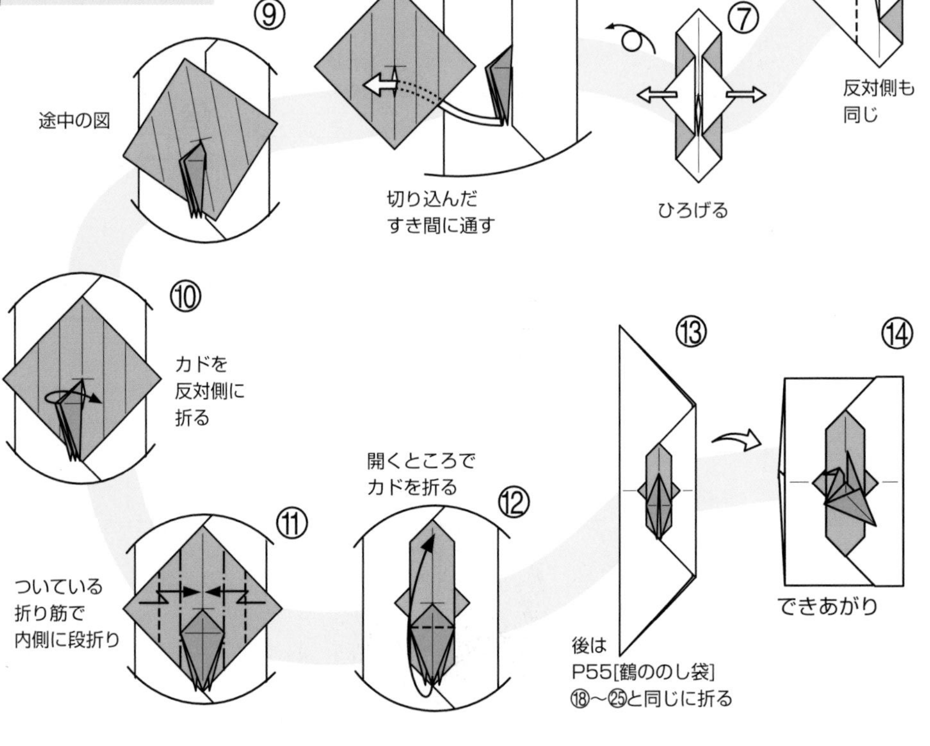
⑨
途中の図
⑩
カドを反対側に折る
⑪
ついている折り筋で内側に段折り
⑫
開くところでカドを折る
⑬
後はP55［鶴ののし袋］⑱～㉕と同じに折る
⑭
できあがり

3

のし袋と内祝い包み

鶴の内祝い包み

用紙
●寸法（写真）
紙
18×15.3cm
仕上がり
10.7×7.7cm

●素材
紅白の両面和紙（写真）
ほか、和紙、洋紙など

◆ワンポイント
鶴の形をしたかわいい内祝い包みです。アクセントに水引をビーズでとめてみましょう。

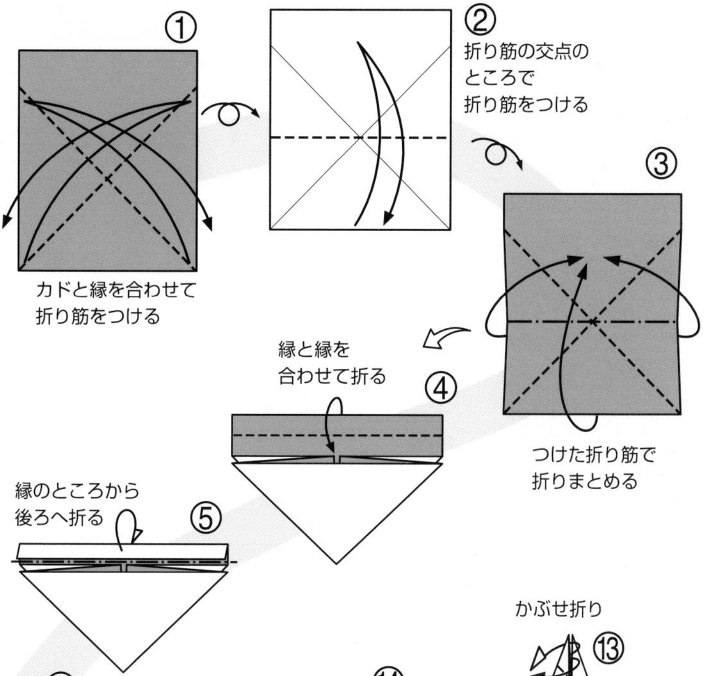
①
カドと縁を合わせて
折り筋をつける
②
折り筋の交点の
ところで
折り筋をつける
③
つけた折り筋で
折りまとめる
④
縁と縁を
合わせて折る
⑤
縁のところから
後ろへ折る
⑬
かぶせ折り
⑭
水引を適当な
長さに切って
はさむ
水引の先を
ビーズに
通してとめる

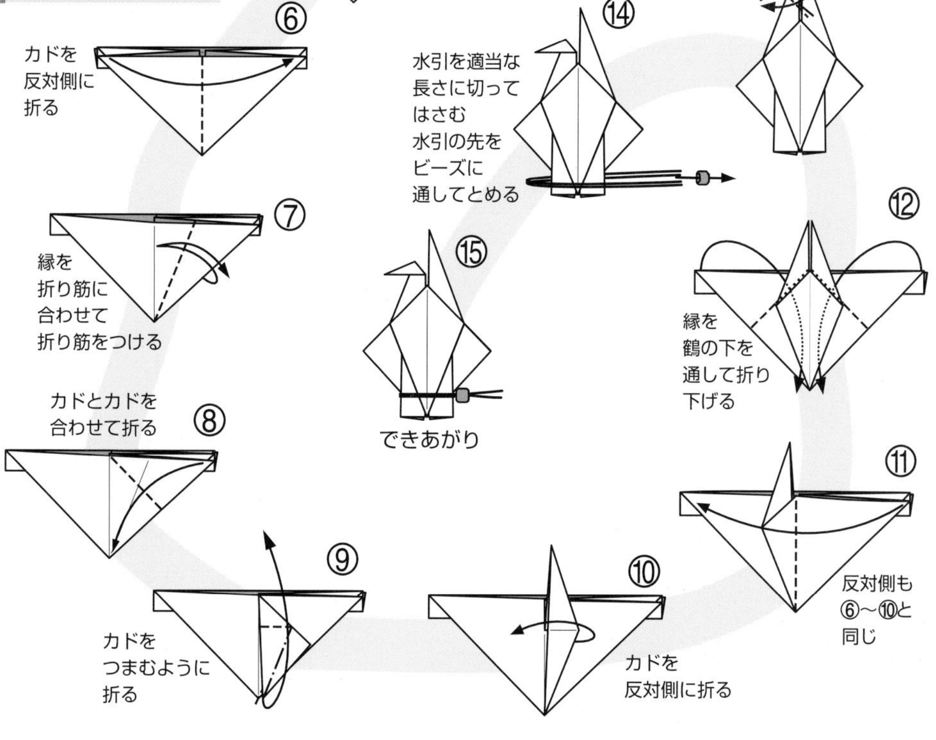
⑥
カドを
反対側に
折る
⑦
縁を
折り筋に
合わせて
折り筋をつける
⑧
カドとカドを
合わせて折る
⑨
カドを
つまむように
折る
⑩
カドを
反対側に折る
⑪
反対側も
⑥～⑩と
同じ
⑫
縁を
鶴の下を
通して折り
下げる
⑮
できあがり

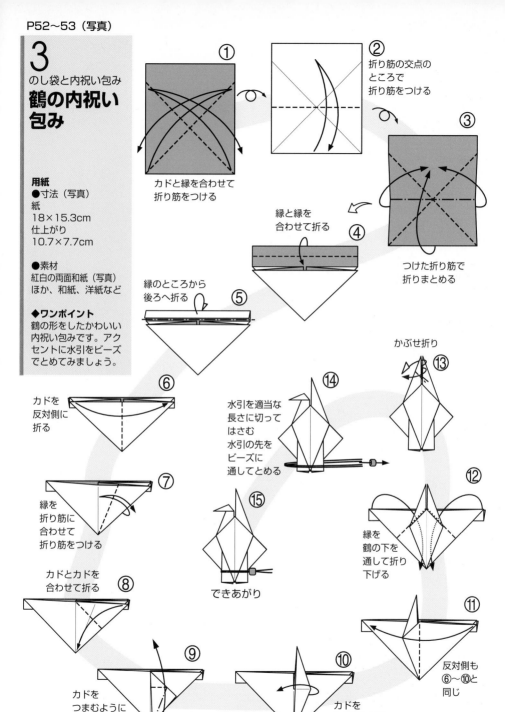

P56~57（写真）

2~3

ボトルカバー

鶴のボトルカバー2

用紙

●寸法（写真）
紙
(一升瓶)40×15cm
(ワインボトル)28×11cm
仕上がり
(一升瓶)13×11.3×12.5cm
(ワインボトル)10×8×6cm

●素材
紅白の両面和紙（写真）
ほか、和紙、洋紙など

◆ワンポイント
鶴のボトルカバーの別の折り方です。切り込みの部分に注意して下さい。

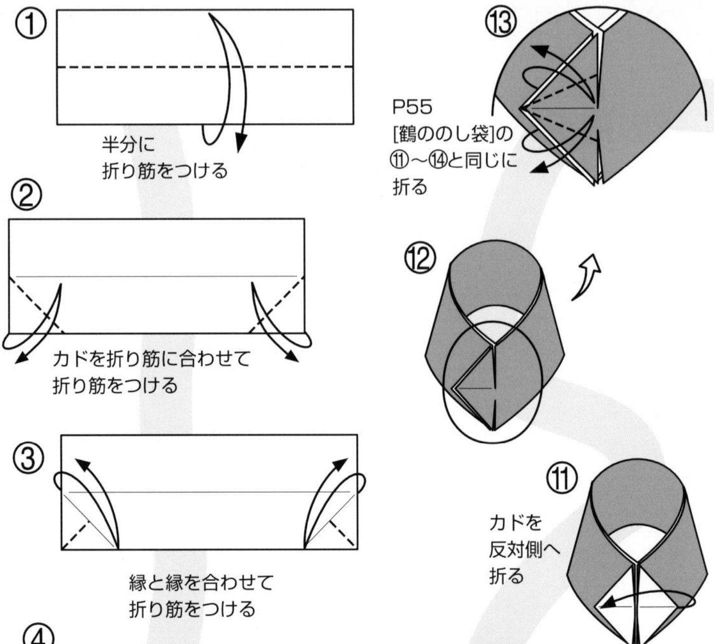
①
半分に
折り筋をつける
②
カドを折り筋に合わせて
折り筋をつける
③
縁と縁を合わせて
折り筋をつける
⑬
P55
[鶴ののし袋]の
⑪～⑭と同じに
折る
⑫
⑪
カドを
反対側へ
折る

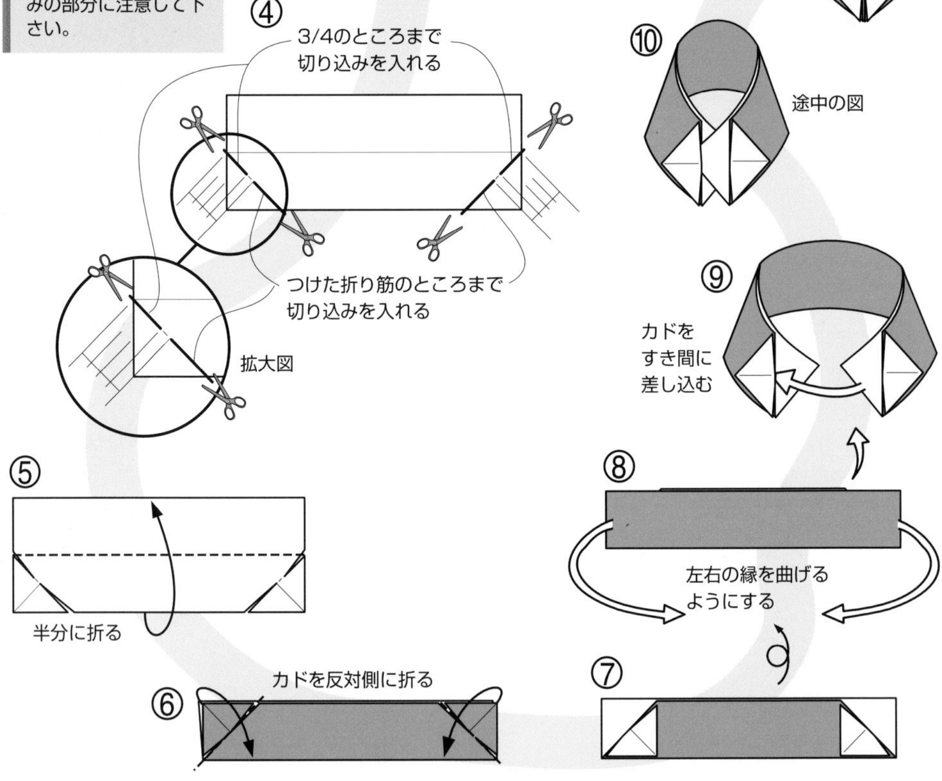
④
3/4のところまで
切り込みを入れる
つけた折り筋のところまで
切り込みを入れる
拡大図
⑩
途中の図
⑨
カドを
すき間に
差し込む
⑧
左右の縁を曲げる
ようにする
⑤
半分に折る
⑥
カドを反対側に折る
⑦

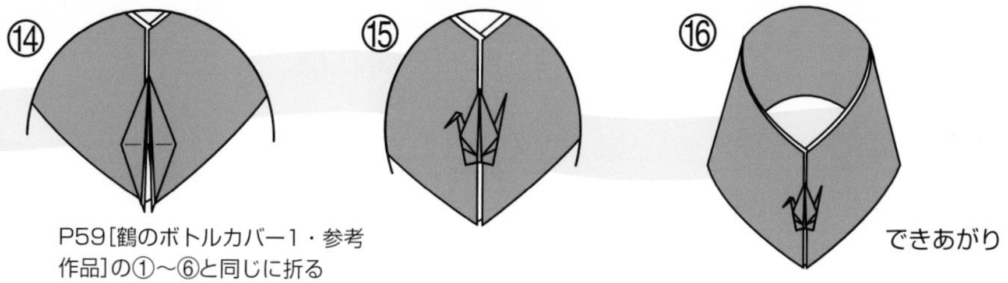
⑭
⑮
⑯
P59[鶴のボトルカバー1・参考
作品]の①～⑥と同じに折る
できあがり

❶ [参考作品]

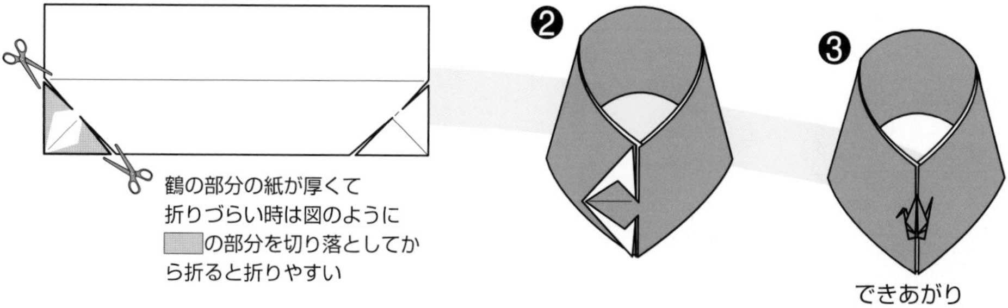
鶴の部分の紙が厚くて
折りづらい時は図のように
の部分を切り落としてか
ら折ると折りやすい
❷
❸
できあがり

[応用]

縁より5mmほどずらして折ると
図のような仕上がりになる

[鶴のボトルカバー1]　[鶴のボトルカバー2]

[応用作品3]

[飾り無しボトルカバー]

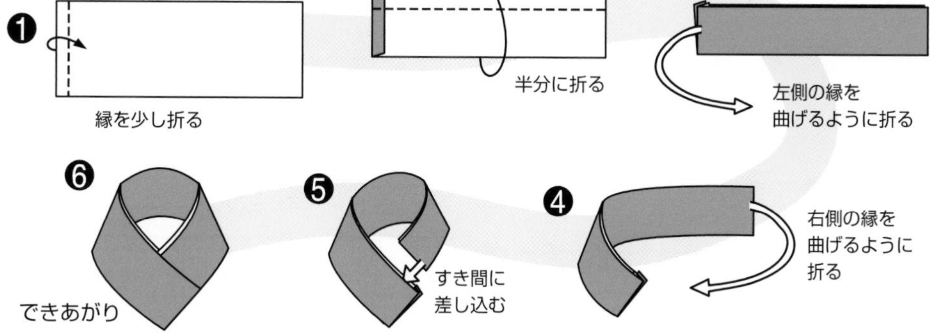
❶
縁を少し折る
❷
半分に折る
❸
左側の縁を
曲げるように折る
❹
右側の縁を
曲げるように
折る
❺
すき間に
差し込む
❻
できあがり

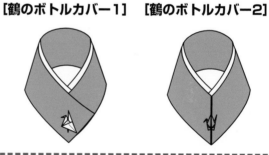

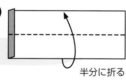

P56~57（写真）

4

ボトルカバー

兎のボトルカバー

用紙

●寸法（写真）

紙

(一升瓶)40×15cm

(ワインボトル)28×11cm

仕上がり

(一升瓶)13×11.3×12.5cm

(ワインボトル)10×8×6cm

●素材

紅白の両面和紙（写真）

ほか、和紙、洋紙など

◆ワンポイント

鶴の他に兎をあしらったホトルカバーです。切り込みの部分に注意して下さい。

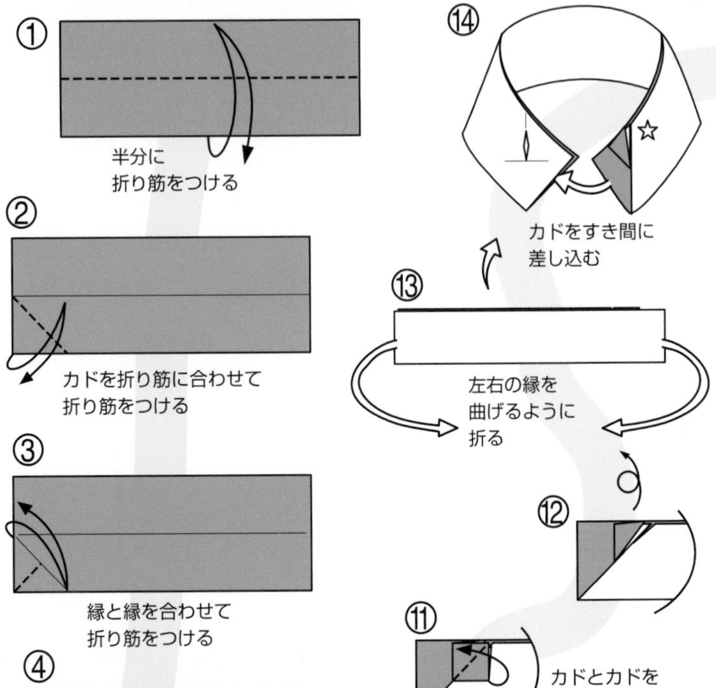
①
半分に
折り筋をつける
②
カドを折り筋に合わせて
折り筋をつける
③
縁と縁を合わせて
折り筋をつける
⑭
カドをすき間に
差し込む
⑬
左右の縁を
曲げるように
折る
⑫
⑪
カドとカドを
合わせて折る

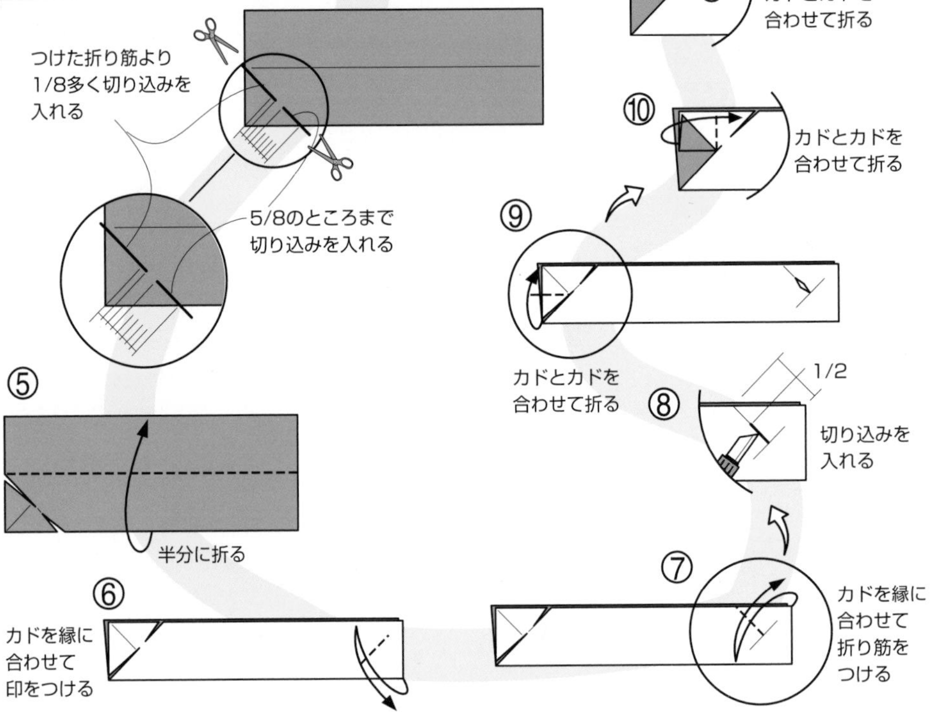
④
つけた折り筋より
1/8多く切り込みを
入れる
5/8のところまで
切り込みを入れる
⑤
半分に折る
⑥
カドを縁に
合わせて
印をつける

⑦
カドを縁に
合わせて
折り筋を
つける

⑧
1/2
切り込みを
入れる

⑨
カドとカドを
合わせて折る

⑩
カドとカドを
合わせて折る

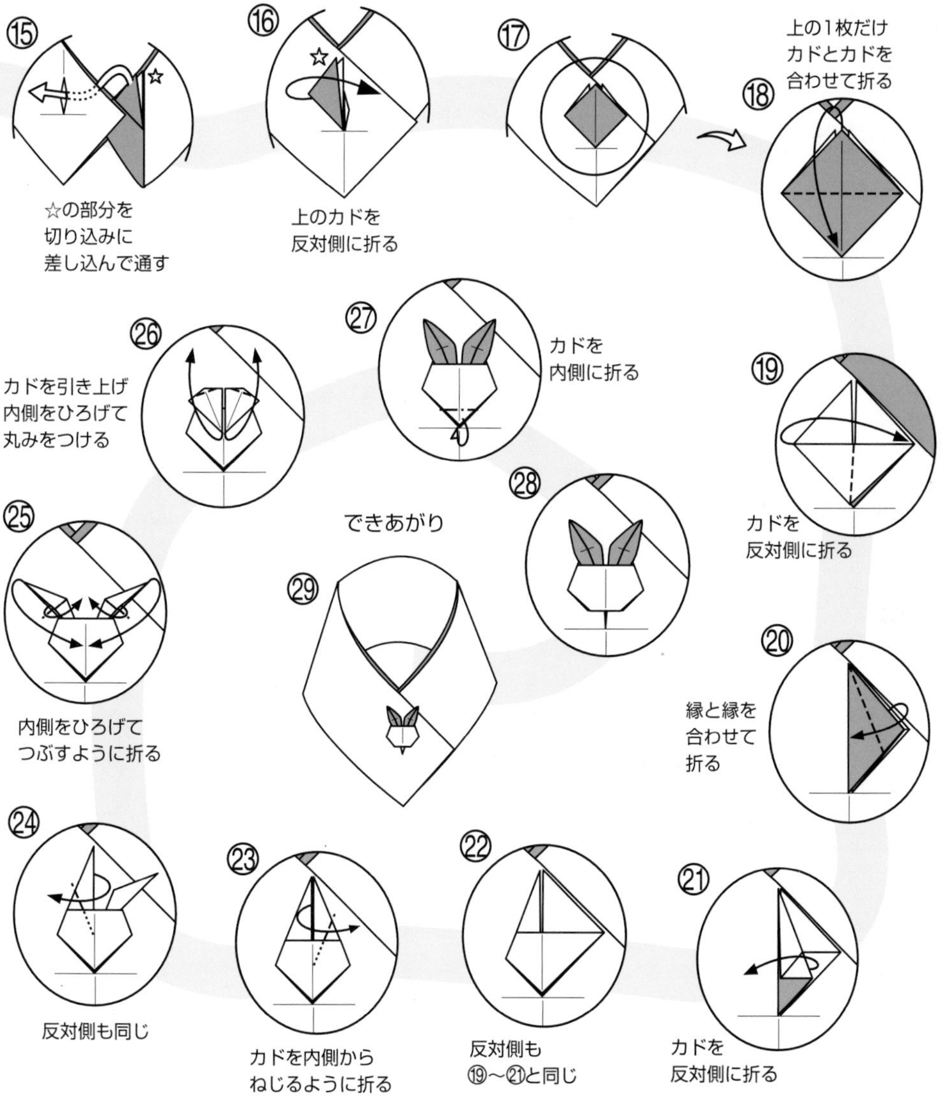
⑮
☆
☆の部分を
切り込みに
差し込んで通す
⑯
☆
上のカドを
反対側に折る
⑰
⑱
上の1枚だけ
カドとカドを
合わせて折る
⑲
カドを
反対側に折る
⑳
縁と縁を
合わせて
折る
㉑
カドを
反対側に折る
㉒
反対側も
⑲～㉑と同じ
㉓
カドを内側から
ねじるように折る
㉔
反対側も同じ
㉕
内側をひろげて
つぶすように折る
㉖
カドを引き上げ
内側をひろげて
丸みをつける
㉗
カドを
内側に折る
㉘
㉙
できあがり

[参考作品]

❶

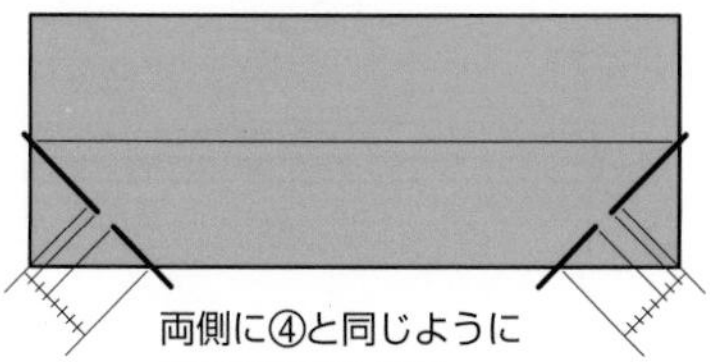

両側に④と同じように
切り込みを入れる

❷

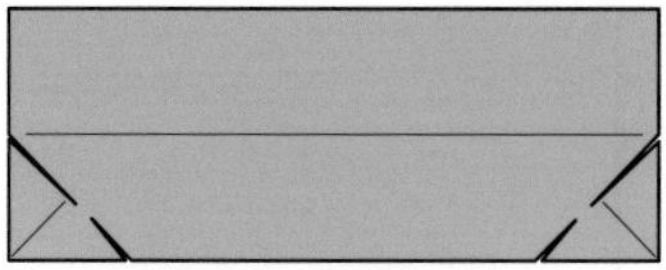

鶴のボトルカバーと
同じように三角の部分を
重ねて折ると図のような
仕上がりになる

❸

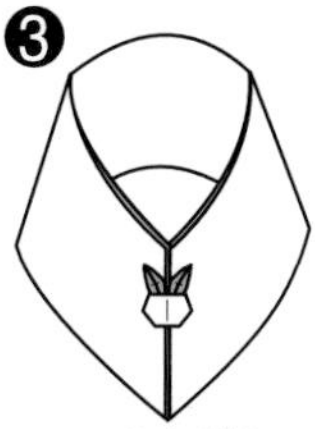

できあがり

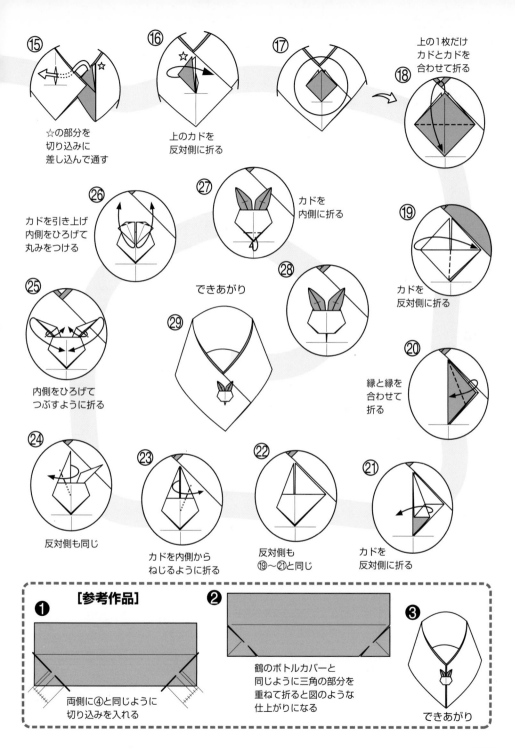

6

かわいくて簡単なぽち袋

小さなぽち袋

用紙

●寸法（写真）
紙
17.3×17.3cm
仕上がり
8.6×8.8cm

●素材
紅白の両面和紙（写真）
ほか、和紙、洋紙など

◆ワンポイント
簡単にできる便利なぽち袋です。お祝いに最適です。

[ぽち袋F]

①

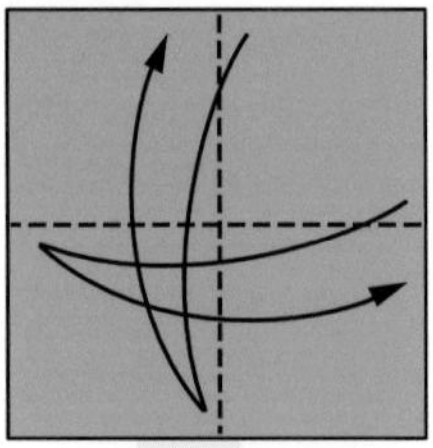

十字折り筋をつける

②

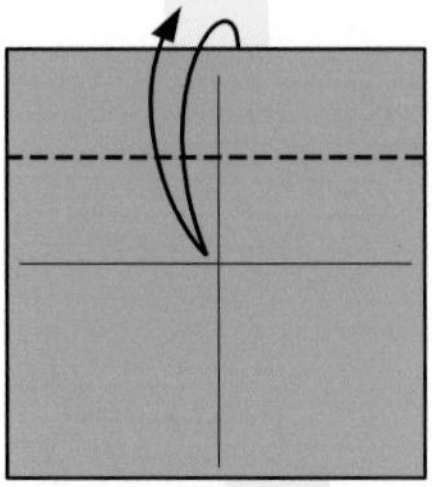

つけた折り筋に合わせて
折り筋をつける

③

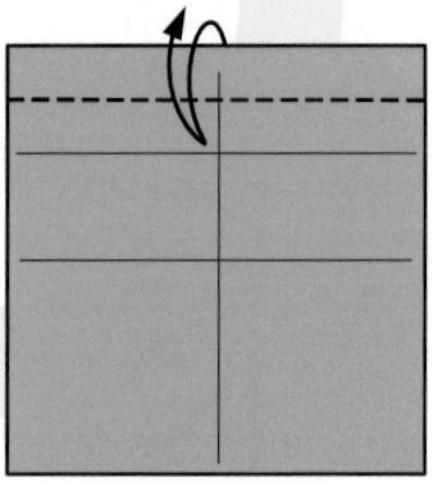

つけた折り筋に合わせて
折り筋をつける

④

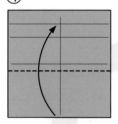

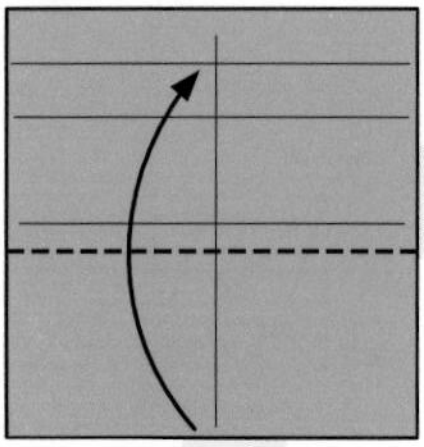

つけた縁を折り筋に
合わせて折る

⑤

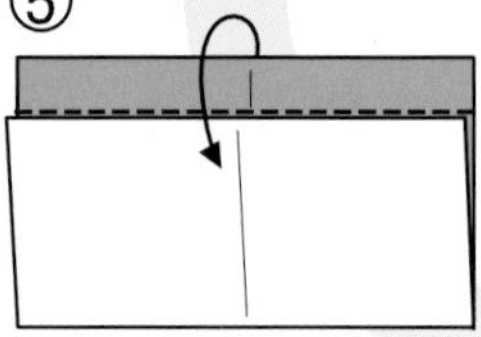

縁のところで折る

⑥

少し折り返す

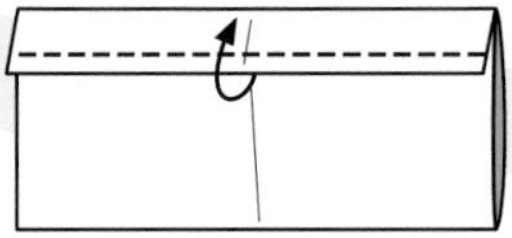

⑦

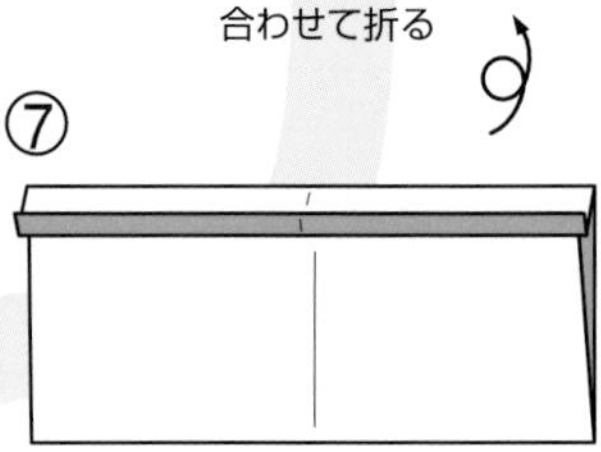

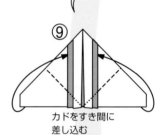

⑧

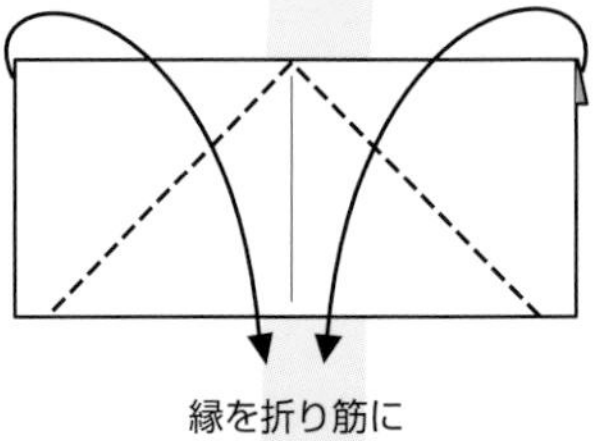

縁を折り筋に
合わせて折る

⑨

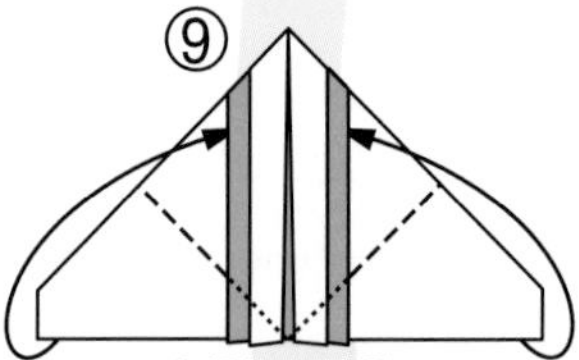

カドをすき間に
差し込む

⑩

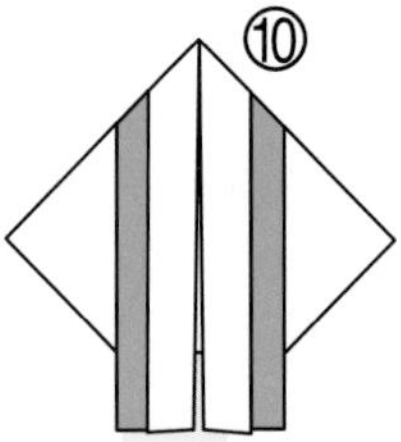

できあがり

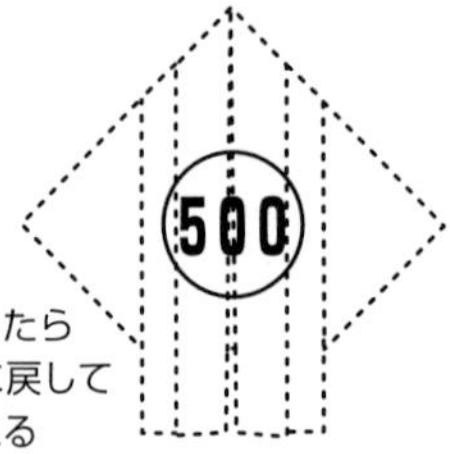

折りあがったら
いちど⑧に戻して
中身を入れる

P69（写真）

2

手提げ袋とカード入れ

カード入れ

用紙

●寸法（写真）
紙
39×18.8cm
仕上がり
7.5×9.5cm

●素材
紅白の両面和紙（写真）
ほか、和紙、洋紙など

◆ワンポイント
実際のカード類の大きさを考えたサイズに仕上がります。指示された大きさの紙で折ってみて下さい。

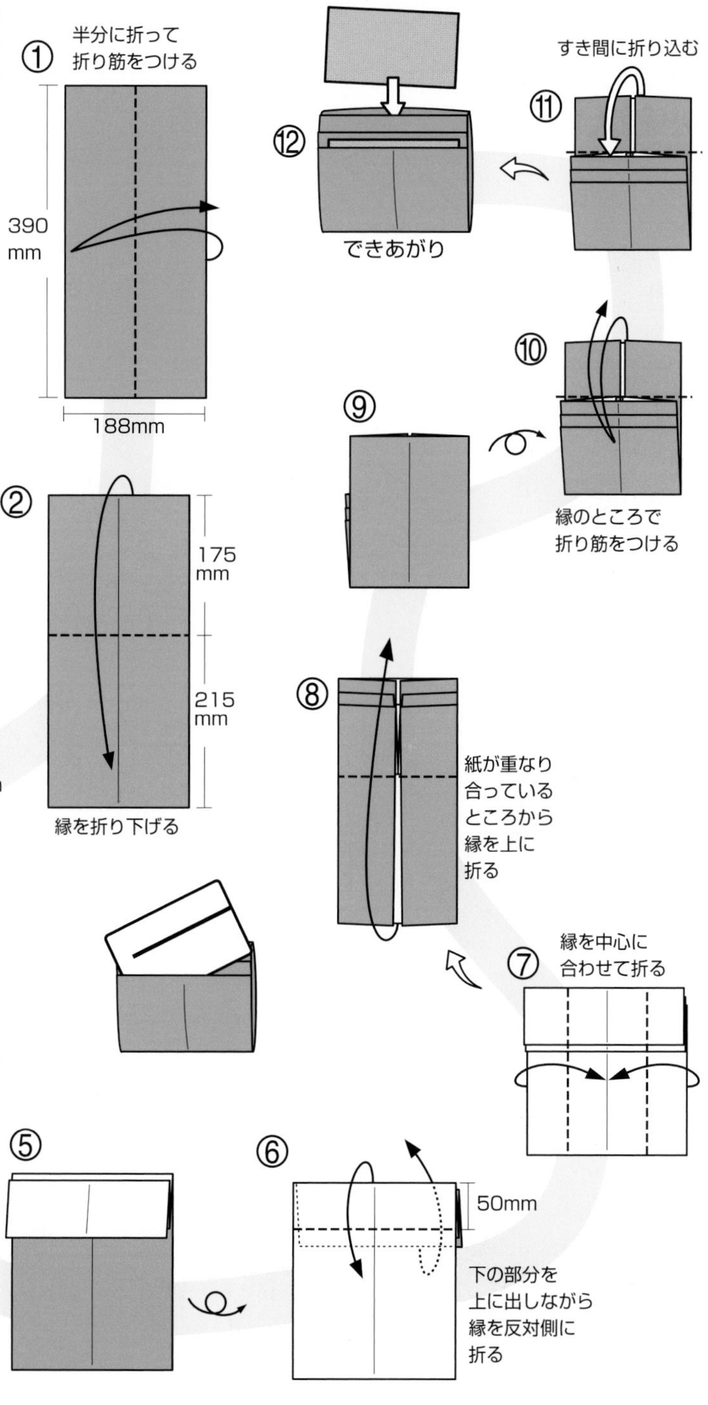

①
半分に折って
折り筋をつける
390
mm
188mm
②
175
mm
215
mm
縁を折り下げる
⑤
⑥
50mm
下の部分を
上に出しながら
縁を反対側に
折る
⑦
縁を中心に
合わせて折る
⑧
紙が重なり
合っている
ところから
縁を上に
折る
⑨
⑩
縁のところで
折り筋をつける
⑪
すき間に折り込む
⑫
できあがり

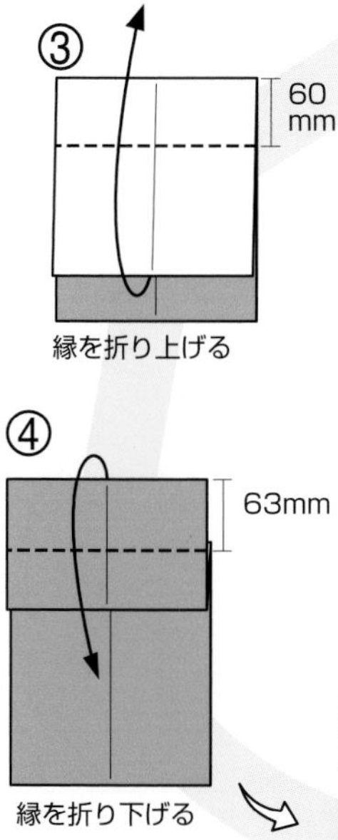

③
60
mm
縁を折り上げる
④
63mm
縁を折り下げる

P72～73（写真）

3

財布と小銭入れ

小銭入れ

用紙

●寸法（写真）
紙
20.9×20.9cm
仕上がり
5.3×5.3cm

●素材
紅白の両面和紙（写真）
ほか、和紙、洋紙など

◆ワンポイント
ねじるところが少し難しいですが、折り筋の向きに気をつけて折って下さい。

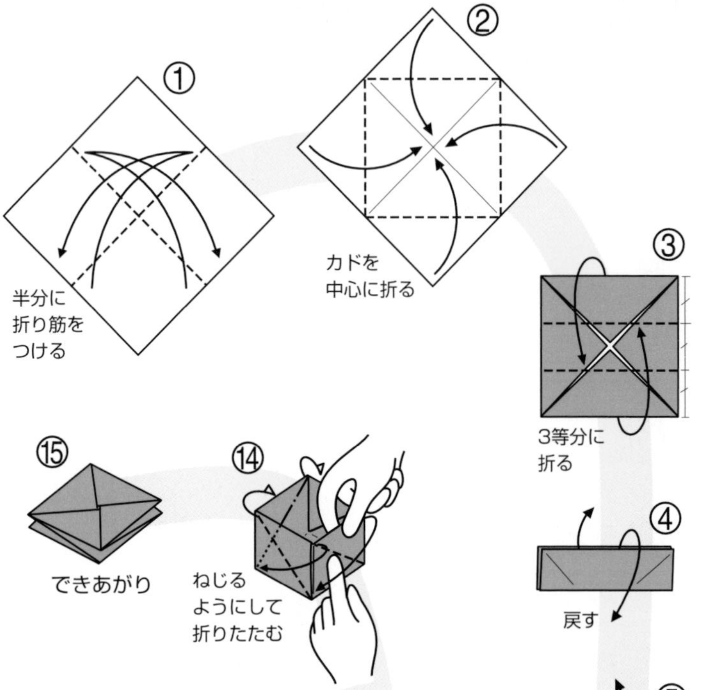
①
半分に
折り筋を
つける
②
カドを
中心に折る
③
3等分に
折る
④
戻す
⑭
ねじる
ようにして
折りたたむ
⑮
できあがり

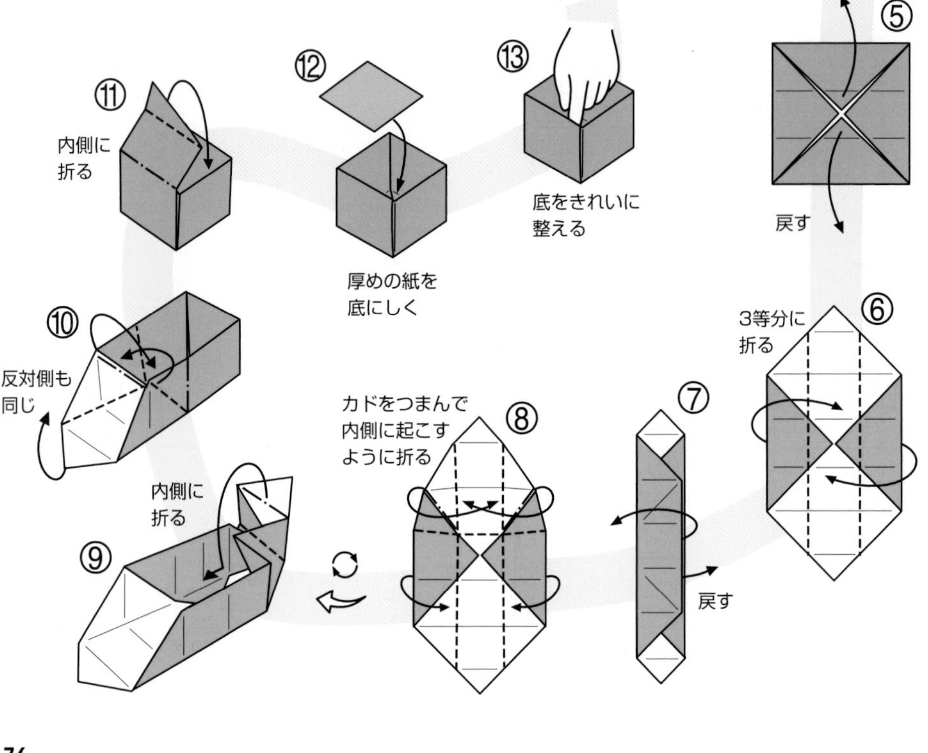
⑤
戻す
⑥
3等分に
折る
⑦
戻す
⑧
カドをつまんで
内側に起こす
ように折る
⑨
内側に
折る
⑩
反対側も
同じ
⑪
内側に
折る
⑫
厚めの紙を
底にしく
⑬
底をきれいに
整える

3~4

イヤリングとブローチ

ブローチ2

用紙

●寸法（写真）
紙
14×14cm×2枚
仕上がり
4.5×10.2cm

●素材
両面の折り紙用紙

◆ワンポイント
大きさを変えてイヤリングやブローチにしても良いでしょう。色の組み合わせを楽しんで下さい。

※P84～85［バレッタ］の①もこの折り図を参照

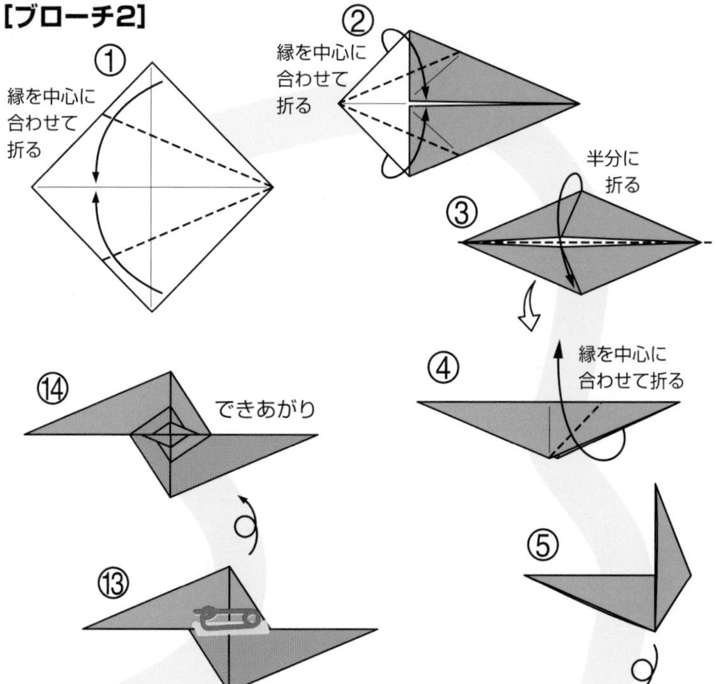

［ブローチ2］
①
縁を中心に
合わせて
折る
②
縁を中心に
合わせて
折る
③
半分に
折る
④
縁を中心に
合わせて折る
⑤
⑭
できあがり
⑬

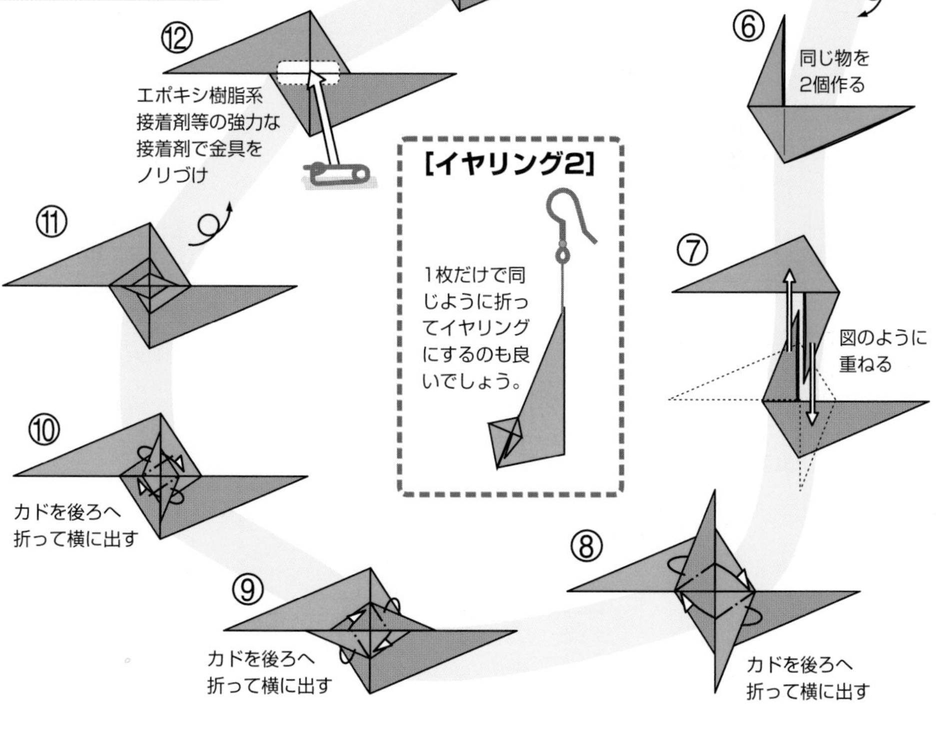

⑥
同じ物を
2個作る
⑦
図のように
重ねる
⑧
カドを後ろへ
折って横に出す
⑨
カドを後ろへ
折って横に出す
⑩
カドを後ろへ
折って横に出す
⑪
⑫
エポキシ樹脂系
接着剤等の強力な
接着剤で金具を
ノリづけ
［イヤリング2］
1枚だけで同
じように折っ
てイヤリング
にするのも良
いでしょう。

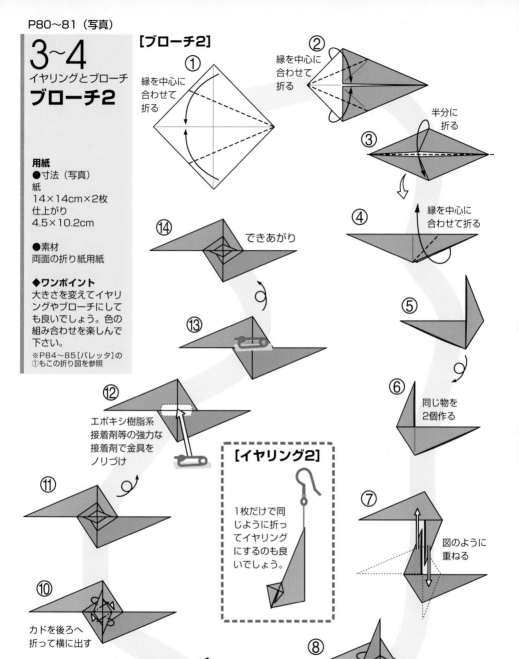

P88～89（写真）

2

はぎれで折るワンピース

ワンピース2

用紙

●寸法（写真）

紙

15×15cm

仕上がり

7×10cm

●素材

糊のきいた被服用の布

◆ワンポイント

布を折る際には、糊がきいていないときれいに折れません。カドや縁のズレに注意しながら折りましょう。

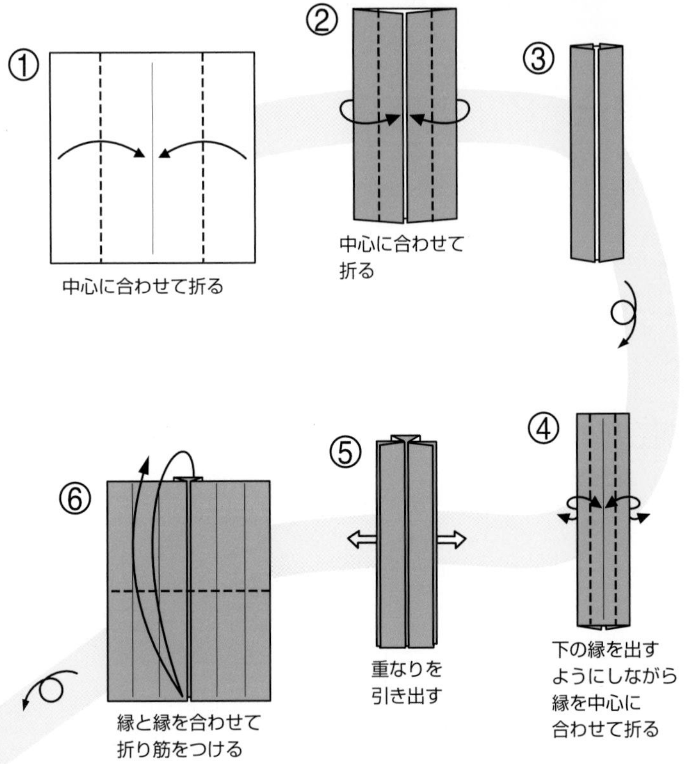
①
中心に合わせて折る
②
中心に合わせて
折る
③
④
下の縁を出す
ようにしながら
縁を中心に
合わせて折る
⑤
重なりを
引き出す
⑥
縁と縁を合わせて
折り筋をつける

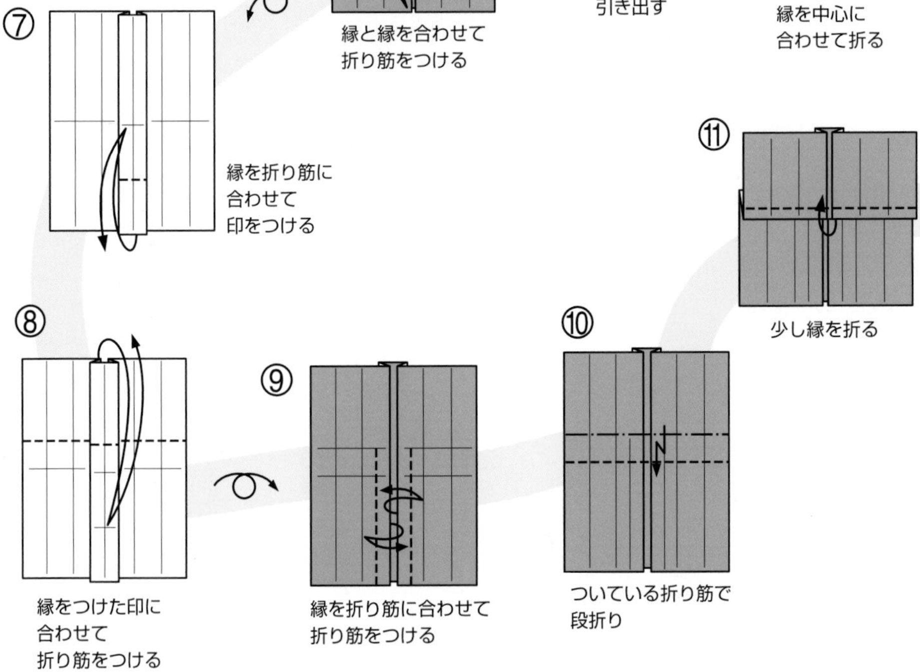
⑦
縁を折り筋に
合わせて
印をつける
⑧
縁をつけた印に
合わせて
折り筋をつける
⑨
縁を折り筋に合わせて
折り筋をつける
⑩
ついている折り筋で
段折り
⑪
少し縁を折る

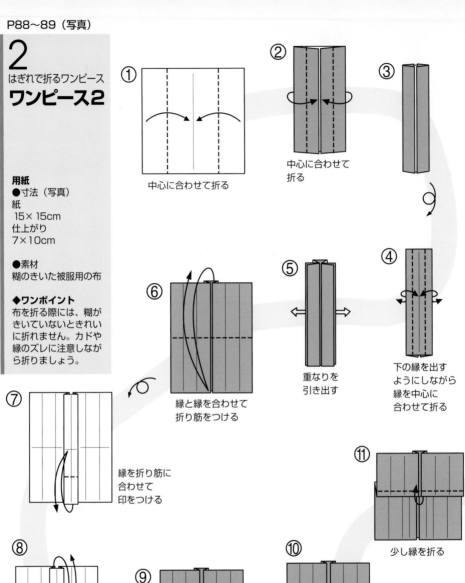

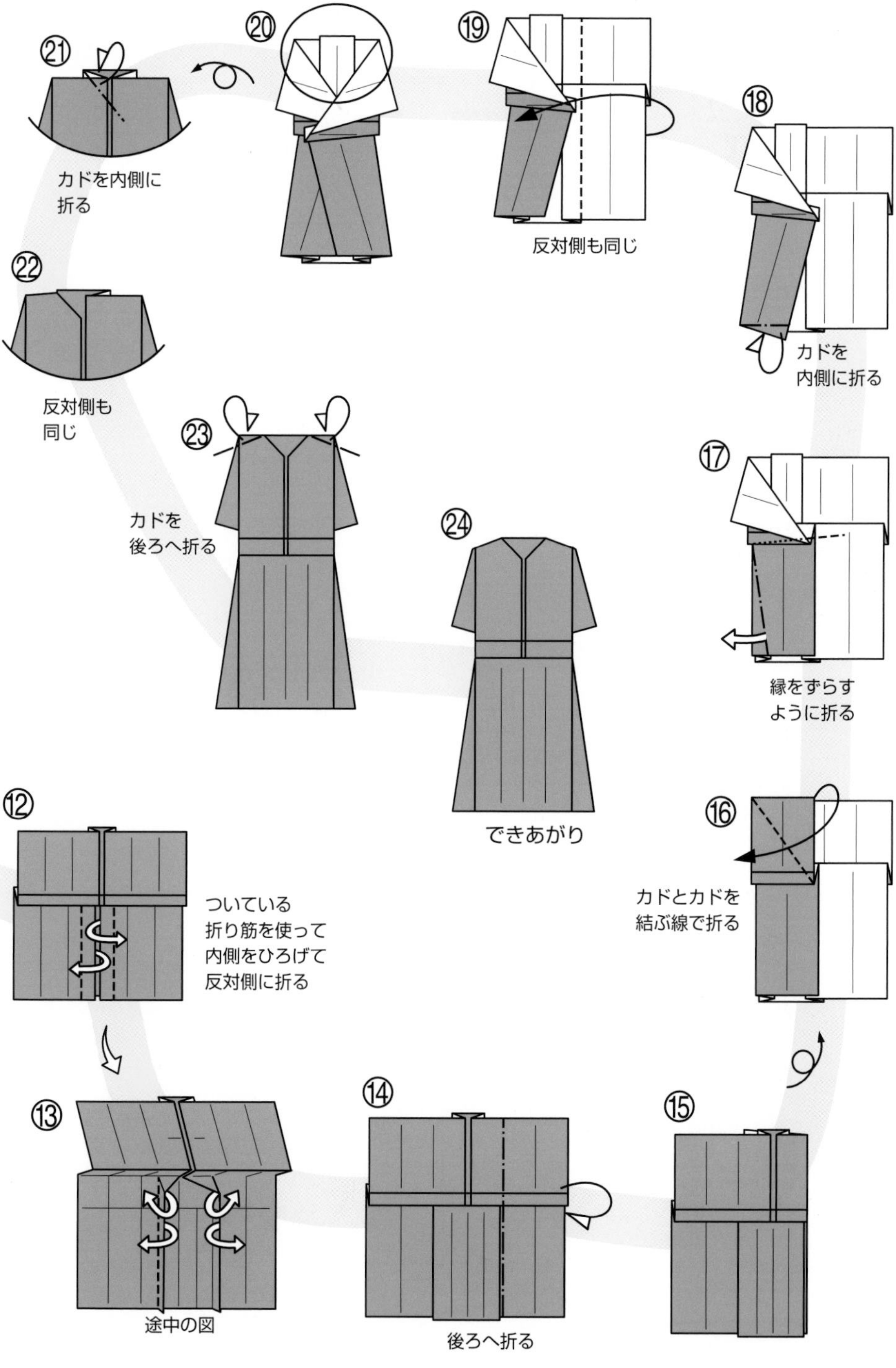
⑫
ついている
折り筋を使って
内側をひろげて
反対側に折る
⑬
途中の図
⑭
後ろへ折る
⑮
⑯
カドとカドを
結ぶ線で折る
⑰
縁をずらす
ように折る
⑱
カドを
内側に折る
⑲
反対側も同じ
⑳
㉑
カドを内側に
折る
㉒
反対側も
同じ
㉓
カドを
後ろへ折る
㉔
できあがり

P100～101（写真）

2

鶴の名札立て

鶴の
カード立て

用紙
●寸法（写真）
紙
17.4×17.4cm
仕上がり
8.8×8.8×12.3cm

●素材
紅白の両面和紙

◆ワンポイント
ついている折り筋をよくみて鶴の基本形をまとめてください。すでについている折り筋で自然にまとまります。

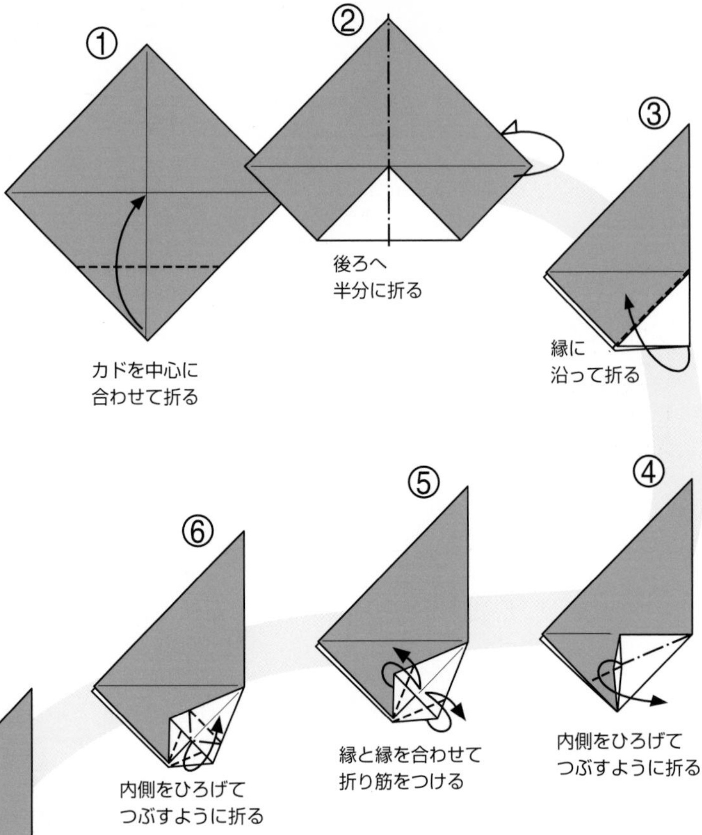
①
カドを中心に
合わせて折る
②
後ろへ
半分に折る
③
縁に
沿って折る
④
内側をひろげて
つぶすように折る
⑤
縁と縁を合わせて
折り筋をつける
⑥
内側をひろげて
つぶすように折る

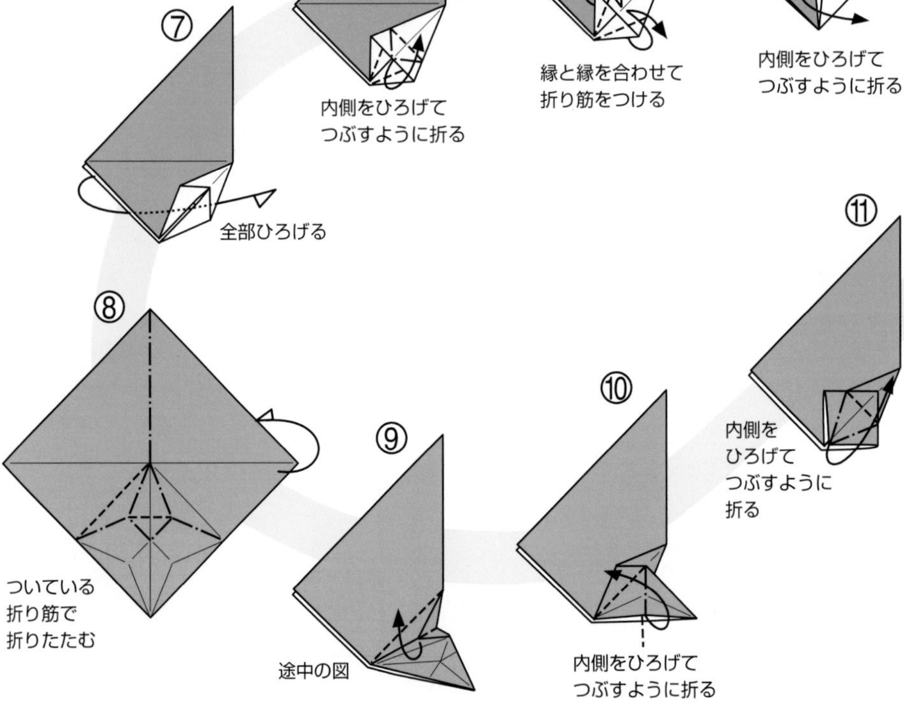
⑦
全部ひろげる
⑧
ついている
折り筋で
折りたたむ
⑨
途中の図
⑩
内側をひろげて
つぶすように折る
⑪
内側を
ひろげて
つぶすように
折る

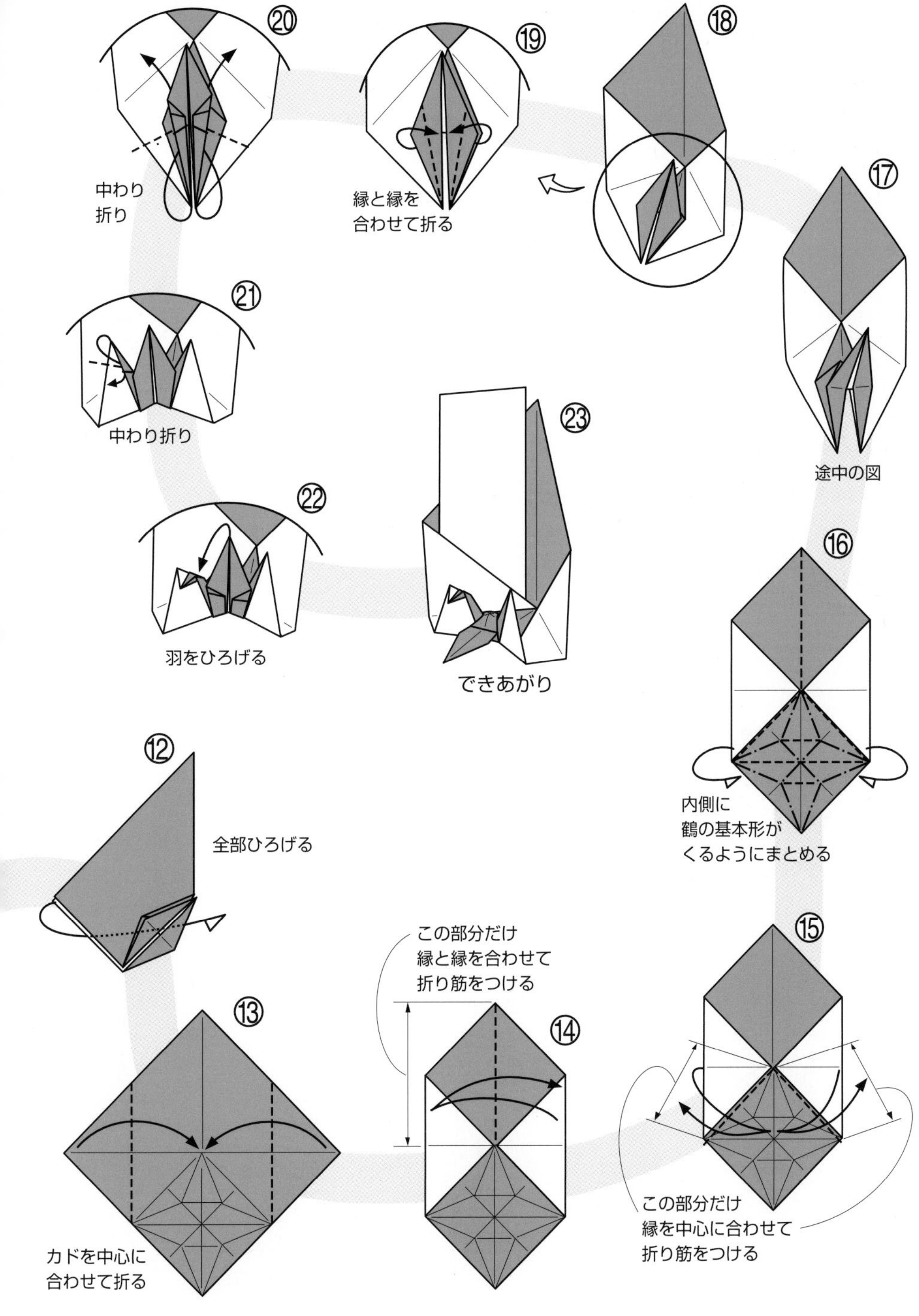
⑫
全部ひろげる
⑬
カドを中心に
合わせて折る
⑭
この部分だけ
縁と縁を合わせて
折り筋をつける
⑮
この部分だけ
縁を中心に合わせて
折り筋をつける
⑯
内側に
鶴の基本形が
くるようにまとめる
⑰
途中の図
⑱
⑲
縁と縁を
合わせて折る
⑳
中わり
折り
㉑
中わり折り
㉒
羽をひろげる
㉓
できあがり

3
料理の敷物
鶴をあしらった敷物

用紙
●寸法（写真）
紙
31.2×22.4cm
仕上がり
17.5×15×4.5cm

●素材
江戸千代折り紙（写真）
ほか、和紙、友禅紙、
楮もみ紙など

◆ワンポイント
切り込みを入れた部分が破れないように注意して下さい。鶴の部分の紙がずれないようにして下さい。

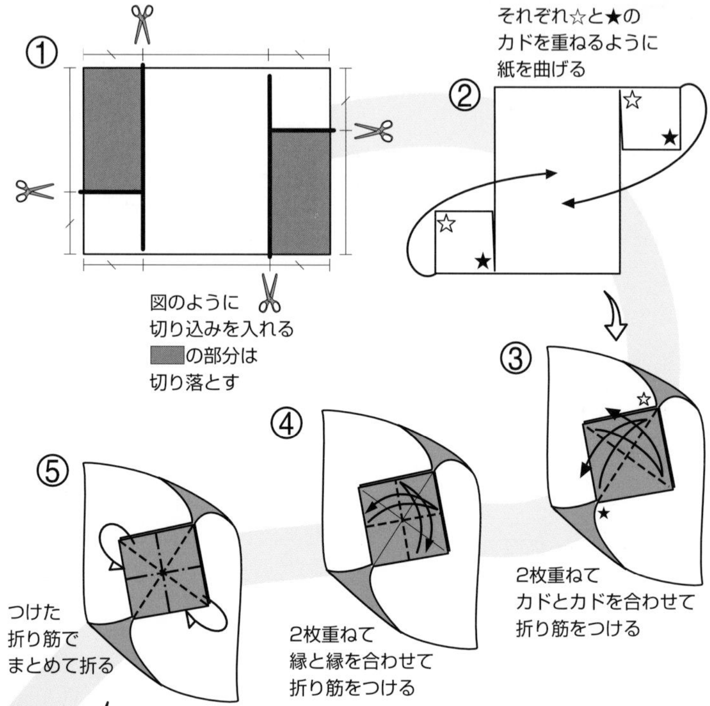
①
図のように
切り込みを入れる
の部分は
切り落とす
②
それぞれ☆と★の
カドを重ねるように
紙を曲げる
③
2枚重ねて
カドとカドを合わせて
折り筋をつける
④
2枚重ねて
縁と縁を合わせて
折り筋をつける
⑤
つけた
折り筋で
まとめて折る

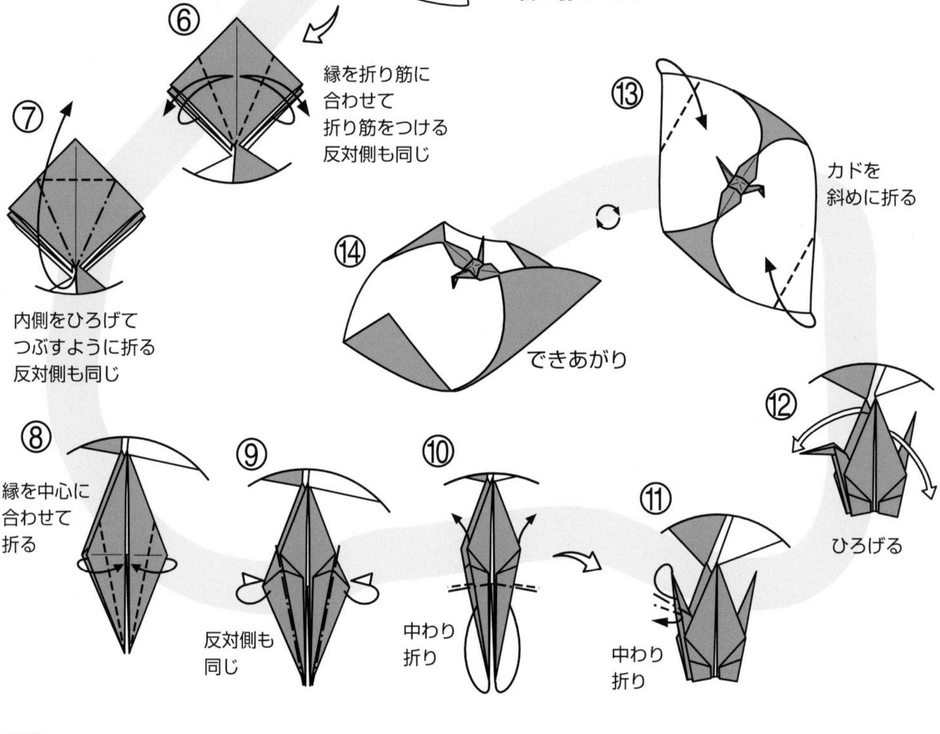
⑥
縁を折り筋に
合わせて
折り筋をつける
反対側も同じ
⑦
内側をひろげて
つぶすように折る
反対側も同じ
⑧
縁を中心に
合わせて
折る
⑨
反対側も
同じ
⑩
中わり
折り
⑪
中わり
折り
⑫
ひろげる
⑬
カドを
斜めに折る
⑭
できあがり

P105（写真）

2

ランプシェード

鶴のランプシェード2

用紙

●寸法（写真）

紙

60×60cm

仕上がり

14.5×15×48cm

●素材

和紙

◆ワンポイント

鶴が中央に浮かぶ素敵なオブジェです。これもつながっている部分が切れないように注意して下さい。

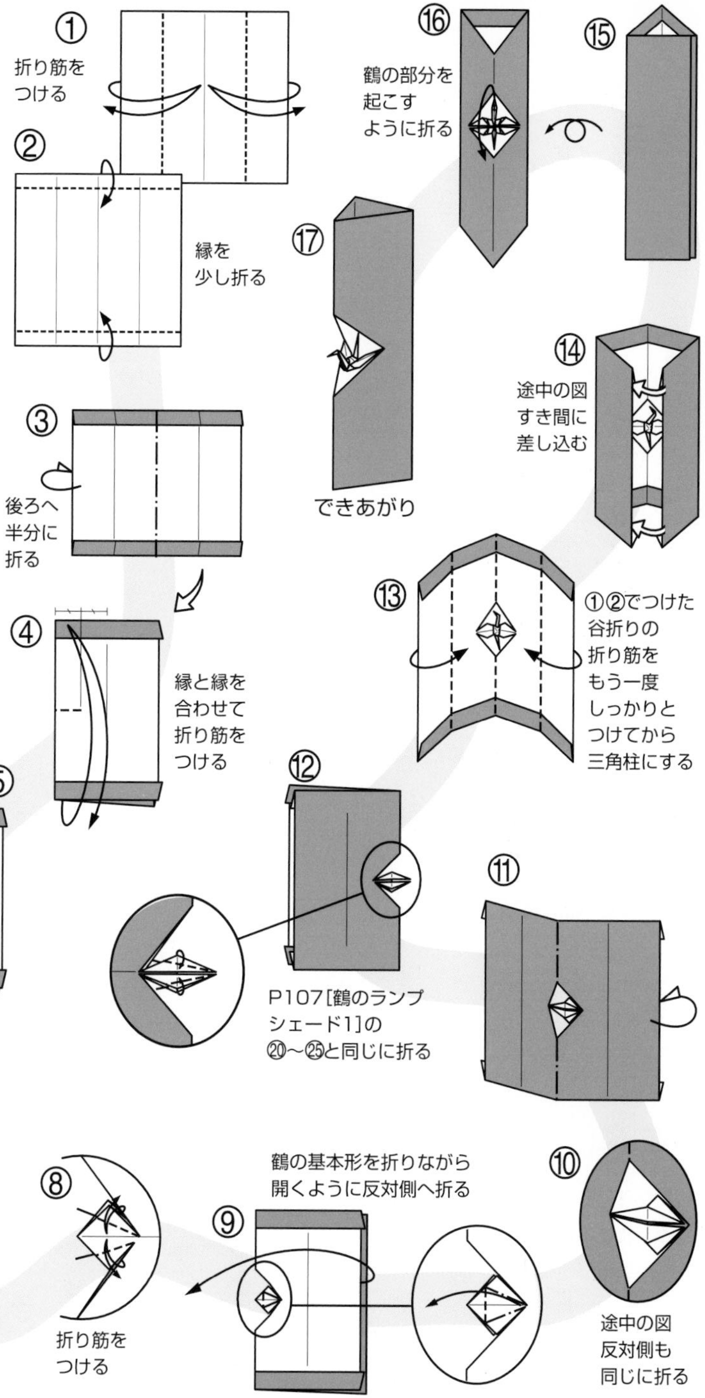

①
折り筋をつける
②
縁を少し折る
③
後ろへ半分に折る
④
縁と縁を合わせて折り筋をつける
⑰
できあがり
⑯
鶴の部分を起こすように折る
⑮
⑭
途中の図
すき間に差し込む
⑬
①②でつけた谷折りの折り筋をもう一度しっかりとつけてから三角柱にする
⑫
P107[鶴のランプシェード1]の⑳〜㉕と同じに折る
⑪
⑩
途中の図
反対側も同じに折る
⑨
鶴の基本形を折りながら開くように反対側へ折る
⑧
折り筋をつける

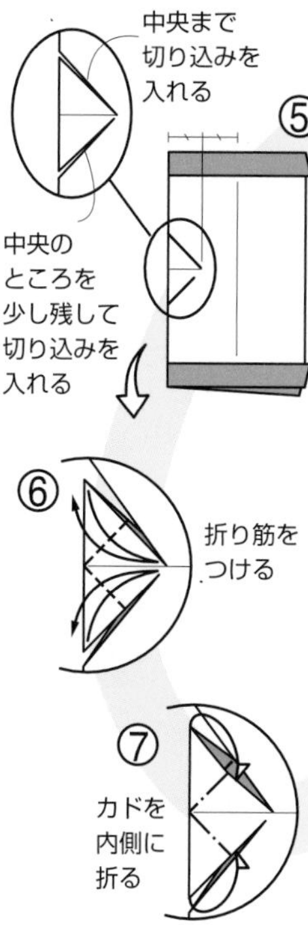

⑤
中央まで切り込みを入れる
中央のところを少し残して切り込みを入れる
⑥
折り筋をつける
⑦
カドを内側に折る

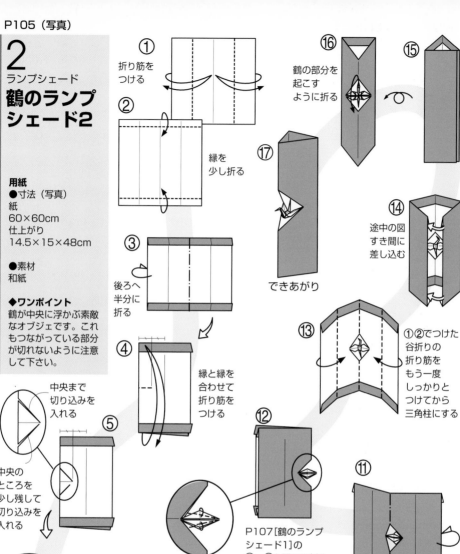

2
子どもの日
クマ

用紙
●寸法（写真）
紙
(顔)15×15cm
(体)15×15cm×2枚
仕上がり
11×9cm

●素材
和紙、洋紙

◆ワンポイント
金太郎の相棒のクマです。頭が重くて立ちにくい時は体の方におもりを仕込むと良いでしょう。

[顔]

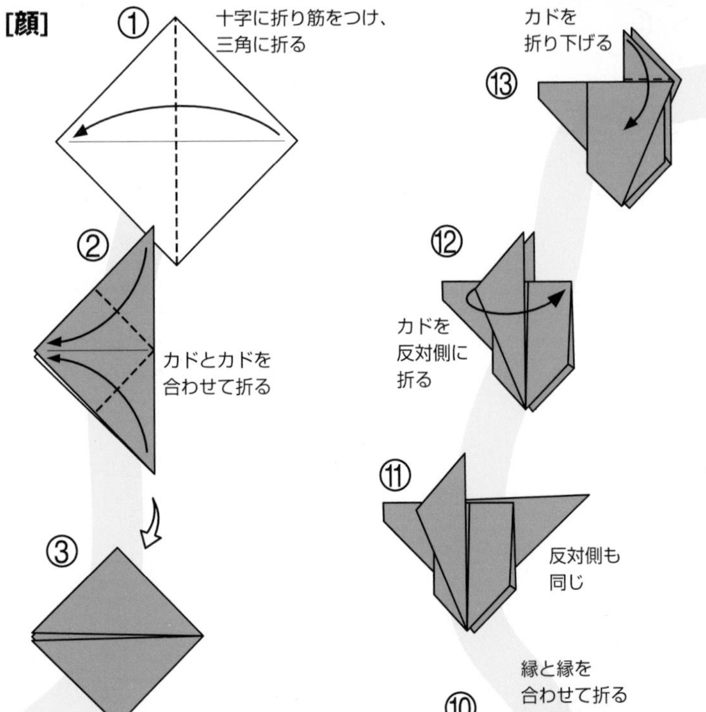
①
十字に折り筋をつけ、三角に折る
②
カドとカドを合わせて折る
③
⑬
カドを折り下げる
⑫
カドを反対側に折る
⑪
反対側も同じ
縁と縁を合わせて折る
⑩

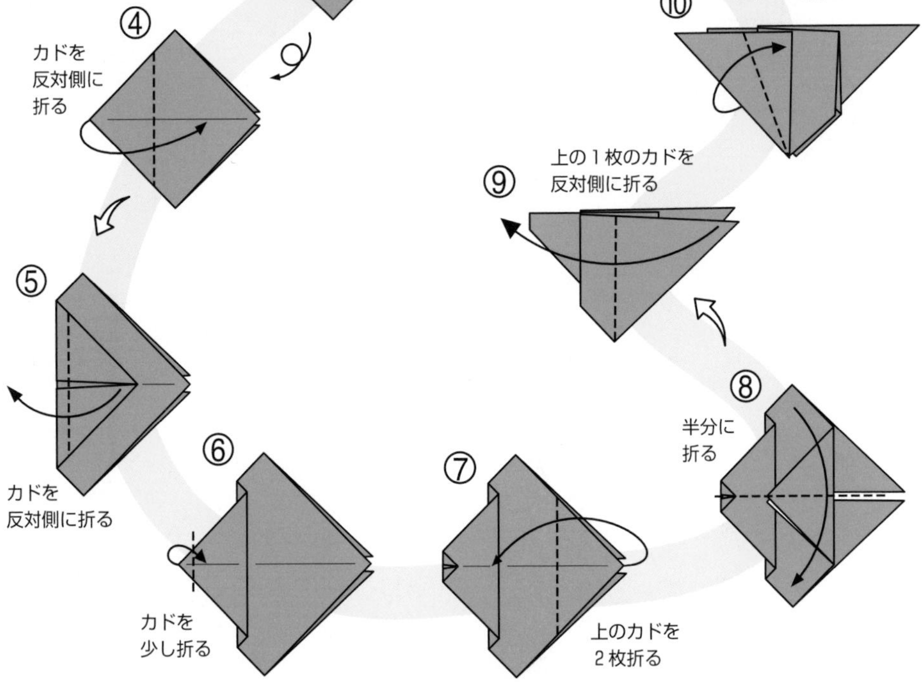
④
カドを反対側に折る
⑤
カドを反対側に折る
⑥
カドを少し折る
⑦
上のカドを2枚折る
⑧
半分に折る
⑨
上の1枚のカドを反対側に折る

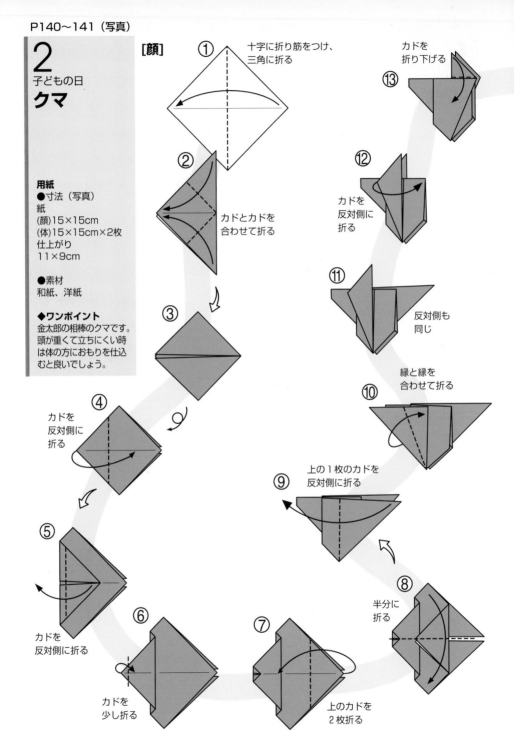

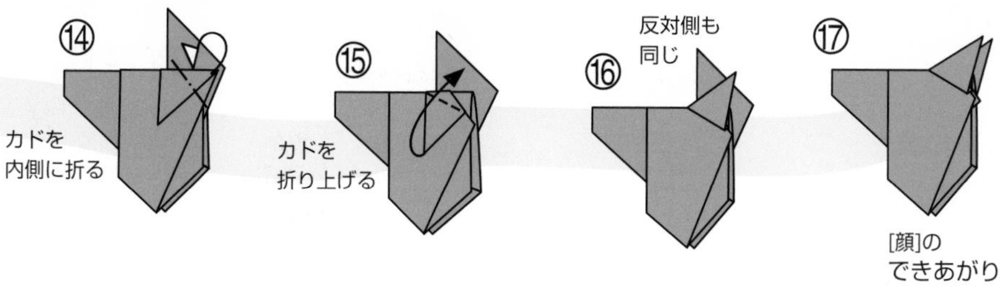
⑭
カドを
内側に折る
⑮
カドを
折り上げる
⑯
反対側も
同じ
⑰
[顔]の
できあがり

[体]・[前]

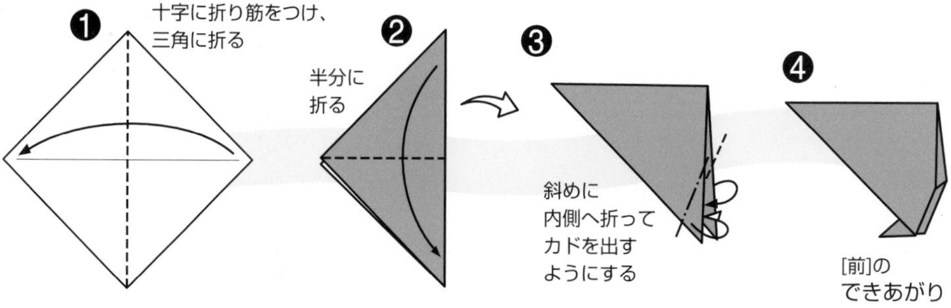
❶
十字に折り筋をつけ、
三角に折る
❷
半分に
折る
❸
斜めに
内側へ折って
カドを出す
ようにする
❹
[前]の
できあがり

[体]・[後ろ]

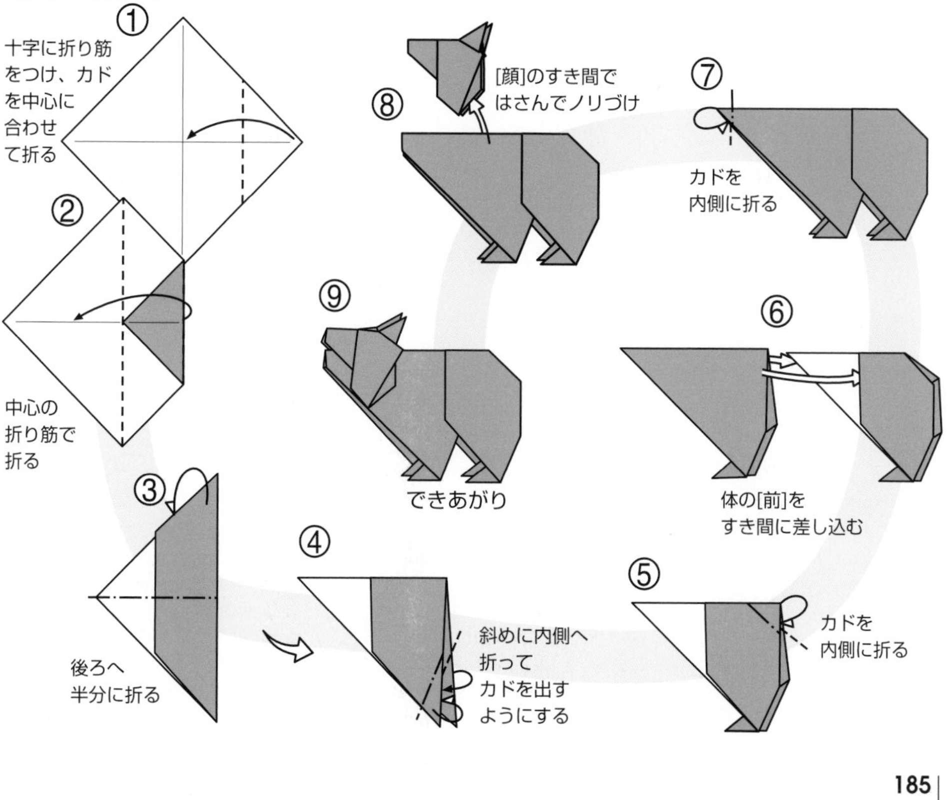
①
十字に折り筋
をつけ、カド
を中心に
合わせ
て折る
②
中心の
折り筋で
折る
③
後ろへ
半分に折る
④
斜めに内側へ
折って
カドを出す
ようにする
⑤
カドを
内側に折る
⑥
体の[前]を
すき間に差し込む
⑦
カドを
内側に折る
⑧
[顔]のすき間で
はさんでノリづけ
⑨
できあがり

P116～117（写真）

2
子どものパーティ

ボトルキャップ動物の顔

用紙

●寸法（写真）
紙
(各)7.5×7.5cm
仕上がり
(キツネ)3.8×4.5cm
(イヌ)4.3×2.7cm
(ネコ)4.5×3.5cm
(ウサギ)3.5×4.3cm
(ライオン)5.2×5.2cm

●素材
折り紙

◆ワンポイント
ボトルキャップにつける作品です。できあがったら顔を描いてみましょう。

[キツネ]

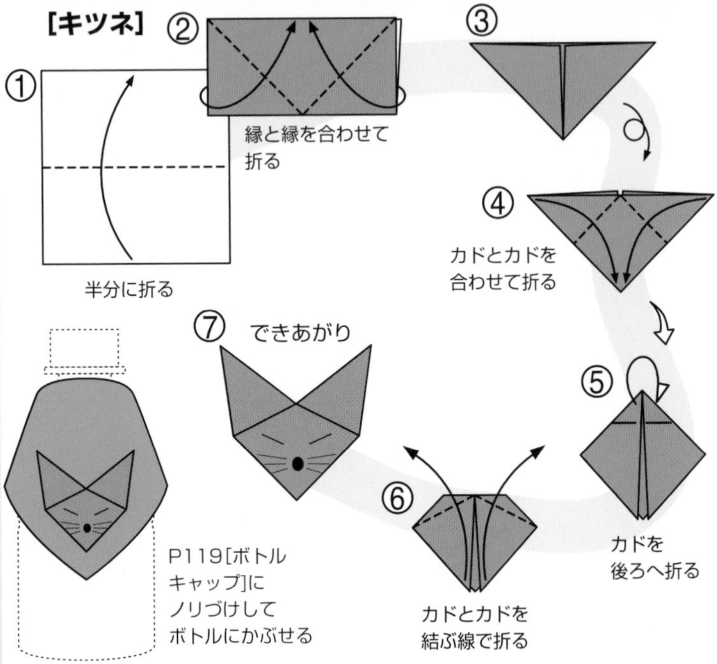
①
半分に折る
②
縁と縁を合わせて折る
③
④
カドとカドを合わせて折る
⑤
カドを後ろへ折る
⑥
カドとカドを結ぶ線で折る
⑦
できあがり
P119[ボトルキャップ]にノリづけしてボトルにかぶせる

[イヌ]

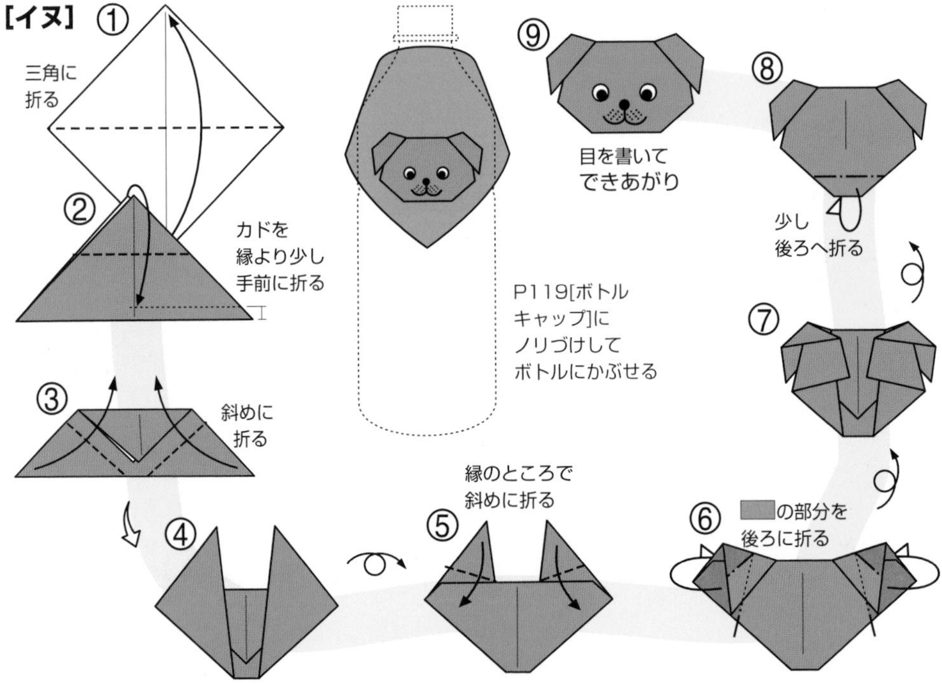
①
三角に折る
②
カドを縁より少し手前に折る
③
斜めに折る
④
⑤
縁のところで斜めに折る
⑥
の部分を後ろに折る
⑦
⑧
少し後ろへ折る
⑨
目を書いてできあがり
P119[ボトルキャップ]にノリづけしてボトルにかぶせる

[ネコ]

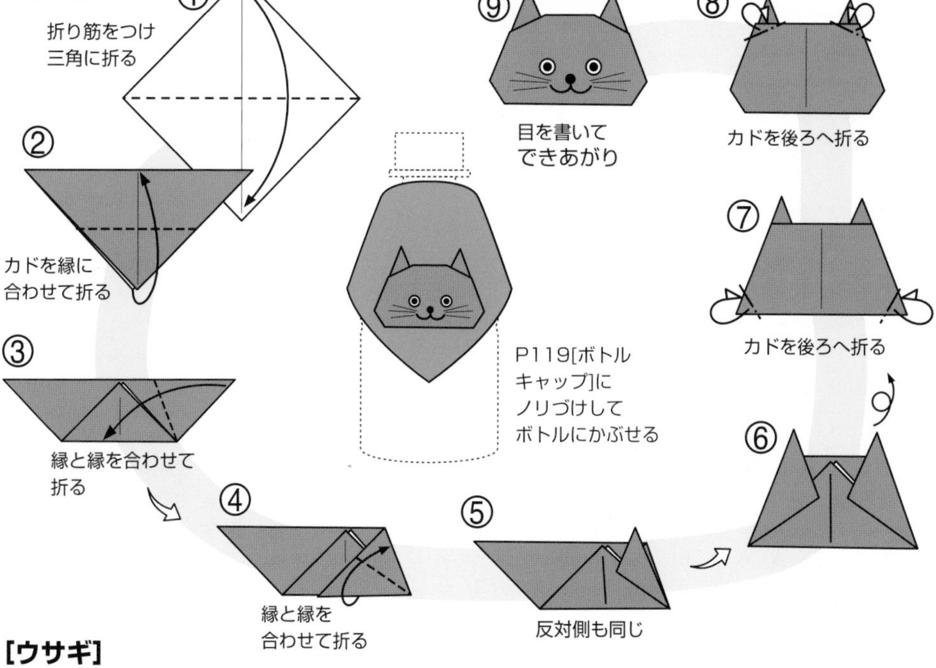
①
折り筋をつけ三角に折る
②
カドを縁に合わせて折る
③
縁と縁を合わせて折る
④
縁と縁を合わせて折る
⑤
反対側も同じ
⑥
⑦
カドを後ろへ折る
⑧
カドを後ろへ折る
⑨
目を書いてできあがり
P119[ボトルキャップ]にノリづけしてボトルにかぶせる

[ウサギ]

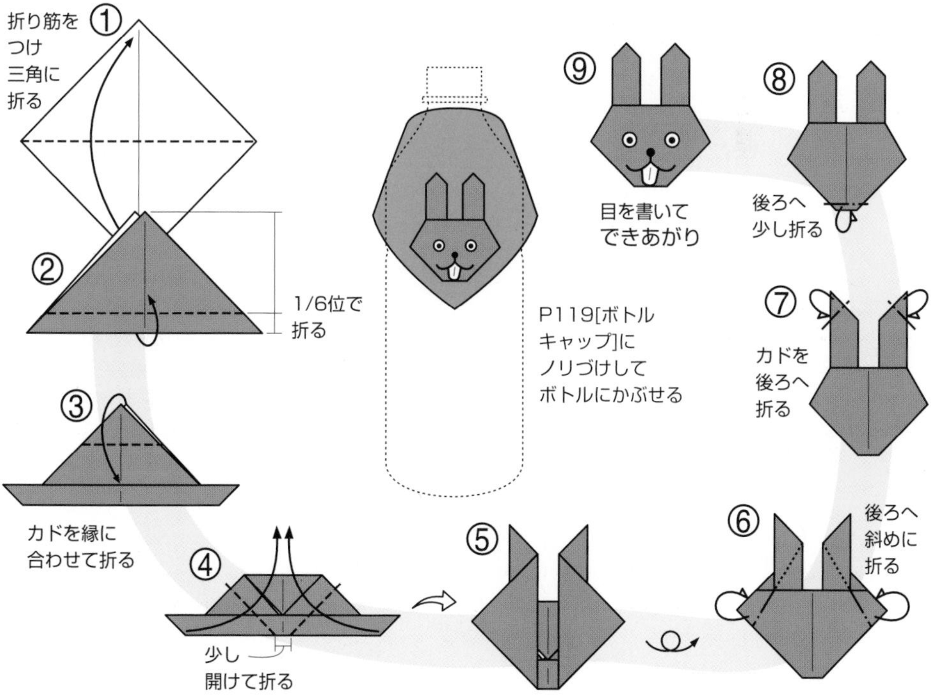
①
折り筋をつけ三角に折る
②
1/6位で折る
③
カドを縁に合わせて折る
④
少し開けて折る
⑤
⑥
後ろへ斜めに折る
⑦
カドを後ろへ折る
⑧
後ろへ少し折る
⑨
目を書いてできあがり
P119[ボトルキャップ]にノリづけしてボトルにかぶせる

[ライオン]
[顔]

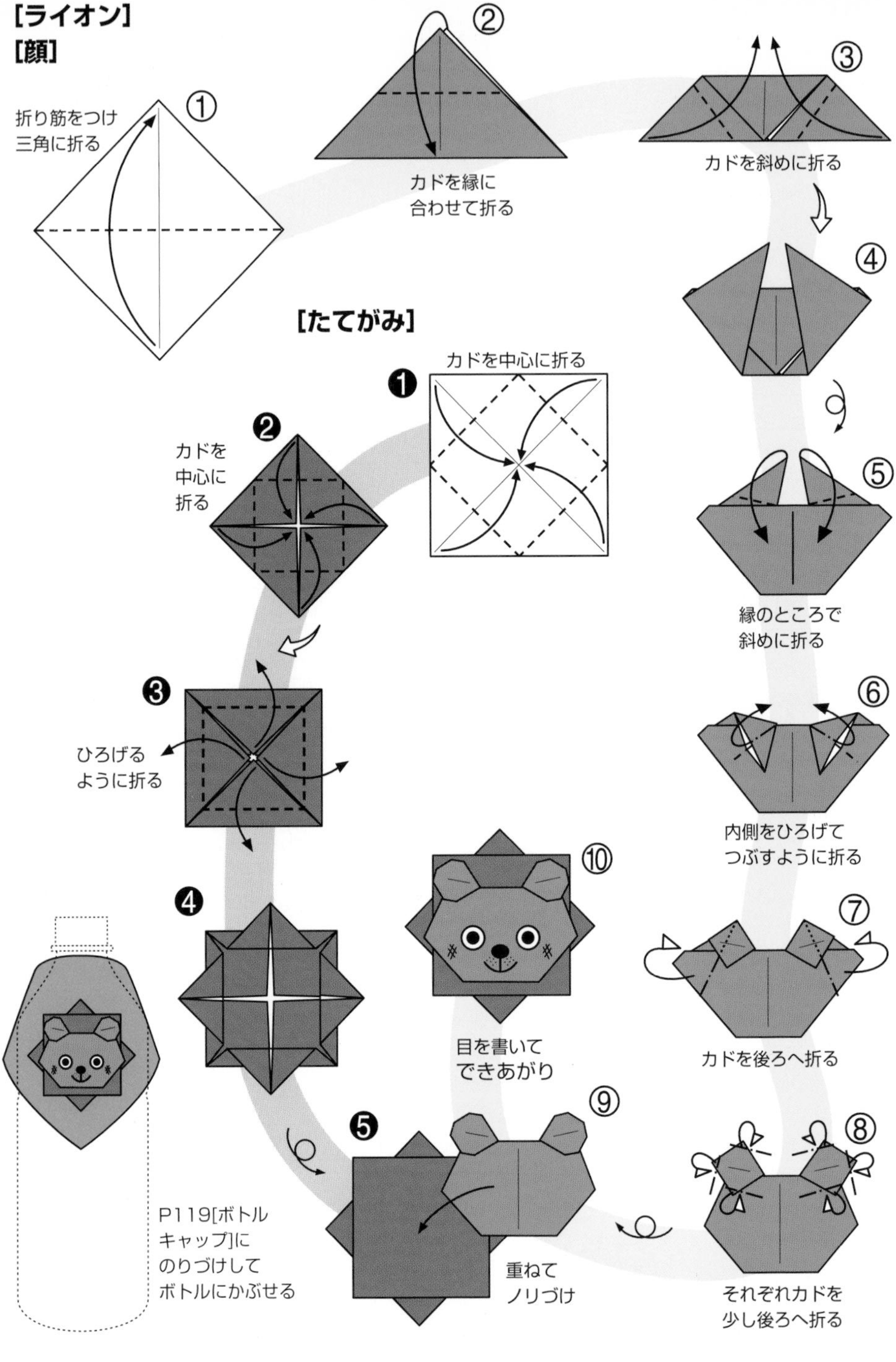

①
折り筋をつけ
三角に折る
②
カドを縁に
合わせて折る
③
カドを斜めに折る
④
⑤
縁のところで
斜めに折る
⑥
内側をひろげて
つぶすように折る
⑦
カドを後ろへ折る
⑧
それぞれカドを
少し後ろへ折る
⑨
⑩
目を書いて
できあがり
[たてがみ]
❶
カドを中心に折る
❷
カドを
中心に
折る
❸
ひろげる
ように折る
❹
❺
重ねて
ノリづけ
P119[ボトル
キャップ]に
のりづけして
ボトルにかぶせる

P139より

⑲

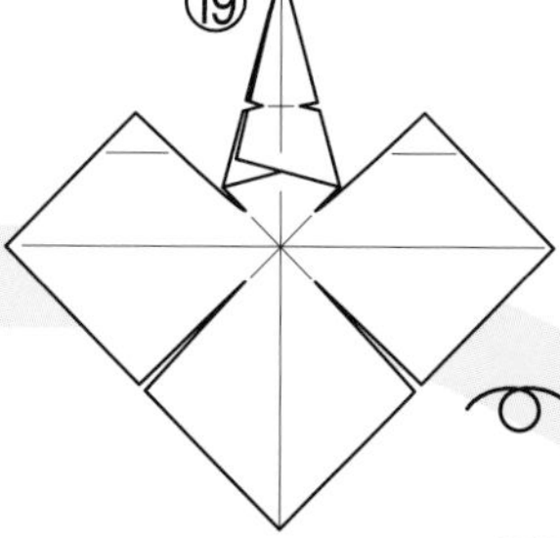

⑳

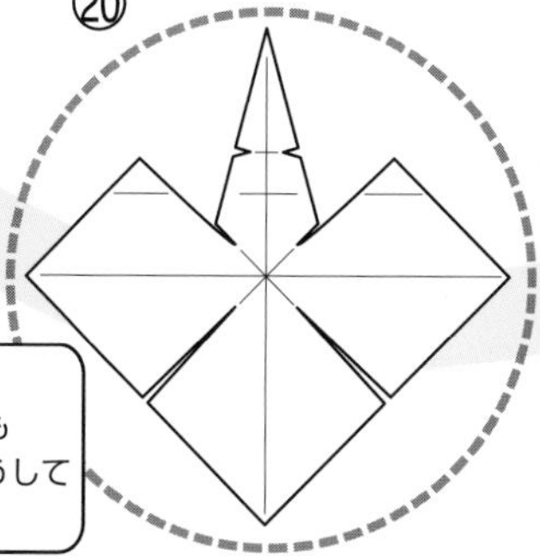

男雛、
女雛とも
顔はこうして
作る

㉑

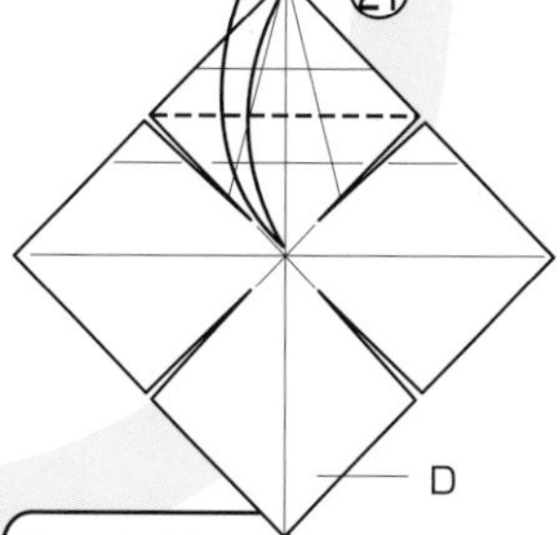

次にDを裏向きに
置いて上の
カドを中心に
合わせて
折り筋をつける

㉒

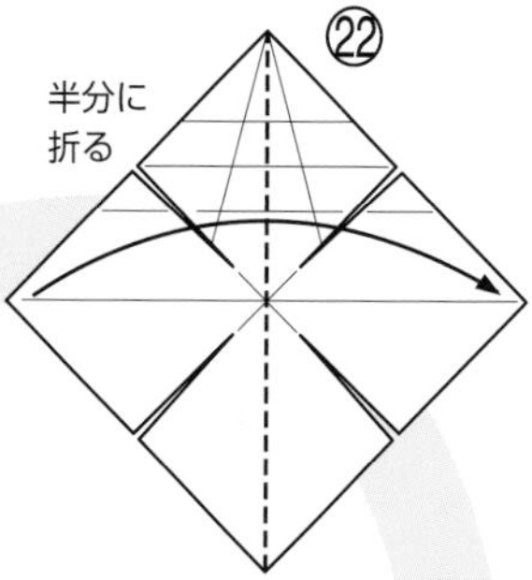

半分に
折る

㉓

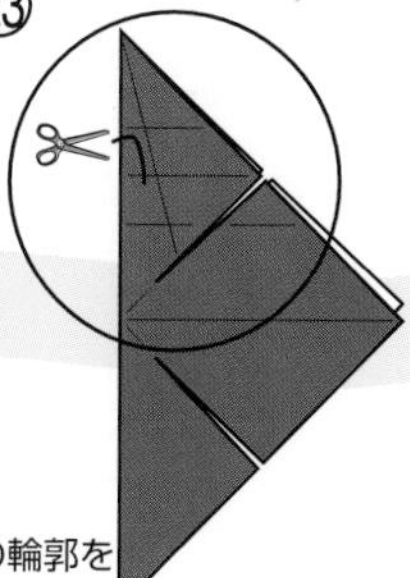

顔の輪郭を
切り込む
(拡大図参照)

㉔

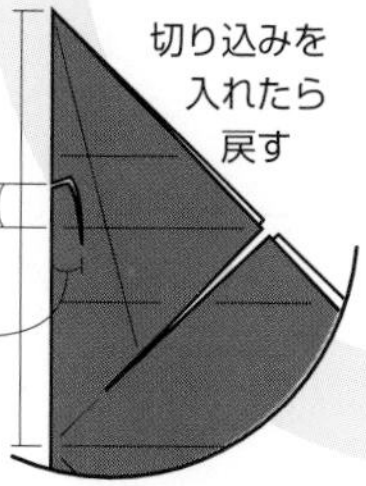

切り込みを
入れたら
戻す

㉑でつけた折り筋に
かかるように長さ7mmくらい
幅5mmくらいの顔の輪郭を
切り込む

㉕

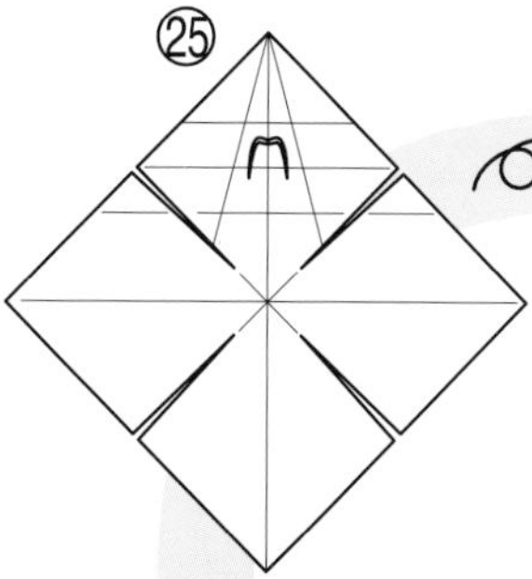

㉖

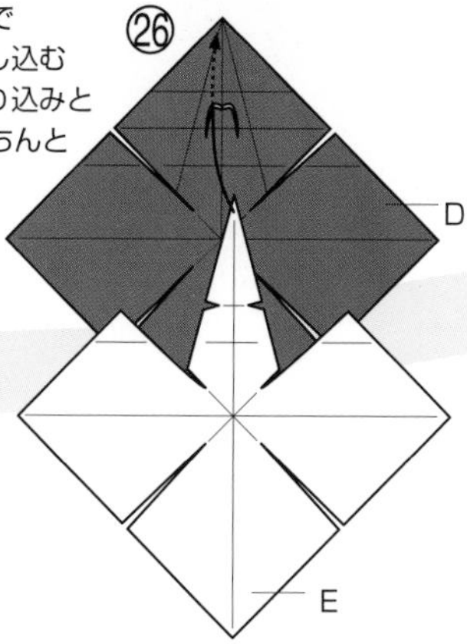

Dの切り込みに⑳で
できたEの頭を差し込む
⑱でEに入れた切り込みと
Dの顔の輪郭をきちんと
かみ合わせる

㉗

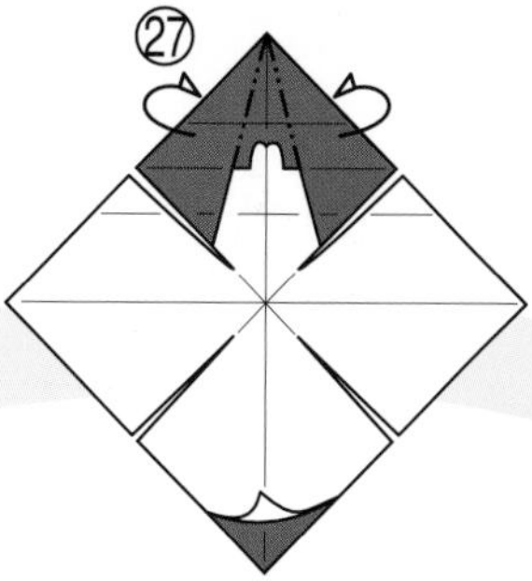

顔の両側のDを
折り筋で後ろに折り
髪、冠の部分を作る

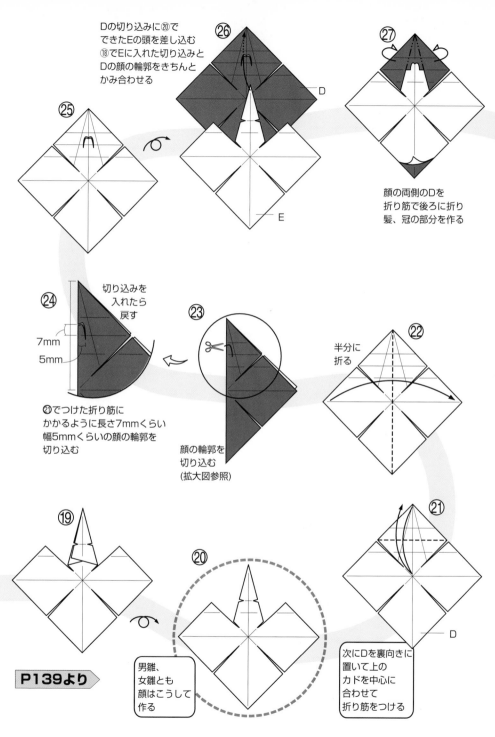

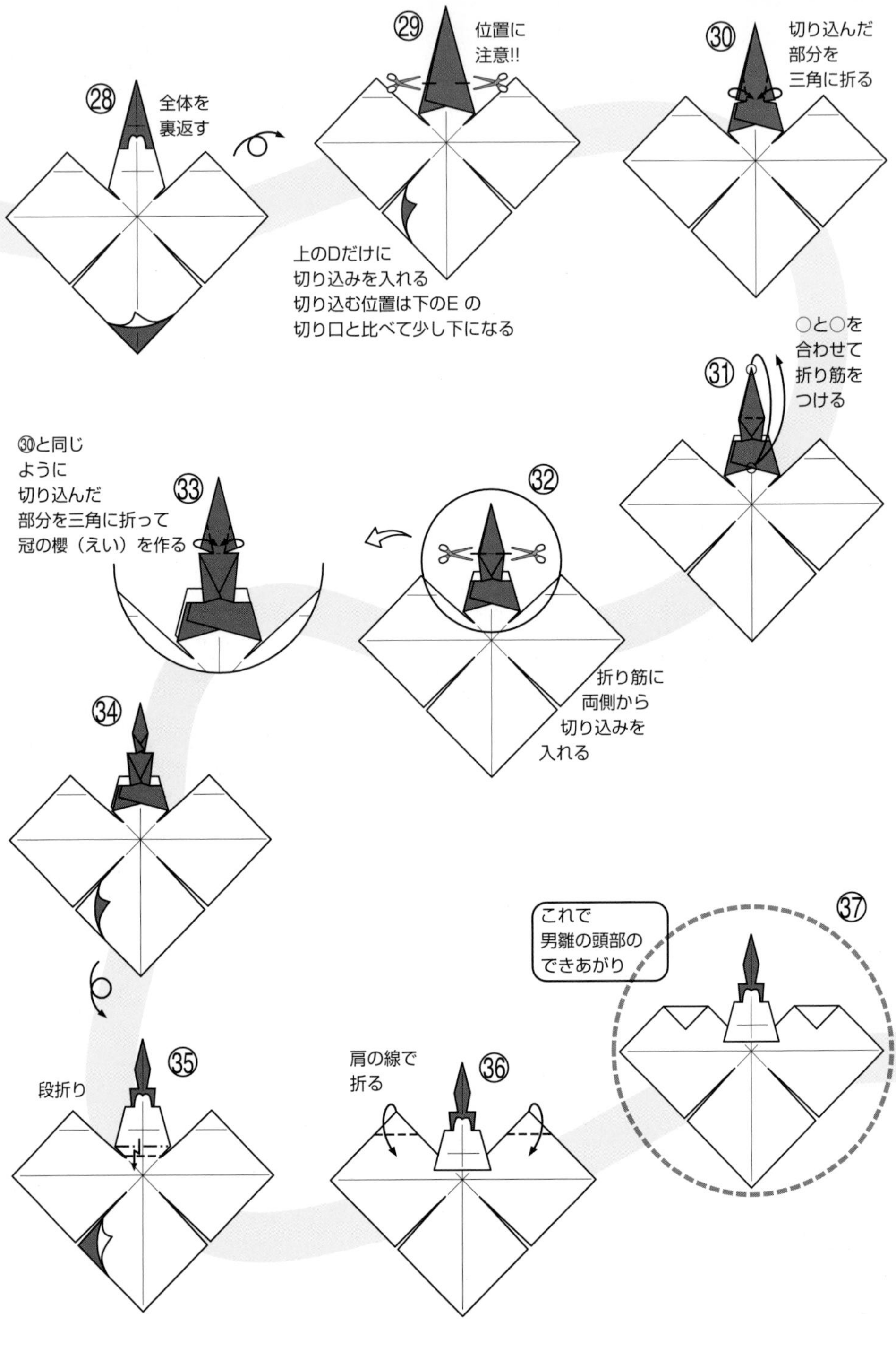
㉘
全体を
裏返す
㉙
位置に
注意!!
上のDだけに
切り込みを入れる
切り込む位置は下のE の
切り口と比べて少し下になる
㉚
切り込んだ
部分を
三角に折る
㉛
○と○を
合わせて
折り筋を
つける
㉜
折り筋に
両側から
切り込みを
入れる
㉝
㉚と同じ
ように
切り込んだ
部分を三角に折って
冠の櫻（えい）を作る
㉞
㉟
段折り
㊱
肩の線で
折る
㊲
これで
男雛の頭部の
できあがり

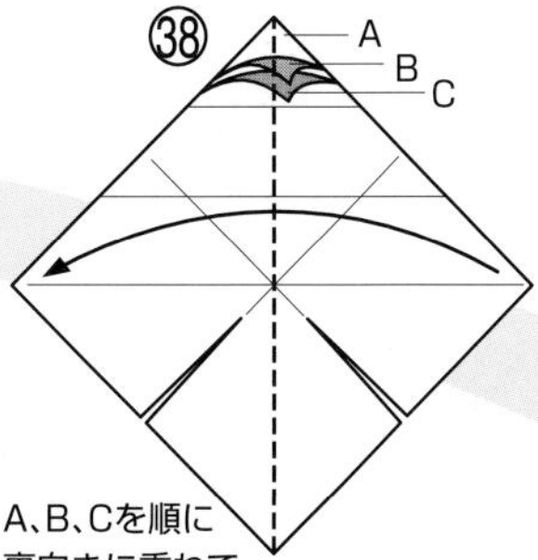

㊳
A
B
C

A、B、Cを順に
裏向きに重ねて
縦に半分に折る

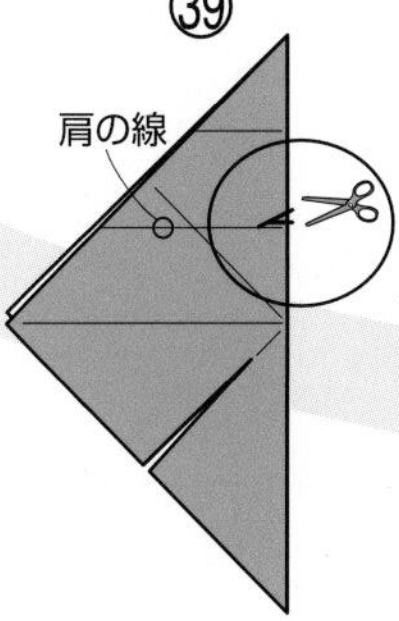

㊴
肩の線

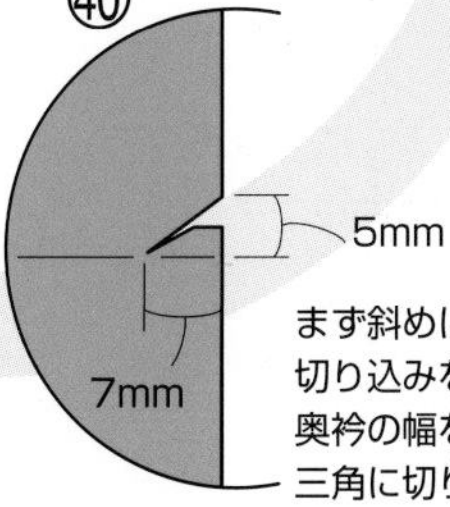

㊵
5mm
7mm

まず斜めに
切り込みを入れ
奥衿の幅を残して
三角に切り取って
衿あきを作る

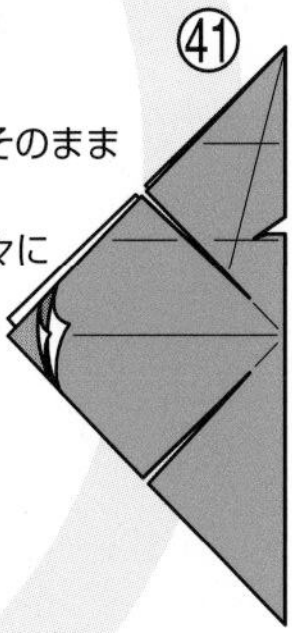

㊶

Cの紙はそのまま
取りのき
A、Bを別々に
する

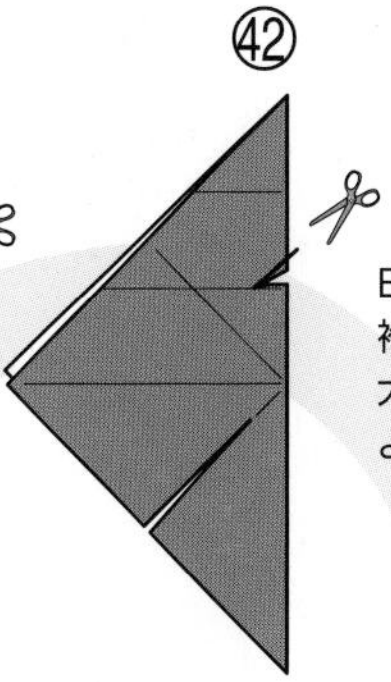

㊷

BはCより
衿あきを
大きくする
ように切る

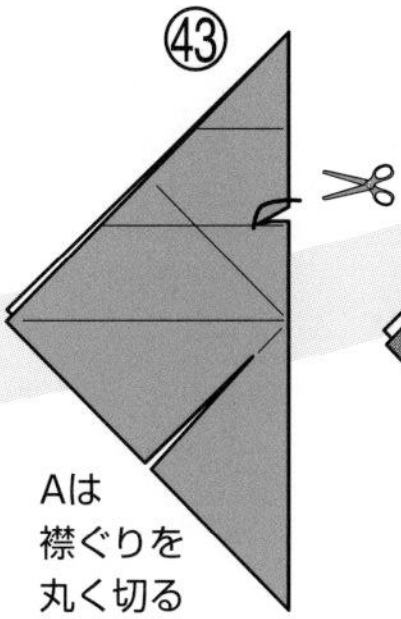

㊸

Aは
襟ぐりを
丸く切る

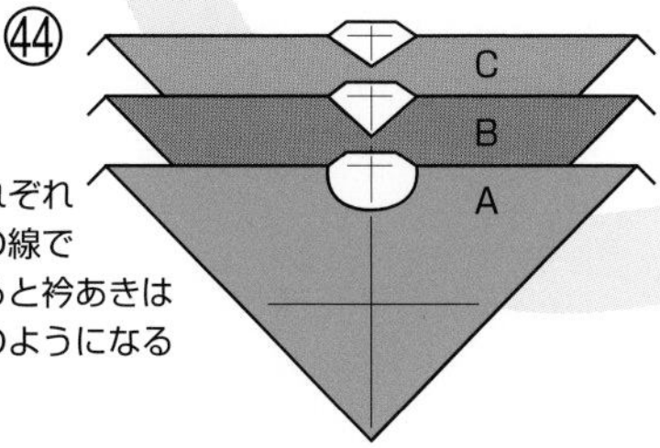

㊹
C
B
A

それぞれ
肩の線で
折ると衿あきは
図のようになる

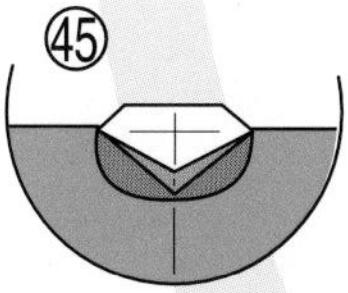

㊺

A、B、Cの順に
重ねてみて
衿がきれいに
そろっていればよい

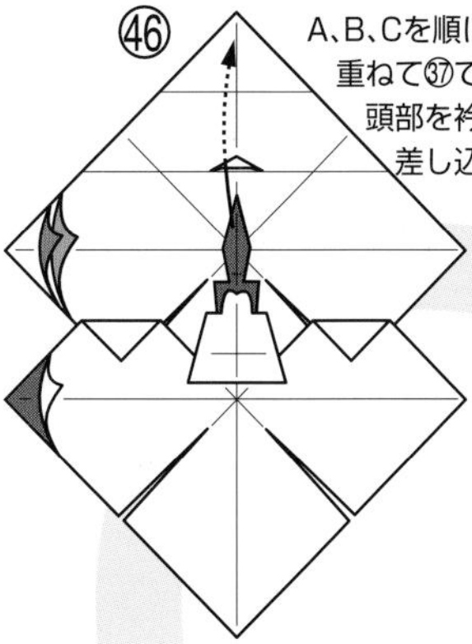

㊻

A、B、Cを順に裏向きに
重ねて㊲でできた
頭部を衿あきに
差し込む

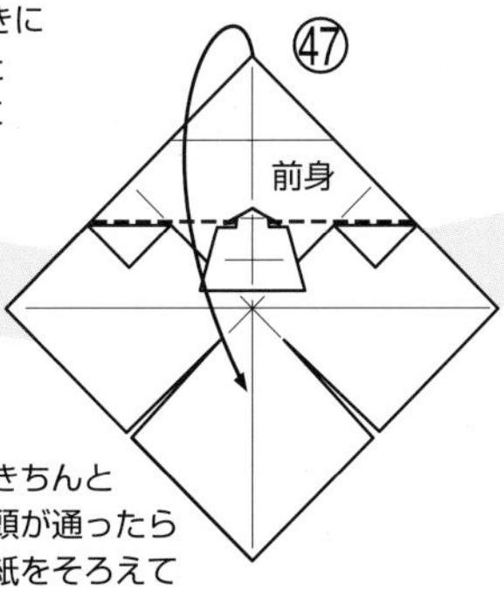

㊼
前身

きちんと
頭が通ったら
紙をそろえて
前身頃を折り下げる

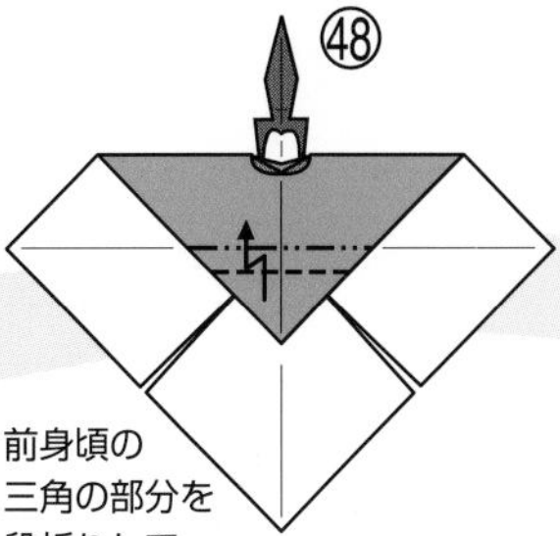

㊽

前身頃の
三角の部分を
段折りして
平緒（ひらお）を作る

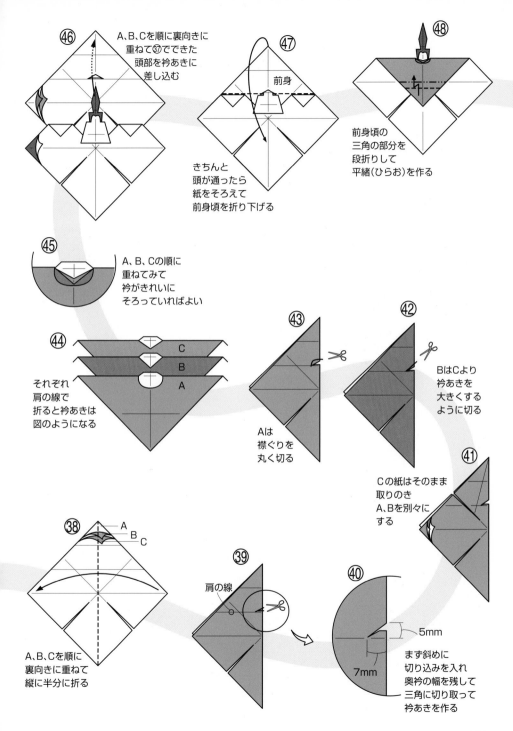

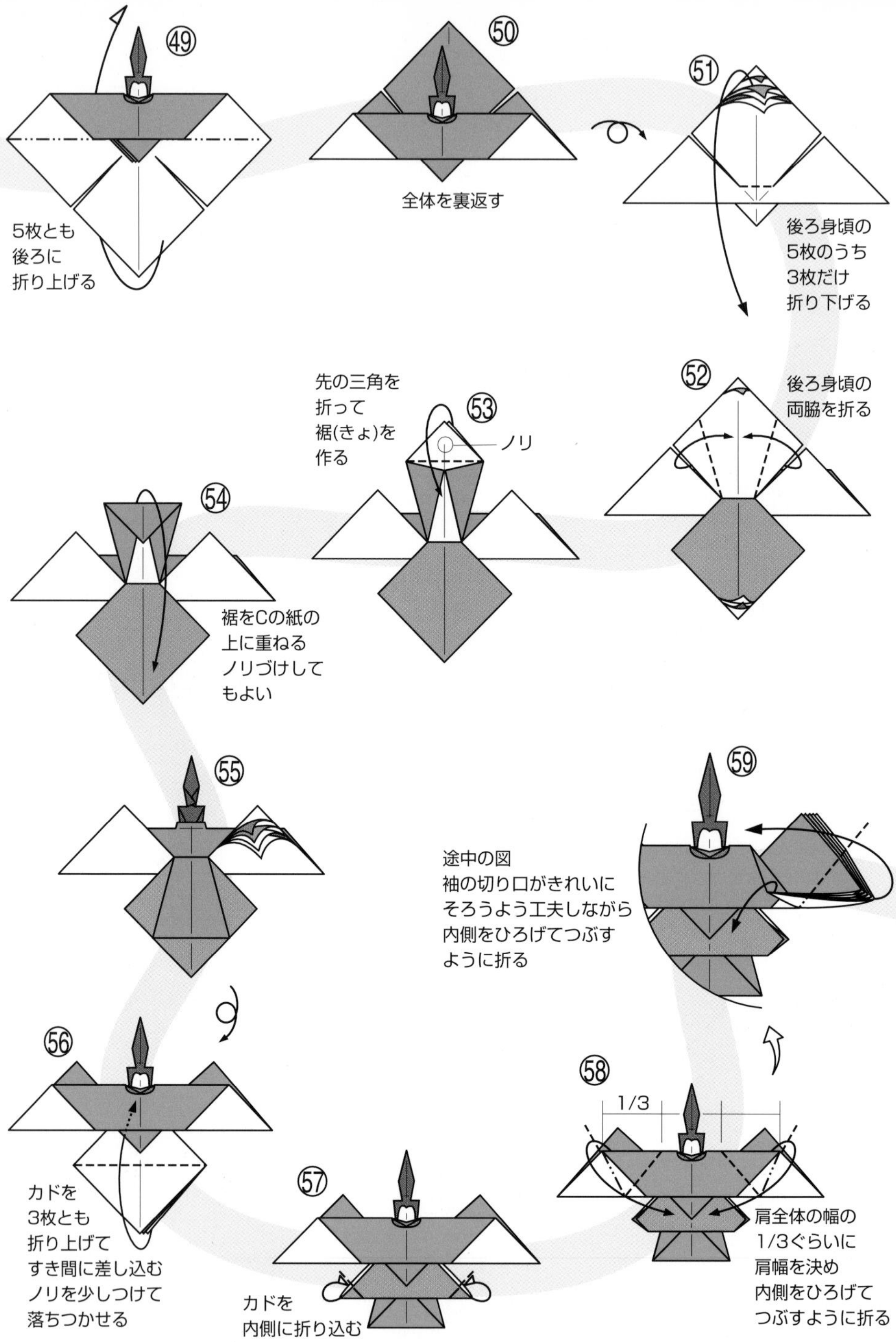

49
5枚とも
後ろに
折り上げる
50
全体を裏返す
51
後ろ身頃の
5枚のうち
3枚だけ
折り下げる
52
後ろ身頃の
両脇を折る
53
先の三角を
折って
裾(きょ)を
作る
ノリ
54
裾をCの紙の
上に重ねる
ノリづけして
もよい
55
56
カドを
3枚とも
折り上げて
すき間に差し込む
ノリを少しつけて
落ちつかせる
57
カドを
内側に折り込む
58
1/3
肩全体の幅の
1/3ぐらいに
肩幅を決め
内側をひろげて
つぶすように折る
59
途中の図
袖の切り口がきれいに
そろうよう工夫しながら
内側をひろげてつぶす
ように折る

[女雛]

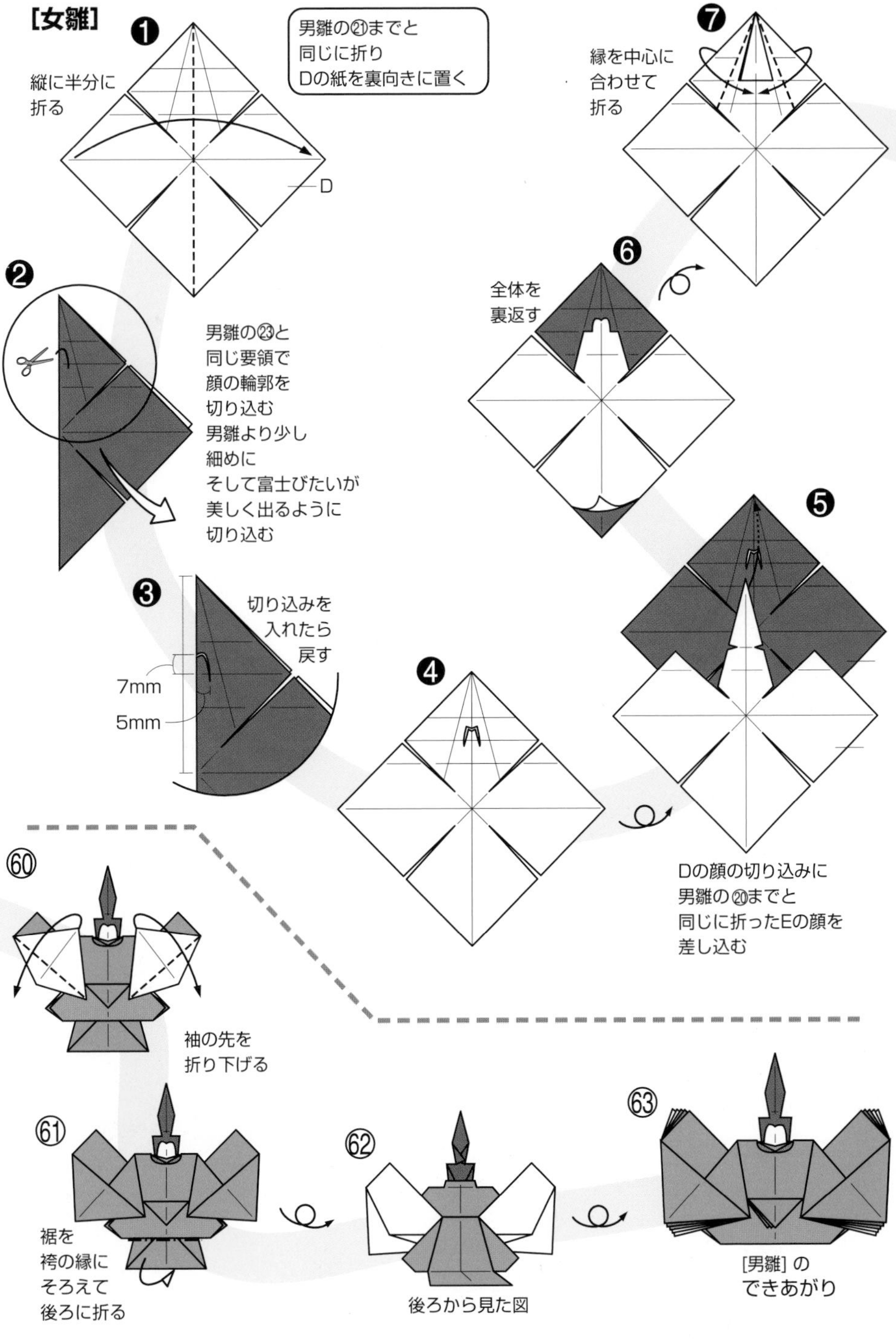

1
縦に半分に
折る
男雛の㉑までと
同じに折り
Dの紙を裏向きに置く
D
2
男雛の㉓と
同じ要領で
顔の輪郭を
切り込む
男雛より少し
細めに
そして富士びたいが
美しく出るように
切り込む
3
切り込みを
入れたら
戻す
7mm
5mm
4
5
Dの顔の切り込みに
男雛の⑳までと
同じに折ったEの顔を
差し込む
6
全体を
裏返す
7
縁を中心に
合わせて
折る
60
袖の先を
折り下げる
61
裾を
袴の縁に
そろえて
後ろに折る
62
後ろから見た図
63
[男雛] の
できあがり

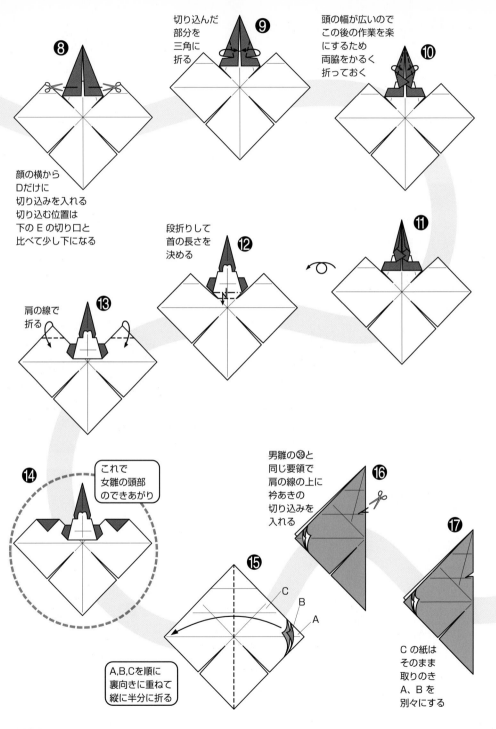

8

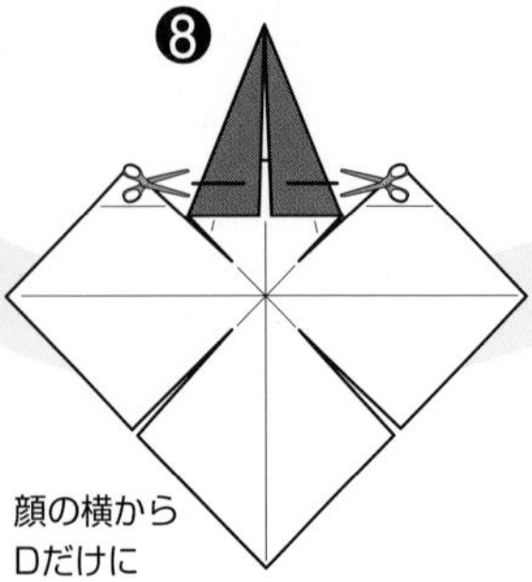

顔の横から
Dだけに
切り込みを入れる
切り込む位置は
下の E の切り口と
比べて少し下になる

9

切り込んだ
部分を
三角に
折る

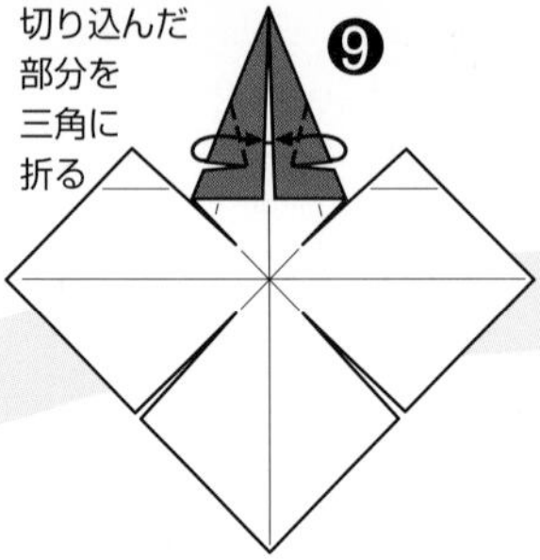

10

頭の幅が広いので
この後の作業を楽
にするため
両脇をかるく
折っておく

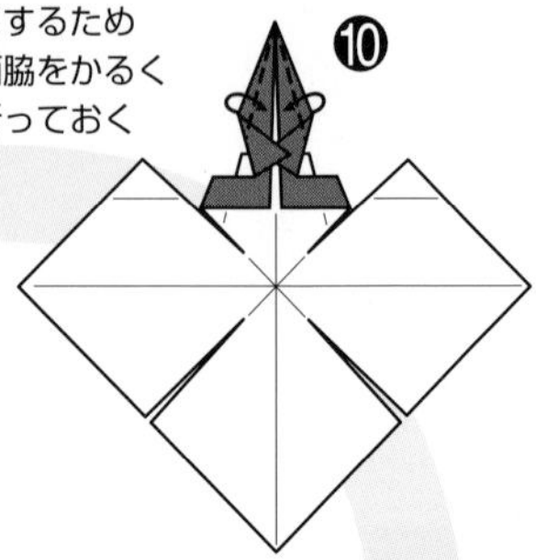

11

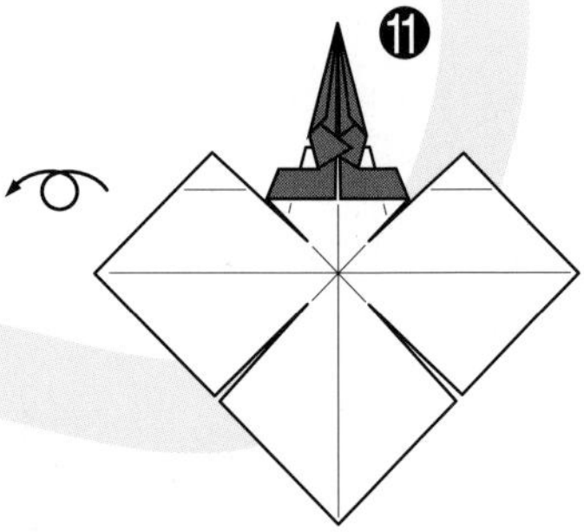

12

段折りして
首の長さを
決める

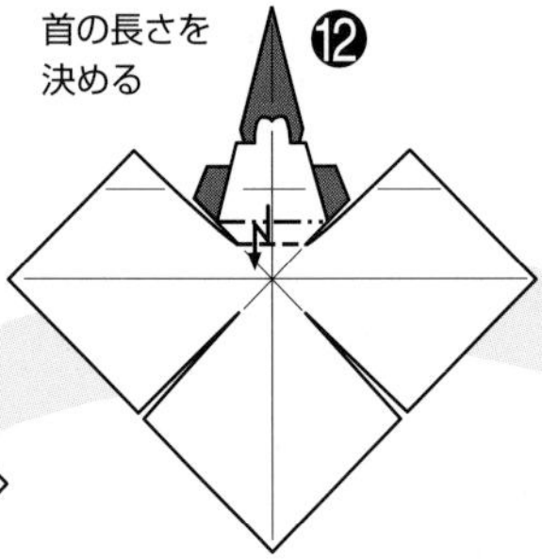

13

肩の線で
折る

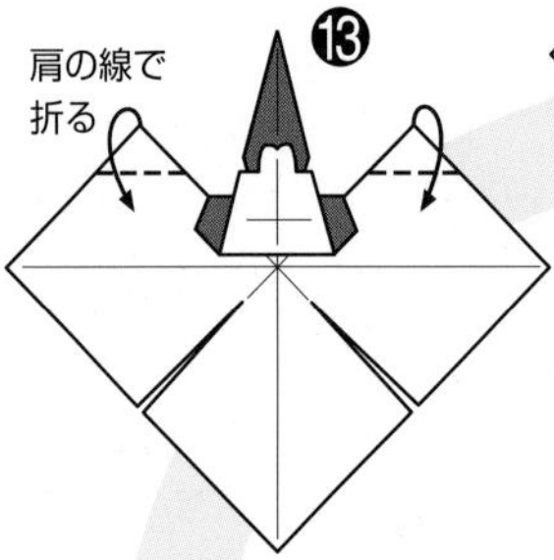

14

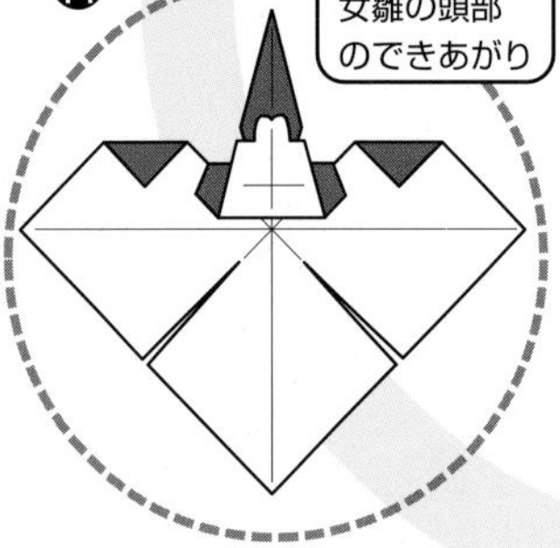

これで
女雛の頭部
のできあがり

15

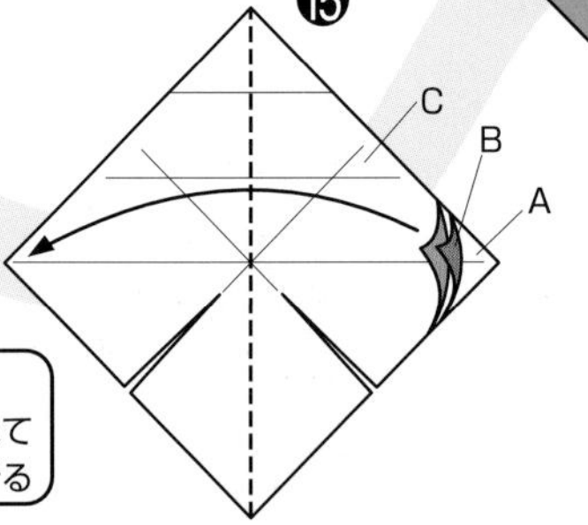

A,B,Cを順に
裏向きに重ねて
縦に半分に折る

16

男雛の㊴と
同じ要領で
肩の線の上に
衿あきの
切り込みを
入れる

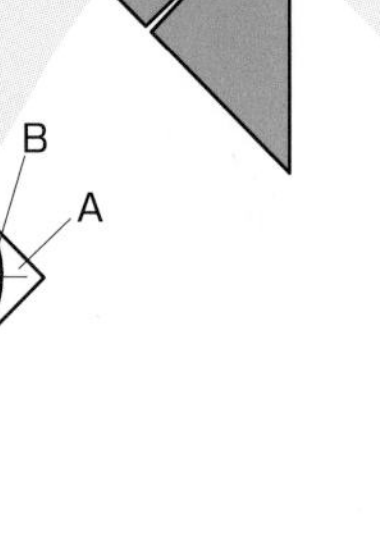

17

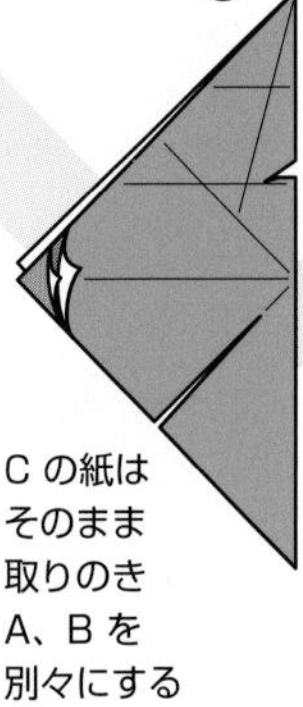

C の紙は
そのまま
取りのき
A、B を
別々にする

⑱

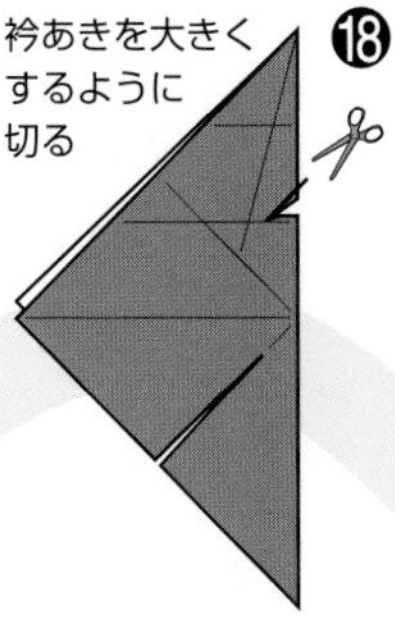

BはCより
衿あきを大きく
するように
切る

⑲

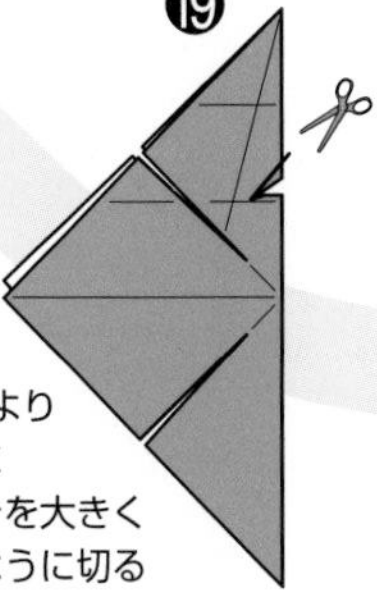

AはBより
さらに
衿あきを大きく
するように切る

⑳

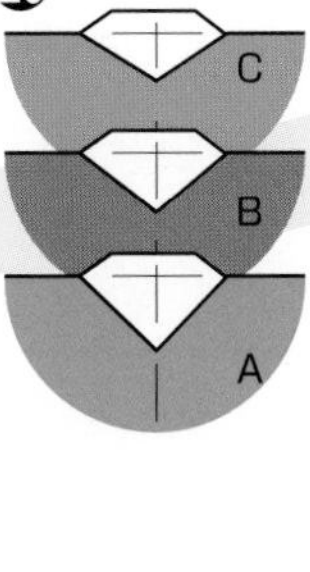

それぞれ
肩の線で折ると
衿あきは
図のようになる

㉑

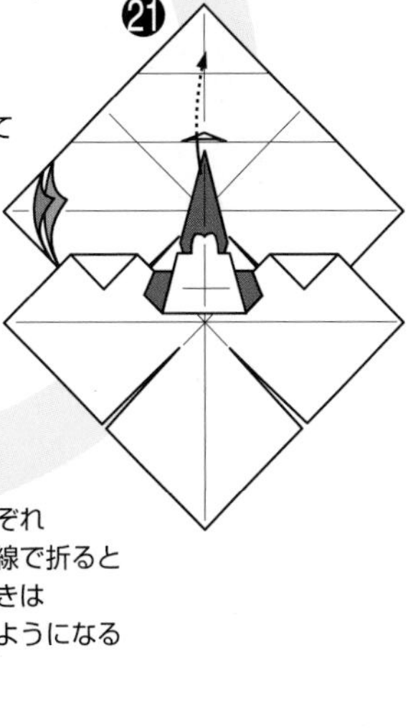

A、B、Cを順に
裏向きに重ねて
⑭でできた
頭を衿あきに
差し込む

㉒

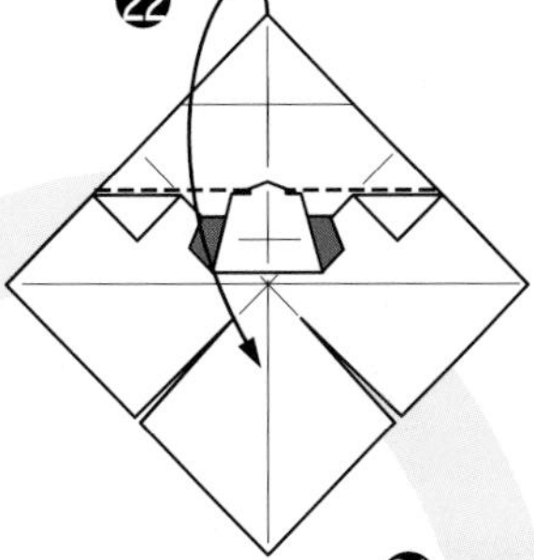

きちんと
頭が通ったら
紙をそろえて
前身頃を
折り下げる

㉓

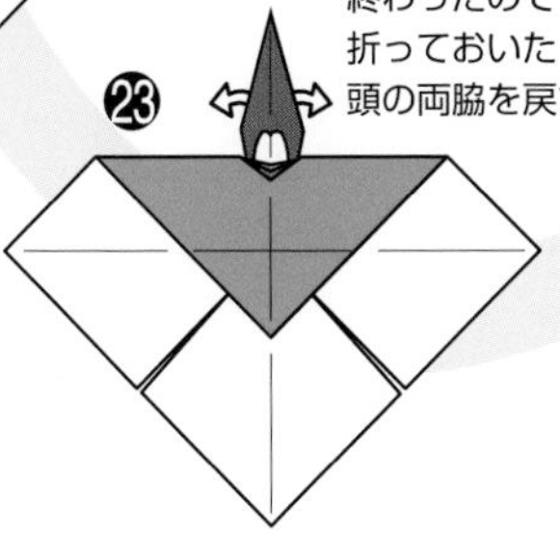

頭を通す作業が
終わったので
折っておいた
頭の両脇を戻す

㉔

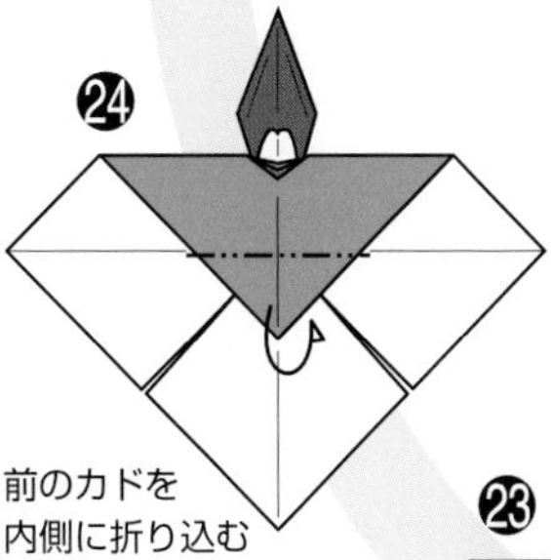

前のカドを
内側に折り込む

㉕

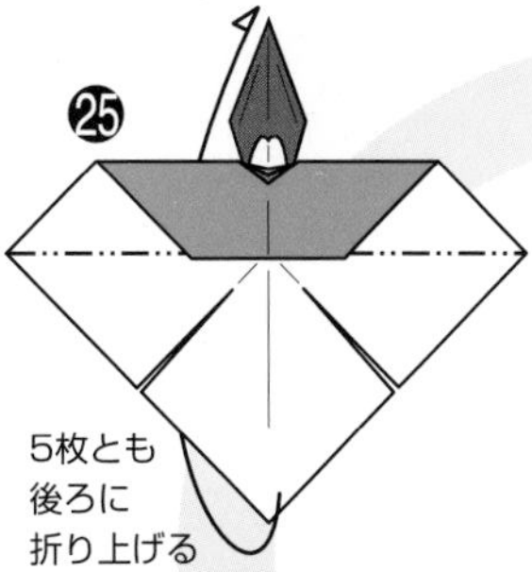

5枚とも
後ろに
折り上げる

㉖

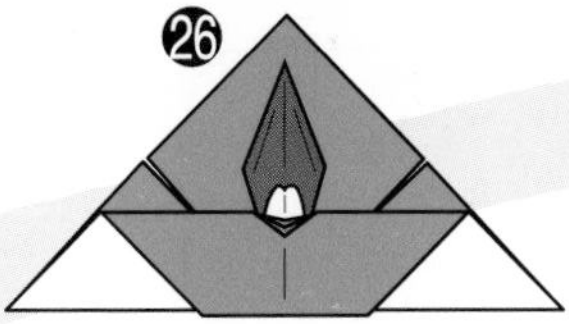

㉗

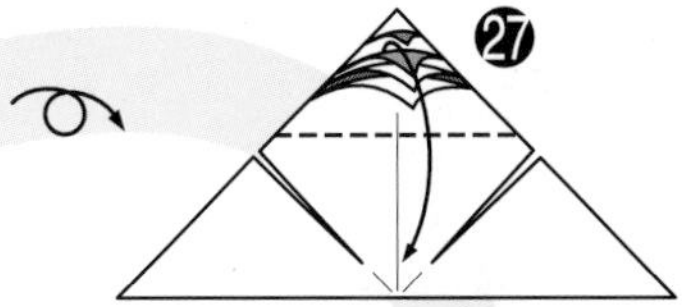

後ろ身頃の5枚のうち
3枚だけ折り下げる

㉘

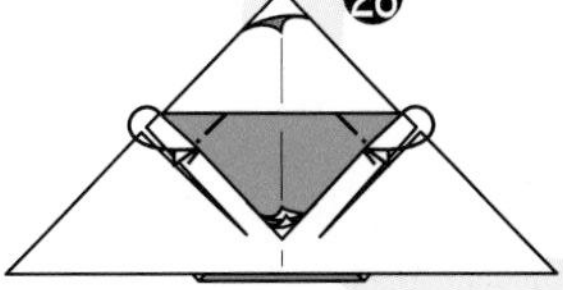

それぞれカドを
内側に折り込む

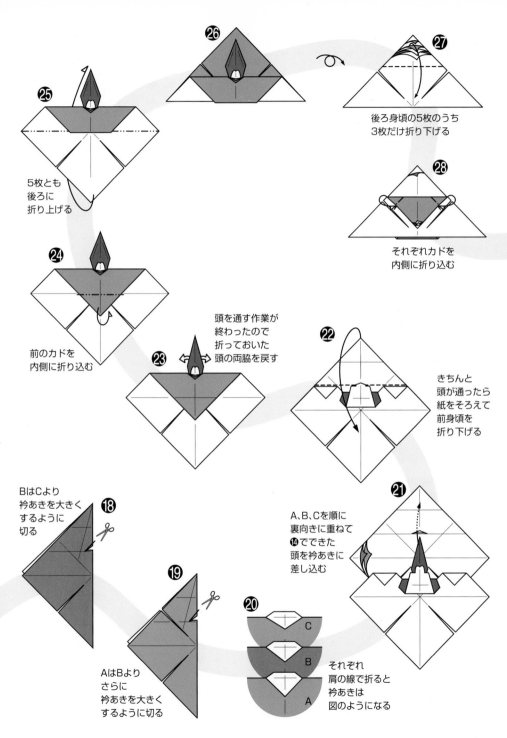

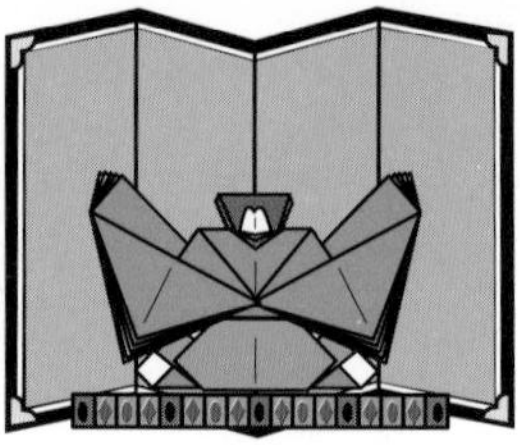

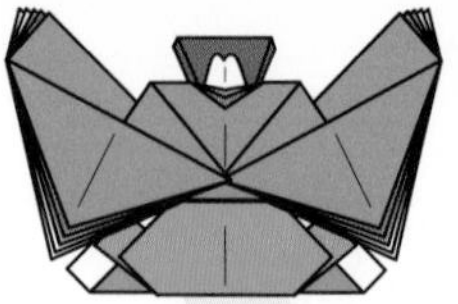

39

[女雛] の
できあがり

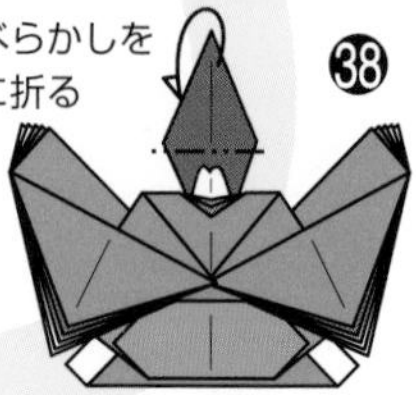

38

おすべらかしを
後ろに折る

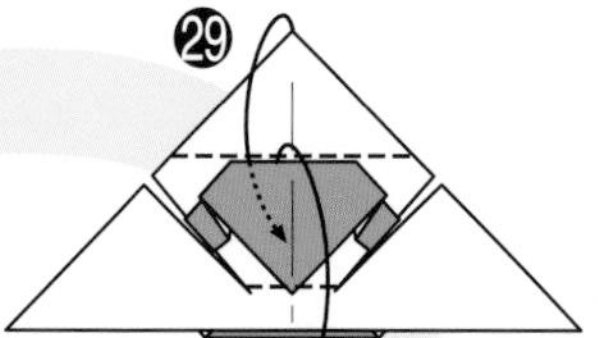

29

袴を折り下げ
その後に後ろ身頃の
2枚を折り下げる

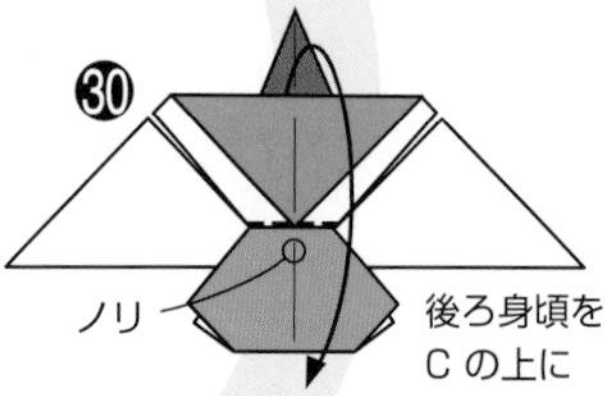

30

後ろ身頃を
C の上に
折り下げる

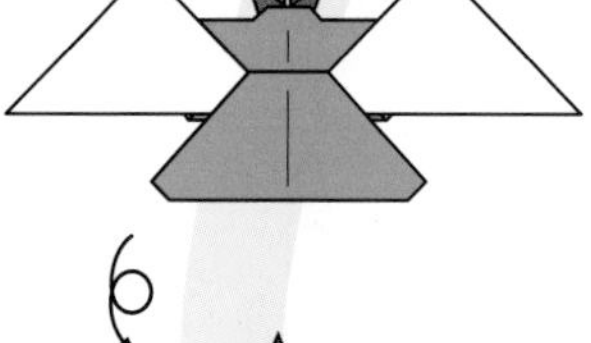

31

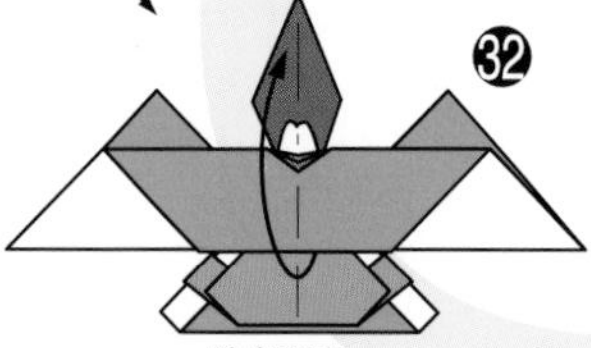

32

前身頃を
折り上げる

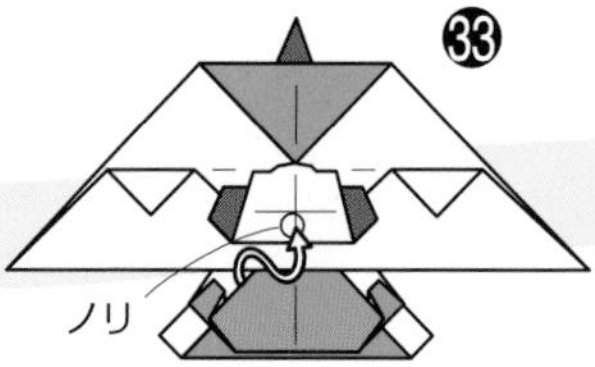

33

袴の先を
上に出して
ノリづけする

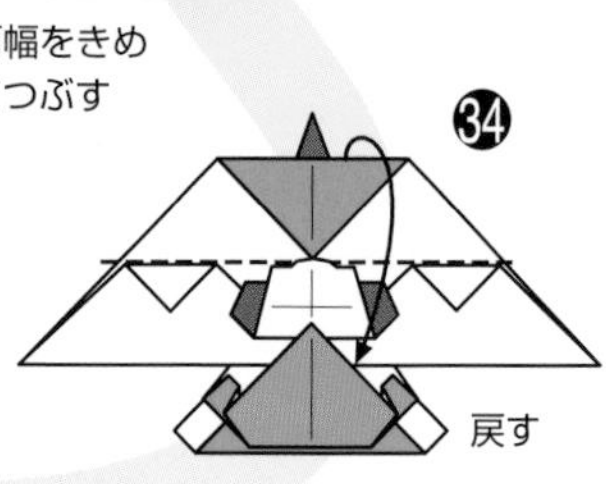

34

戻す

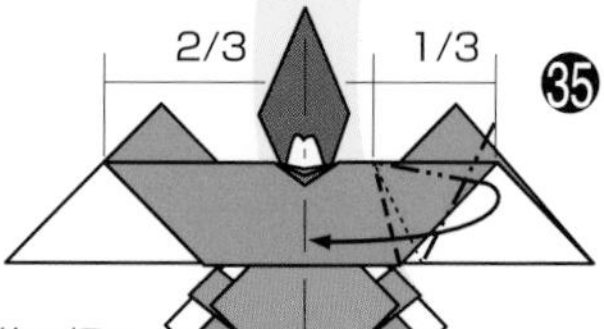

35

肩全体の幅の
1/3くらいに肩幅をきめ
内側をひろげてつぶす
ように折る

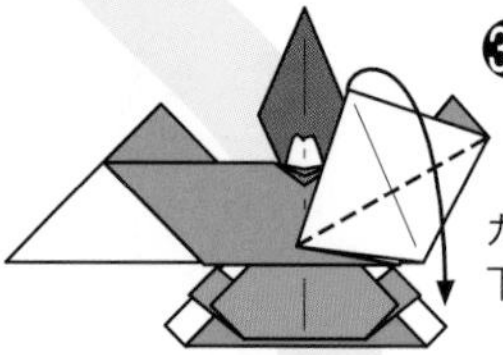

36

カドを折り
下げる

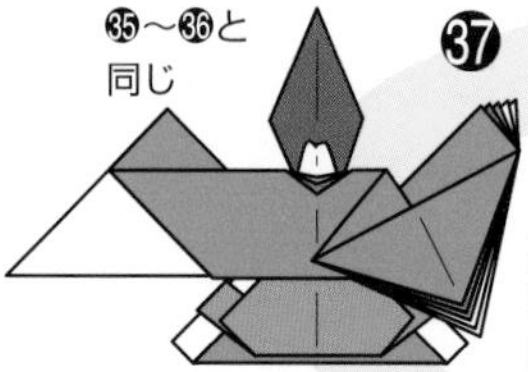

37

反対側も
㉟〜㊱と
同じ

左右の袖が
重なるように
折る

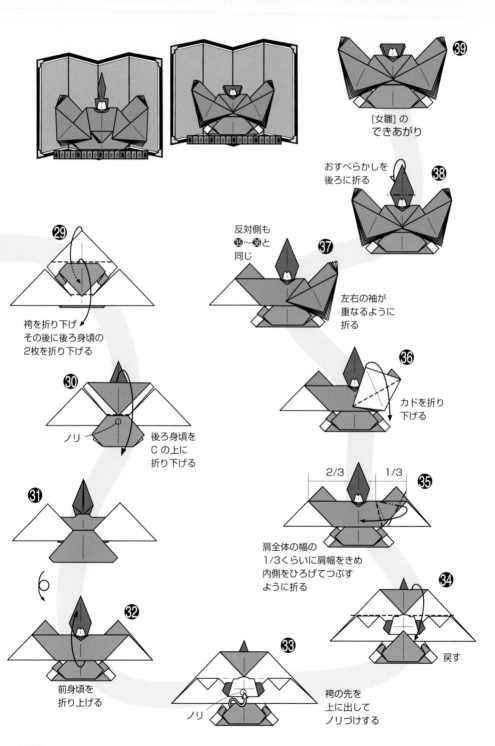

P148～149（写真）

2
クリスマスのオーナメント
立体の星

用紙
●寸法（写真）
紙
7.5×7.5cm
仕上がり
11.3×11×2.5cm

●素材
折り紙用紙、和紙、洋紙

◆ワンポイント
形を整えながら立体にして下さい。大きく折って、ツリーのてっぺんに飾ってみましょう。

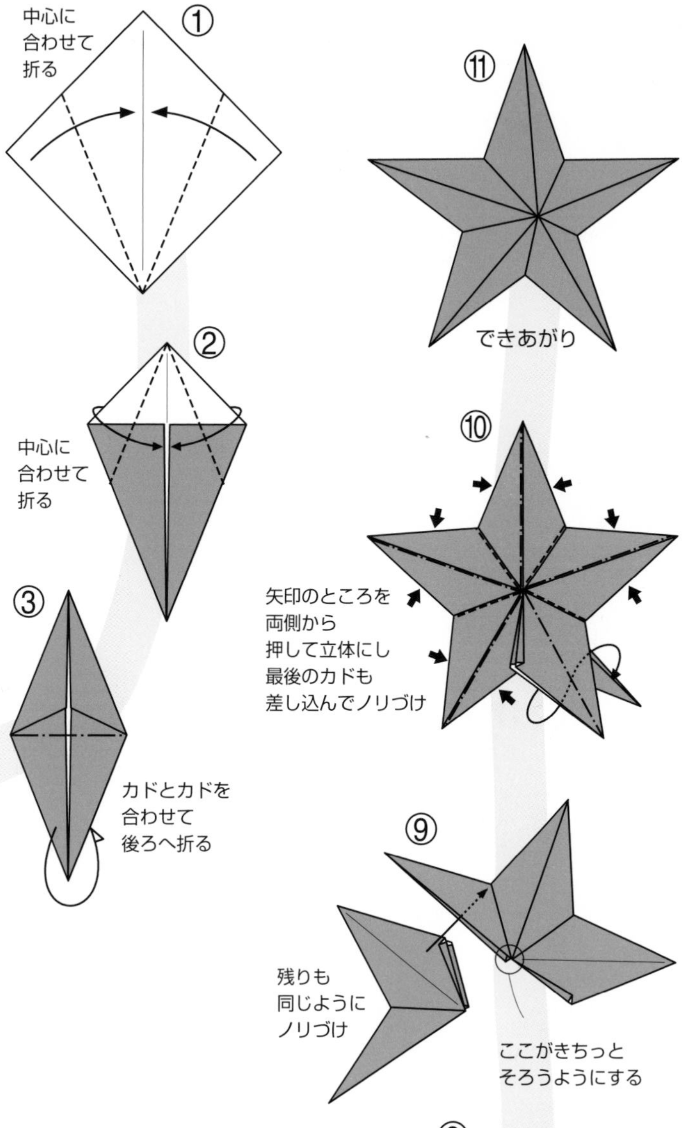
①
中心に
合わせて
折る
②
中心に
合わせて
折る
③
カドとカドを
合わせて
後ろへ折る
⑨
残りも
同じように
ノリづけ
ここがきちっと
そろうようにする
⑩
矢印のところを
両側から
押して立体にし
最後のカドも
差し込んでノリづけ
⑪
できあがり

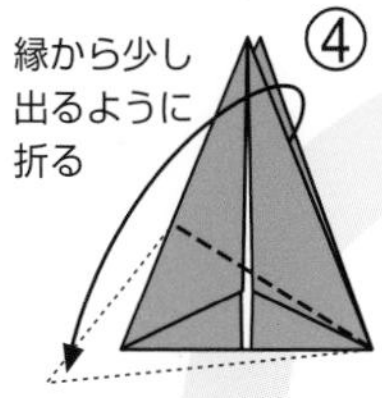
④
縁から少し
出るように
折る

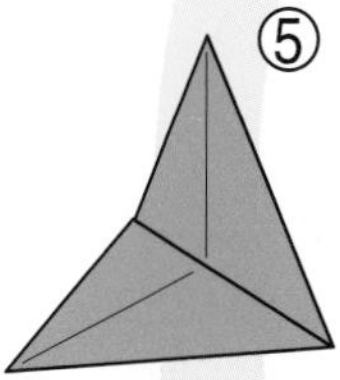
⑤

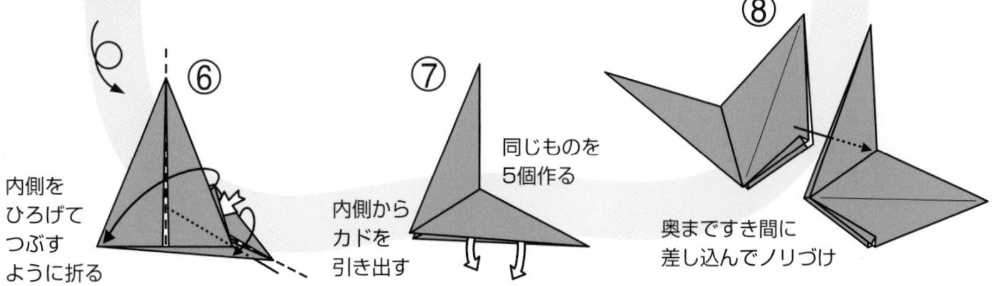
⑥
内側を
ひろげて
つぶす
ように折る
⑦
内側から
カドを
引き出す
同じものを
5個作る
⑧
奥まですき間に
差し込んでノリづけ

P152（写真）

4
クリスマスツリー
サンタクロース

用紙
●寸法（写真）
紙
(体)2.8×2.8cm
(顔)1.4×1.4cm
仕上がり
2.5×2.1cm

●素材
折り紙、和紙、用紙

◆ワンポイント
簡単にできるサンタクロースです。大きさを変えてカードなどに貼ってもかわいらしいものができます。
※P64～65［メッセージカード］の⑥,P96［モービル］の③もこの折り図を参照

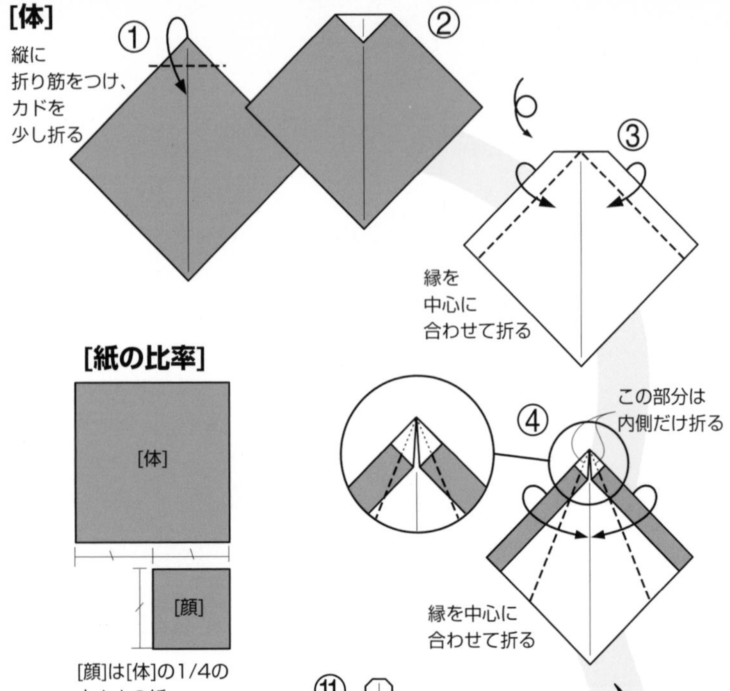

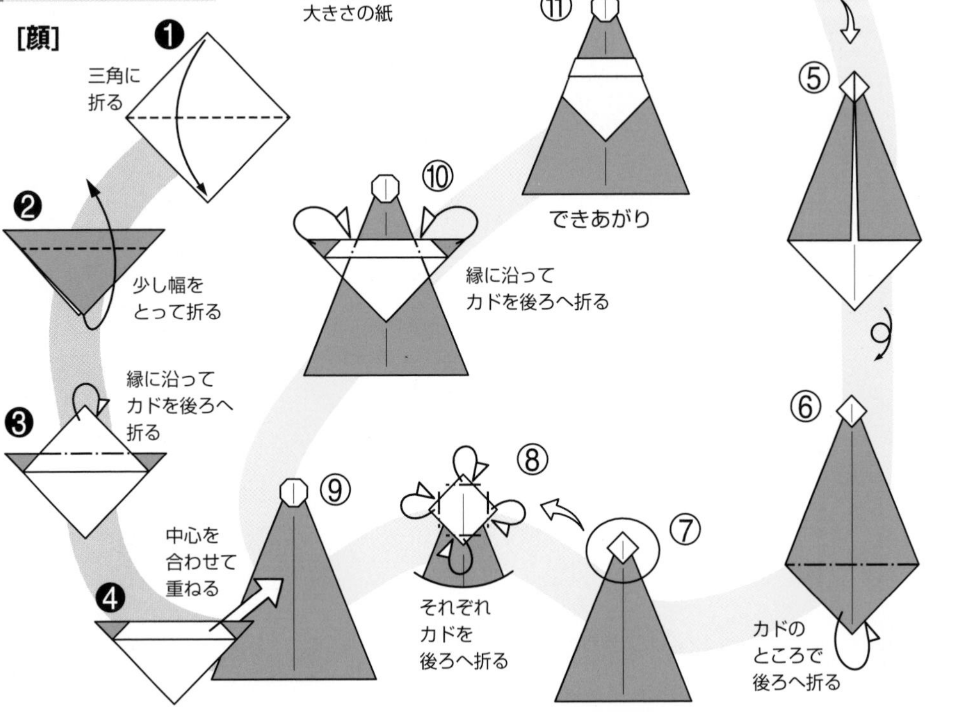

折り方の約束記号

美しい曲を奏でるには楽譜が必要なのと同様に、楽しい作品を折るのには折り図が必要です。その折り図を理解するためには「折り方の約束記号」をおぼえなければなりません。特別むずかしいものではありませんから、1つのルールだと思って、折りはじめる前におぼえておきましょう。

谷折り線

手前で
折る

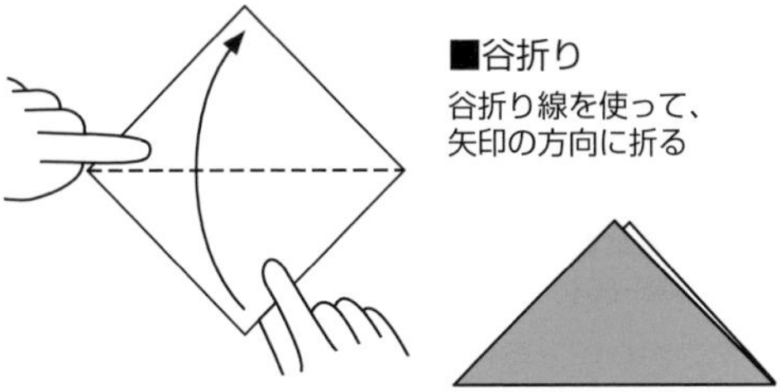

■谷折り
谷折り線を使って、
矢印の方向に折る

山折り線

後ろへ
折る

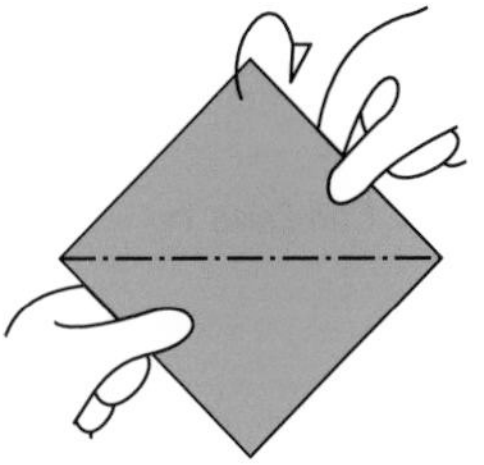

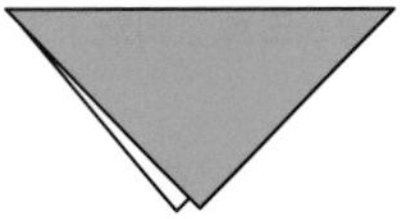

■山折り
山折り線を使って、
矢印の方向に折る

■中わり折り

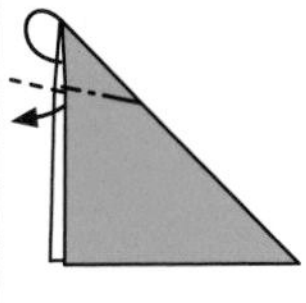

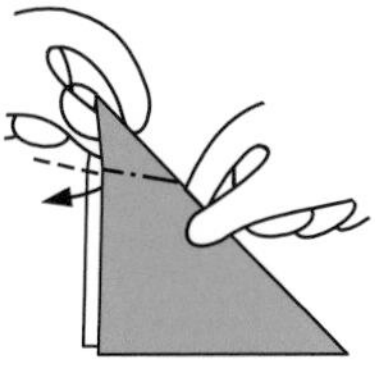

内側を割るようにして
カドを出すように折る

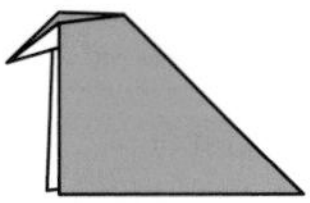

■かぶせ折り

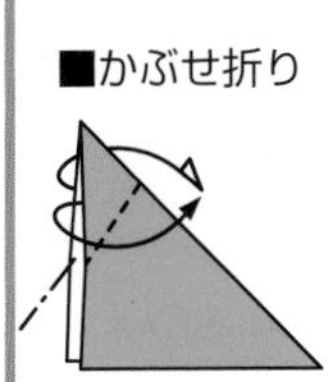

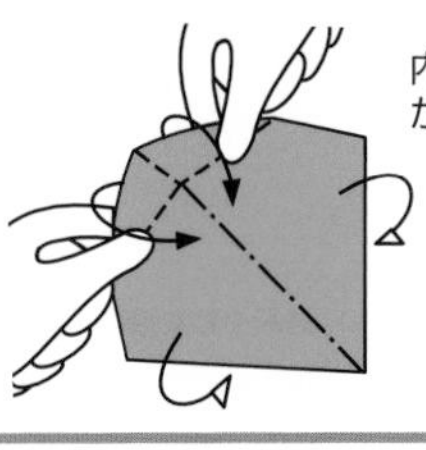

内側をひらいて
かぶせるように折る

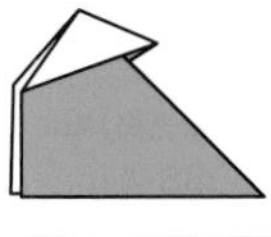

折り筋をつける

段折り

裏返す

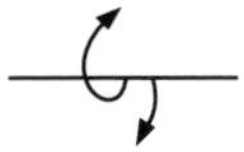

下の部分を上に出す
ように折る

図の見る位置が
変わる

次の図が
大きくなる

切る

巻くように折る

仮想線
見えないところ
これから折るところ

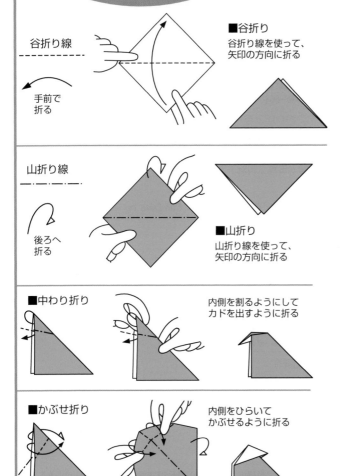

押す、押しつぶす

○と○を合わせて折る

引き出す

ふくらます